KWESTIA WIARY

DONNA LEON

KWESTIA WIARY

Przełożył
Marek Fedyszak

NOIR SUR BLANC

Tytuł oryginału
A Question of Belief

ISBN 978-83-7392-410-9

Joyce DiDonato

L'empio crede con tal frode
Di nasconder l'empietà

Złoczyńca wierzy, że dzięki oszustwu
Może ukryć swą niegodziwość

Libretto opery *Don Giovanni*
W.A. Mozarta

Rozdział 1

Gdy ispettore Vianello wszedł do jego gabinetu, Brunetti wyczerpał już niemal całkowicie siłę woli trzymającą go przy biurku. Przeczytał wcześniej raport o przemycie broni w Veneto, w którym ani słowem nie wspomniano o Wenecji; przeczytał też drugi, sugerujący przeniesienie dwóch nowych rekrutów do Squadra Mobile, zanim zdał sobie sprawę, że jego nazwiska nie ma na liście osób, które powinny się z nim zapoznać. Teraz zaś był po lekturze połowy ministerialnego obwieszczenia o zmianach w przepisach dotyczących wcześniejszego odchodzenia na emeryturę. To znaczy przeczytał połowę, o ile tym czasownikiem można opisać poziom uwagi, jaką Brunetti poświęcił lekturze dokumentu. Papiery leżały na biurku, a on spoglądał przez okno w nadziei, że ktoś wejdzie do gabinetu i wyleje mu na głowę wiadro zimnej wody, że spadnie deszcz albo zostanie żywcem wzięty do nieba i w ten sposób ucieknie od upału uwięzionego w jego biurze i ogólnego sierpniowego przygnębienia panującego w Wenecji.

I dlatego deus ex machina nie mógł być milej widziany niż Vianello, który wszedł z aktualnym wydaniem „Gazzetty dello Sport" w dłoni.

— Co to takiego? — zapytał Brunetti, wskazując na różową gazetę i kładąc niepotrzebny nacisk na drugie słowo. Oczywiście znał odpowiedź, nie rozumiał jednak, jak ów dziennik mógł się znaleźć w posiadaniu inspektora.

Ten zerknął na gazetę, jakby sam był zaskoczony, i odparł:

— Ktoś upuścił ją na schodach. Pomyślałem, że zaniosę gazetę na dół i zostawię w pokoju odpraw.

— Przez chwilę sądziłem, że jest twoja — przyznał z uśmiechem komisarz.

— Nie szydź z niej — rzekł Vianello, siadając, i cisnął dziennik na biurko. — Kiedy ostatnio do niej zaglądałem, był tam obszerny artykuł o drużynach polo z okolic Werony.

— Polo? — zdziwił się Brunetti.

— Na to wygląda. W tym kraju, a może tylko w okolicach Werony, jest siedem takich drużyn.

— Z kucami, białymi strojami i toczkami? — zapytał mimowolnie komisarz.

Vianello skinął głową.

— Zamieścili zdjęcia. Markiz taki i hrabia taki to a taki, wille i *palazzi*.

— Jesteś pewien, że pod wpływem upału nie pomyliłeś tego z tekstem, który mogłeś czytać... och, sam nie wiem... w „Chi"?

— „Chi" też nie czytam — odparł półgębkiem inspektor.

— Nikt nie czyta „Chi" — zgodził się Brunetti, nie spotkał bowiem jeszcze osoby, która by się przyznała do lektury tego czasopisma. — Informacje podawane w ich artykułach przenoszone są przez komary i sączą się do mózgu, gdy zostaniesz ukąszony.

— I to m n i e upał dał się we znaki — rzekł Vianello. Przez chwilę siedzieli bez sił. Żaden z nich nie był w stanie rozmawiać o lejącym się z nieba żarze. Inspektor pochylił się i próbował odkleić bawełnianą koszulę przylegającą do pleców.

— Na stałym lądzie jest jeszcze gorzej — stwierdził w końcu. — Ludzie w Mestre mówili, że wczoraj po południu w biurach od frontu było czterdzieści jeden stopni.

— Myślałem, że mają klimatyzację.

— Przyszła jakaś wytyczna z Rzymu, że nie mogą jej używać z powodu groźby częściowego zaciemnienia podobnego jak to, które mieli trzy lata temu. — *Ispettore* wzruszył ramionami. — Tutaj i tak mamy lepiej niż w jakimś pudełku ze szkła i betonu jak oni. — Spojrzał na okna gabinetu otwarte na oścież w porannym świetle. Firanki poruszały się ospale, ale przynajmniej były w ruchu.

— I naprawdę wyłączono im klimatyzację?

— Tak mi powiedzieli.

— Ja tam bym im nie wierzył.

— Nie uwierzyłem.

Siedzieli w milczeniu, dopóki Vianello nie powiedział:

— Chciałem cię o coś zapytać.

Brunetti spojrzał na niego i skinął głową. Było to łatwiejsze od mówienia.

Inspektor przesunął dłonią po gazecie, po czym wyprostował się na krześle.

— Czy kiedykolwiek... — zaczął, zawahał się, jakby próbował znaleźć właściwe słowa, po czym ciągnął dalej: — czytałeś horoskop?

— Świadomie nie — odparł po chwili komisarz i widząc speszoną minę Vianella, dodał: — To znaczy nie przypominam sobie, bym kiedyś szukał ich w gazecie. Ale rzeczywiście zerkam na nie, gdy ktoś zostawi gazetę otwartą na stronie z horoskopami. Ale tak sam z siebie to nie. — Czekał na jakieś wyjaśnienie, a gdy nie padło, zapytał: — Dlaczego pytasz?

Inspektor przesunął się na krześle, wstał, żeby wygładzić zagniecenia spodni, i znowu usiadł.

— Chodzi o moją ciotkę, siostrę mojej matki. Ostatnią żyjącą. Anitę. Czyta je codziennie. To, czy się sprawdzają, nie ma dla niej znaczenia, chociaż zawsze niewiele mówią, prawda? „Wyruszysz w podróż". Ciotka jedzie nazajutrz na targ przy Rialto, żeby kupić warzywa. To też podróż, czyż nie?

Vianello przez lata opowiadał o swojej ciotce — była ukochaną siostrą jego zmarłej matki, a także jego ulubioną ciotką. Prawdopodobnie dlatego, że była najbardziej upartą osobą w rodzinie. W latach pięćdziesiątych wyszła za mąż za ucznia elektryka, a w kilka tygodni po ślubie żegnała go, gdy wyjeżdżał do Turynu w poszukiwaniu pracy. Czekała prawie dwa lata, by znów go zobaczyć. Wujkowi Franco udawało się znaleźć pracę, przeważnie w firmie Fiat, gdzie mógł się uczyć zawodu i zostać mistrzem.

Zia Anita, ciotka, przeniosła się do niego do Turynu i spędziła tam z nim sześć lat. Po narodzinach ich pierwszego syna przeprowadzili się do Mestre, gdzie wujek Franco założył własną firmę. Rodzina się powiększała, firma też; obie rozwijały się pomyślnie. Franco przeszedł na emeryturę dopiero przed osiemdziesiątką i ku wielkiemu za-

14

skoczeniu swoich dzieci, które dorastały na *terraferma**, przeniósł się z powrotem do Wenecji. Ciotka, zapytana, dlaczego żadna z jej pociech nie chciała się przeprowadzić tam razem z nimi, odparła: „Oni mają w żyłach benzynę, nie morską wodę".

Brunetti był gotów siedzieć i słuchać opowieści inspektora o jego ciotce. Ta rozrywka powstrzymałaby go od podchodzenia co kilka minut do okna, żeby zobaczyć, czy... Czy co? Czy zaczął padać śnieg?

— I zaczęła je oglądać w telewizji — ciągnął Vianello.

— Horoskopy? — zapytał Brunetti zaintrygowany. Telewizję oglądał rzadko, zazwyczaj zmuszony do tego przez syna, żonę lub córkę, nie miał więc pojęcia, co w niej pokazują.

— Ale przeważnie wróżbitów czytających z kart i ludzi, którzy twierdzą, że potrafią przewidzieć twoją przyszłość i rozwiązać twoje problemy.

— Czytający z kart? — mógł jedynie powtórzyć komisarz. — W telewizji?

— Tak. Ludzie dzwonią i ten człowiek czyta dla nich z kart, mówi im, na co mają uważać, albo obiecuje pomoc w leczeniu choroby. Wiem o tym od moich kuzynów.

— Uważać, żeby nie spaść ze schodów, czy unikać wysokiego, ciemnowłosego nieznajomego?

Vianello wzruszył ramionami.

— Nie wiem. Nigdy ich nie oglądałem. To brzmi niedorzecznie.

---

* *Terraferma* (wł.) — ląd stały (wszystkie przypisy pochodzą od tłumacza).

— Wcale nie, Lorenzo — zapewnił inspektora Brunetti. — Może dziwnie, ale nie niedorzecznie. A tak po zastanowieniu, może nawet wcale nie tak dziwnie.

— Dlaczego?

— Dlatego, że to staruszka — odparł komisarz. — A zwykle zakładamy... i gdyby była tutaj Paola lub Nadia, oskarżyłyby mnie o uprzedzenia zarówno wobec kobiet, jak i wobec starszych osób... że staruszki wierzą w takie rzeczy.

— Czyż nie dlatego czarownice płonęły na stosach? — zapytał Vianello.

Chociaż Brunetti czytał kiedyś obszerne fragmenty *Młota na czarownice*, nadal nie wiedział, dlaczego akurat stare kobiety trafiały na stos. Być może wielu mężczyzn to głupcy i nikczemnicy, a stare kobiety są słabe i nikt ich nie broni.

Vianello skierował wzrok w stronę okna, oślepiło go wpadające przez nie światło. Komisarz wyczuł, że *ispettore* nie chce być ponaglany, prędzej czy później dojdą do sedna sprawy. Na razie pozwolił mu obserwować grę światła i wykorzystał ten moment, by przyjrzeć się przyjacielowi. Vianello nigdy dobrze nie znosił upałów, lecz tego lata wydawał się bardziej udręczony niż w przeszłości. Jego gładkie od potu włosy były rzadsze, niż Brunetti pamiętał. Twarz sprawiała wrażenie opuchniętej, zwłaszcza w okolicach oczu. Vianello przerwał spostrzeżenia Brunettiego pytaniem:

— Sądzisz, że stare kobiety naprawdę są bardziej skłonne w to wierzyć?

— Nie mam pojęcia — odparł komisarz po namyśle. — Pytasz, czy bardziej skłonne od reszty z nas?

16

Inspektor skinął głową i znów odwrócił się w stronę okna, jakby chciał, żeby firanki wzmogły swój ruch.

— Z tego, co mówiłeś o niej przez lata, nie wygląda mi na osobę tego pokroju — zauważył w końcu Brunetti.

— To prawda. I właśnie dlatego tak trudno się w tym połapać. Zawsze była najtęższą głową w rodzinie. Wujek Franco to w porządku człowiek i był bardzo dobrym pracownikiem, ale sam nigdy by nie wpadł na pomysł założenia firmy. Ani nie potrafiłby jej prowadzić, gdyby już to się stało. Ale ona potrafiła i prowadziła księgi, dopóki nie przeszedł na emeryturę i nie przeprowadzili się z powrotem tutaj.

— Nie wygląda mi na osobę, która by rozpoczynała dzień od sprawdzania, co nowego w gwiazdozbiorze Wodnika — zauważył Brunetti.

— Tego właśnie nie rozumiem — odparł Vianello, unosząc ręce w geście bezgranicznego zdumienia. — Czy jest taką osobą, czy nie. Może to jakiś osobisty rytuał, który odprawiają ludzie. Sam nie wiem, taki jak niewychodzenie z domu, dopóki się nie sprawdzi, jaka jest temperatura, lub chęć dowiedzenia się, jacy słynni ludzie urodzili się w dniu twoich urodzin. To osoby, których nigdy byś o to nie podejrzewał. Wydają się normalne pod każdym względem, po czym pewnego dnia odkrywasz, że nie wyjadą na wakacje, jeżeli horoskop nie powie im, że mogą udać się w podróż. — Vianello wzruszył ramionami, a potem powtórzył: — Sam nie wiem.

— Wciąż nie mam pewności, Lorenzo, dlaczego mnie o to pytasz — rzekł Brunetti.

— Sam też nie jestem tego pewien — przyznał Vianello z uśmiechem. — Kiedy ostatnio odwiedziłem ją kilka razy...

staram się tam wpaść co najmniej raz w tygodniu... wszędzie leżały te wariackie magazyny. Nie próbowała ich ukrywać. „Twój horoskop", „Wiedza starożytnych". Tego rodzaju tytuły.

— Pytałeś ją o nie?

Vianello pokręcił głową w odpowiedzi.

— Nie wiedziałem, jak to zrobić. — Inspektor spojrzał na komisarza i ciągnął dalej: — I pewnie bałem się, że moje pytanie się jej nie spodoba.

— Czemu tak twierdzisz?

— Tak naprawdę bez wyraźnego powodu. — Vianello wyciągnął chusteczkę i otarł czoło. — Widziała, jak patrzę... cóż, widziała, że je zauważyłem. Ale nic nie powiedziała. No wiesz, nie wyjaśniła żartem, że zostawiło je tam jedno z jej dzieci albo jedna z jej przyjaciółek przyszła z wizytą i zapomniała zabrać czasopisma. Przecież powiedzenie paru słów na ich temat byłoby czymś normalnym. W końcu to tak, jakbym znalazł czasopisma łowieckie, wędkarskie lub poświęcone motocyklom. Tyle że ona była niemal... sam nie wiem... niemal całkowicie skryta w tej sprawie. Myślę, że to właśnie mi przeszkadzało. — Posłał Brunettiemu długie, pytające spojrzenie i zapytał: — Ty pewnie byś coś powiedział.

— Masz na myśli rozmowę z nią?

— Owszem. Gdyby była twoją ciotką.

— Może tak, może nie — odparł Brunetti, po czym zadał pytanie: — A twój wuj? Możesz go o to zapytać?

— Przypuszczam, że tak, lecz rozmowa z wujkiem Franco przypomina rozmowę z mężczyznami z jego pokolenia: wszystko obracają w żart, poklepią cię po plecach

18

i zaproponują coś do picia. To dusza człowiek, ale w rzeczywistości nie zwraca na nic specjalnej uwagi.

— Nawet na nią?

— Chyba tak — odparł po chwili milczenia inspektor. I znowu cisza, po czym dodał: — Cóż, nie tak, by ktokolwiek mógł to dostrzec. Myślę, że mężczyźni z jego pokolenia tak naprawdę nigdy nie zwracali zbytniej uwagi na swoje rodziny.

Brunetti pokręcił głową na znak zgody połączonej z żalem. To prawda, nie zwracali uwagi na żony ani na dzieci. Jedynie na przyjaciół i kolegów. Kiedyś często myślał o tej różnicy w... — czy chodziło o wrażliwość? A może chodziło tylko o kulturę: znał oczywiście wielu ludzi, którzy nadal uważali okazywanie zainteresowania tak delikatnymi sprawami jak uczucia za oznakę słabości.

Nie pamiętał, kiedy po raz pierwszy zaczął się zastanawiać, czy ojciec kocha matkę lub swoich synów. Zawsze jak wszystkie dzieci — zakładał, że tak. Ale jakże dziwnie okazywał emocje: dniami całkowitego milczenia, okazjonalnymi wybuchami złości, kilkoma chwilami czułości i uznania, w których mówił swoim synom, jak bardzo ich kocha.

Oczywiście ojciec Brunettiego nie należał do osób, którym zdradzało się tajemnice lub zwierzało z czegokolwiek. Był typowym produktem swojej epoki, swojej klasy i kultury. Czy chodziło tylko o sposób bycia? Komisarz próbował sobie przypomnieć, jak zachowywali się ojcowie jego przyjaciół, ale nie pamiętał.

— Myślisz, że my bardziej kochamy swoje dzieci? — zapytał inspektora.

19

— Bardziej niż kto? I co znaczy my? — odpowiedział Vianello.

— Mężczyźni, nasze pokolenie. Bardziej niż nasi ojcowie.

— Naprawdę nie wiem. — Vianello obrócił się wokół własnej osi i szarpnął kilka razy grzbiet koszuli, po czym otarł kark chusteczką. — Może tylko przyswoiliśmy sobie nowe konwenanse. A może oczekuje się od nas innych zachowań. — Rozsiadł się wygodnie na krześle. — Nie wiem.

— Czemu mi o tym powiedziałeś? — spytał Brunetti. — Mam na myśli twoją ciotkę.

— Chyba chciałem usłyszeć, jak to zabrzmi, czy jeżeli posłucham siebie mówiącego o tym, dowiem się, czy powinienem się o nią martwić, czy nie.

— Zacząłbym się martwić, dopiero gdy zacznie wróżyć ci z ręki — rzekł Brunetti, próbując poprawić ogólny nastrój.

Vianello posłał mu zbolałe spojrzenie.

— Obawiam się, że to niezbyt odległa perspektywa — powiedział, próbując nieudolnie obrócić to w żart. — Myślisz, że powinniśmy pić kawę w taki upał?

— Czemu nie?

Rozdział 2

W lokalu przy Ponte dei Greci za barem stał Bambola, Senegalczyk, którego Sergio zatrudnił w zeszłym roku do pomocy. Zarówno Brunetti, jak i Vianello byli przyzwyczajeni do widoku Sergia za kontuarem — krzepkiego, szorstkiego Sergia, człowieka, który przez dziesiątki lat z pewnością przypadkiem słyszał, i zachował dla siebie, wystarczająco dużo policyjnych sekretów, by dać zajęcie jakiemuś szantażyście na całe dekady. Pracownicy komendy policji tak bardzo przywykli do niego, że stał się dla nich niemal niewidzialny.

Trudno byłoby to samo powiedzieć o Bamboli. Afrykanin nosił długą beżową galabiję i biały turban. Wysoki i szczupły, ze śniadą, tryskającą zdrowiem twarzą Bambola przypominał raczej latarnię; jego turban odbijał światło, które wpadało przez duże, wychodzące na kanał okna. Nie chciał nosić fartucha, ale na jego galabii nigdy nie było widać zabrudzeń ani plam.

Gdy obaj wchodzili do baru, Brunettiego uderzyła niezwykła jasność wnętrza i kiedy uniósł wzrok, zobaczył, że Bambola włączył lampy, niezbyt potrzebne w dniu tak słonecznym jak ten. Chodziło o okna. Nie dość, że były

21

czystsze niż kiedykolwiek przedtem, to jeszcze z szyb odklejono lub zeskrobano plakaty i nalepki reklamujące lody, napoje bezalkoholowe i rozmaite marki piwa. Ta innowacja dwukrotnie zwiększyła ilość światła wlewającego się do baru. Z parapetu okiennego sprzątnięto stare czasopisma i gazety, nie było też śladu upstrzonych przez muchy jadłospisów, które od lat tam leżały. Zamiast nich na całej długości parapetu leżała biała tkanina, a na środku stał ciemnoniebieski wazon z różowymi nieśmiertelnikami.

Brunetti zauważył, że poobijaną plastikową gablotę, w której, odkąd sięgał pamięcią, trzymano ciasta i drożdżówki, zastąpiono trójpoziomową, ze szklanymi ścianami i półkami. Odetchnął z ulgą, ujrzawszy, że są w niej te same ciasta: Sergio może i nie był najbardziej drobiazgowym administratorem, ale rozumiał, ile znaczą dobre ciasta i smaczne *tramezzini,* tradycyjna włoska przekąska.

— To w ramach rewaloryzacji zabudowy miejskiej? — zapytał Bambolę na powitanie.

W odpowiedzi Senegalczyk błysnął zębami.

— *Si, commissario* — potwierdził. — Sergio zachorował na letnią grypę i poprosił mnie, bym przejął jego obowiązki. — Trzymając w dłoni ścierkę tak białą, że mogłaby być przedłużeniem turbanu, Bambola wskazał zamaszystym ruchem bar i zapytał, czym może im służyć.

— Poprosimy o dwie kawy — odparł Brunetti.

Senegalczyk odwrócił się i zajął obsługą ekspresu. Gdy poluzował uchwyt pojemnika z fusami, by je wytrząsnąć, a potem przestawić dźwignię dozownika ze świeżą kawą, komisarz nieświadomie przygotował się na znajome brzęki i łoskot charakterystyczny dla techniki parzenia kawy stosowanej przez Sergia. Rozległy się, były jednak stłumione i gdy zerknął na ekspres, zobaczył, że drewniany pręt, w który Sergio przez dziesięciolecia uderzał metalowym pojemnikiem, został pokryty gumową osłoną skutecznie tłumiącą hałas. Z nazwy producenta ekspresu, Gaggia, usunięto warstwy brudu i plam po kawie, które ją zakrywały, odkąd Brunetti po raz pierwszy przyszedł do baru.

— Czy Sergio rozpozna swój lokal, gdy tu wróci? — zapytał Vianello barmana.

— Mam nadzieję, *ispettore*. I wierzę, że mu się spodoba.

— A ta gablota? — zapytał Vianello, wskazując ruchem brody w stronę ciast.

— Znalazł ją dla mnie znajomy — wyjaśnił Bambola i przejechał po niej czule ścierką. — W dodatku wszystko jest ciepłe.

Brunetti i Vianello nie spojrzeli na siebie, ale długie milczenie, którym powitali wyjaśnienie barmana, miało taki sam efekt.

— Kupił ją dla mnie, *ispettore* — dodał Senegalczyk z większą powagą, kładąc mocny nacisk na pierwsze słowo. — Mam rachunek.

— W takim razie wyświadczył ci przysługę — stwierdził Vianello z uśmiechem. — Jest znacznie lepsza od tamtej starej z plastiku, z pęknięciem w bocznej ścianie.

— Sergio uważał, że ludzie tego nie zauważą — rzekł Bambola normalnym głosem.

— Ha! — zawołał inspektor. — Ta sprawia, że człowiek ma ochotę ją otworzyć i jeść. — Przechodząc od słowa do czynu, otworzył gablotę i uważając, by najpierw dotknąć serwetki, wziął z górnej półki brioszkę z kremem. Odgryzł kęs, obsypując sobie brodę i gors koszuli cukrem pudrem. — Nie zmieniaj tego — poradził, oblizując cukrowe wąsy.

Barman podał dwie kawy na ladę i postawił obok filiżanki inspektora ceramiczny talerzyk.

— Bez tekturowych tacek — zauważył Vianello. — To dobrze. — Odłożył pozostałą połowę drożdżówki na talerzyk.

— To nie ma sensu, *ispettore* — odparł Bambola. — Ekologicznego sensu, znaczy się. Używać tektury, żeby zrobić talerz, który wyrzuca się po jednym użyciu.

— I przerabia na tekturę — podpowiedział Brunetti.

Bambola zbył tę sugestię wzruszeniem ramion, odpowiedzią, do której komisarz już przywykł. Podobnie jak wszyscy inni mieszkańcy miasta nie miał pojęcia, co się dzieje ze śmieciami, które tak starannie segregują — mógł mieć tylko nadzieję.

— Interesuje cię to? — zapytał Vianello, po czym, żeby uniknąć nieporozumień, dodał: — Recykling?

— Owszem — odparł Bambola.

— Dlaczego? — drążył temat inspektor. Zanim barman zdążył odpowiedzieć, do baru weszli dwaj mężczyźni. Zamówili kawę i wodę mineralną. Usiedli w drugim końcu baru.

Gdy już zostali obsłużeni i Bambola znowu stanął za kontuarem, inspektor powrócił do swojego pytania.

— Interesuje cię, bo nie używając tekturowych tacek, Sergio zaoszczędzi pieniądze?

Bambola zabrał ich filiżanki i spodki, opłukał szybko w zlewie i włożył do zmywarki.

— Jestem inżynierem, *ispettore* — odparł w końcu. — Więc recykling interesuje mnie z uwagi na moją profesję. Chodzi o spożycie i produkcję.

— Tak też myślałem — rzekł Vianello. — Nie wiedziałem jednak, jak cię o to zapytać. — Odczekawszy chwilę, żeby sprawdzić, jak Bambola przyjmie jego ostatnie słowa, zapytał: — Jakiej specjalności?

— Hydrotechnika. Stacje uzdatniania wody. Tego rodzaju rzeczy.

— Rozumiem. — Vianello wyciągnął z kieszeni monety, wybrał kilka i zostawił na kontuarze odpowiednią sumę.

— Gdy będziesz rozmawiał z Sergiem — rzekł Brunetti, ruszając w stronę drzwi — pozdrów go, proszę, i każ mu wyzdrowieć.

— Dobrze, *commissario* — odparł Bambola i odwrócił się w stronę dwóch mężczyzn na drugim końcu baru. Brunetti spodziewał się, że Vianello powróci do tematu swojej ciotki, ale wyglądało na to, że bodziec do mówienia o niej pozostał za progiem komendy, a komisarz, nieszczególnie skłonny kontynuować rozmowę, dał sobie spokój.

Na zewnątrz obaj, chcąc nie chcąc, stanęli pod pręgierzem słońca. Budynek *questury* znajdował się niecałe dwie minuty spacerem od baru, ale w lejącym się z nieba żarze wydawało się, że dystans się zwiększył, gdy byli na kawie, tak że teraz muszą pokonać pół miasta. Promienie słońca z całą siłą padały na biegnący wzdłuż kanału chodnik. Turyści siedzieli pod parasolami przed trattorią po drugiej stronie mostu. Brunetti przyglądał im się przez chwilę, szukając jakichś oznak ruchu. Czy to możliwe, że upał zmienił

25

ich w puste skorupy, jakby to była szarańcza? Ale właśnie wtedy kelner zaniósł wysoką szklankę z ciemnym płynem do jednego ze stolików, a klient restauracji poruszył z wolna głową, obserwując go, jak nadchodzi. Ruszyli.

Komisarz wiedział, że akweny powinny chłodzić miejsca, w których się znajdują, lecz miał wrażenie, że płaska ciemnozielona powierzchnia kanału tylko odbija i w dwójnasób wzmacnia natężenie światła i ciepła. Zamiast ulgi niosła wilgoć. Z trudem posuwali się naprzód.

— Nie miałem pojęcia, że jest inżynierem — rzekł Vianello.

— Ja też nie.

— A do tego hydrotechnikiem — dodał z nieskrywanym podziwem inspektor.

Drzwi komendy znajdowały się w odległości zaledwie kilku kroków. Strażnik, co zupełnie zrozumiałe, schronił się w środku.

Brunetti otarł twarz rękawem, nie będąc w stanie pojąć, jak mógł być tak głupi, żeby tego dnia włożyć koszulę z długimi rękawami.

— Od jak dawna tu przebywa? — zapytał, ruszając ku schodom.

— Nie jestem pewien. Od trzech, czterech lat. Myślę, że przez większość tego czasu, zanim dostał papiery, był tu nielegalnie. Gdy przychodziłem w mundurze, zawsze gdzieś znikał. — Vianello uśmiechnął się na to wspomnienie. — Taki dryblas. To niezwykłe, był tam, a po chwili po prostu go nie było, jakby wyparował.

— Ja też wkrótce wyparuję — zauważył Brunetti, gdy dotarł na pierwsze piętro.

— Słucham?

— Wyparuję.

— Miejmy nadzieję, że on tego nie zrobi — powiedział inspektor.

— Kto? Bambola?

— Tak. Ale Sergio nie może pracować przez tyle godzin. I musisz przyznać, że bar wygląda lepiej. Wystarczył jeden dzień.

— Jego żona choruje — przypomniał Brunetti. — To dobrze, że znalazł ten bar.

— Prowadzenie baru to parszywe zajęcie — zauważył Vianello. — Sterczysz w nim cały dzień, nigdy nie wiadomo, jakich kłopotów przysporzą ci goście, i zawsze musisz być grzeczny.

— To mi przypomina warunki pracy tutaj — odparł komisarz.

Inspektor roześmiał się i skręcił ku sali odpraw, pozostawiając Brunettiego sam na sam z drugim ciągiem schodów.

Rozdział 3

Dwa dni później, siedząc przy biurku, komisarz zastanawiał się nad możliwością zawarcia umowy z weneckimi przestępcami. Czy można by ich skłonić do tego, żeby zostawili ludzi w spokoju, dopóki nie skończą się upały? Tylko przy założeniu istnienia centralnej organizacji, Brunetti wiedział jednak, że przestępczość stała się zbyt zróżnicowana i zbyt międzynarodowa, by możliwe było jakiekolwiek wiarygodne porozumienie. Kiedyś, gdy przestępczość miała wyłącznie lokalny charakter, a kryminaliści byli dobrze znanym elementem tkanki społecznej, mogłoby to poskutkować, oni zaś, tak samo jak policja przytłoczeni niesłabnącym upałem, mogliby być skłonni do współpracy.

— Przynajmniej do pierwszego września — powiedział na głos.

Zbyt udręczony lejącym się z nieba żarem, by analizować dokumenty leżące na biurku, pozwolił sobie kontynuować te jałowe spekulacje: jak przekonać rumuńskich kieszonkowców, by przestali kraść, a Cyganów, by przestali posyłać dzieci na włamy do domów? A dotyczyło to tylko Wenecji. Na lądzie stałym te prośby byłyby o wiele bardziej poważne: do Mołdawian, by przestali sprzedawać trzynastolatki, i Albańczyków, by zaprzestali handlu narkotykami. Przez chwilę rozważał możliwość przekonania włoskich mężczyzn — takich jak on i Vianello — by przestali pożądać młodych prostytutek i tanich narkotyków.

Siedział, czując, jak pot ścieka mu po skórze. Ponoć w Nowej Zelandii biznesmeni podczas kanikuły noszą krótkie spodnie i koszule z krótkimi rękawami. Czyż Japończycy nie postanowili chodzić bez marynarek w okresie najdotkliwszych upałów? Wyjął chusteczkę i wytarł szyję pod kołnierzykiem. Przy takiej pogodzie ludzie zabijali się nawzajem, walcząc o miejsce do parkowania. Albo z powodu jakiejś złośliwej uwagi.

Pobiegł myślami do obietnic złożonych Paoli, że dziś wieczorem porozmawiają o wakacjach. On, wenecjanin, miał zmienić się wraz z rodziną w turystów, tyle że takich, którzy zmierzają w przeciwnym kierunku, byle dalej od Wenecji, robiąc miejsce tym, których przyjazdu spodziewano się tego roku. W zeszłym było ich dwadzieścia milionów. Boże, miej litość nad nami wszystkimi.

Usłyszał jakiś hałas przy drzwiach i uniósł wzrok, by ujrzeć signorinę Elettrę oświetloną jak reflektorem promieniami słońca wlewającego się przez okna gabinetu. Czy to być może? Czy to możliwe, że po z górą dekadzie, kiedy sekretarka jego zwierzchnika uprzyjemniała mu dni swoim nieskazitelnym wyglądem, upał zdołał wtargnąć nawet tutaj? Czyżby na lewej stronie jej białej lnianej koszuli było zagniecenie?

Brunetti zamrugał, przymknął na moment oczy, a gdy je znowu otworzył, zrozumiał, że to tylko złudzenie: zagniecenie okazało się cieniem na oświetlonej słońcem tkaninie.

Signorina Elettra przystanęła i zerknęła przez ramię, a wtedy obok niej pojawiła się jeszcze jedna osoba.

— Dzień dobry, *dottore* — powiedziała.

Stojący obok niej mężczyzna uśmiechnął się i rzekł:

— *Ciao*, Guido.

Widok Toniego Bruski w godzinach pracy poza jego gabinetem w magistracie był równie niezwykły jak widok borsuka na zewnątrz nory w biały dzień. Brusca zawsze przypominał Brunettiemu to zwierzę gęstymi ciemnymi włosami, z pasmem siwizny biegnącym z jednej strony, krępym tułowiem na krótkich nogach i niewiarygodną uporczywością, z jaką zgłębiał każdy przedmiot swojego zainteresowania.

— Idąc tutaj, spotkałam Toniego — powiedziała signorina Elettra. — Pomyślałam więc, że pokażę mu drogę do pańskiego gabinetu. — Cofnęła się i posłała gościowi swój najbardziej promienny uśmiech. Świadczył on o tym, że albo Brusca był jej dobrym znajomym, albo ona, sekretarka Patty, kobieta bezgranicznie i instynktownie podstępna, wiedziała, że Toni jest w ratuszu szefem archiwum akt osobowych, a więc człowiekiem potencjalnie użytecznym.

Brusca posłał jej przyjazne skinienie głową i podszedł do biurka, rozglądając się po gabinecie.

— U ciebie na pewno jest jaśniej niż u mnie — stwierdził z nieskrywanym podziwem. Brunetti zauważył, że pod pachą trzyma teczkę.

Wstał zza biurka i uścisnął Toniemu rękę, po czym poklepał go kilka razy po ramieniu. Skinął głową signorinie Elettrze, która uśmiechnęła się, choć nie był to jej najbardziej promienny uśmiech, i wyszła z gabinetu.

Brunetti wskazał swojemu przyjacielowi jedno z krzeseł przed biurkiem i usiadł naprzeciw niego. Czekał, aż Toni się odezwie. Brusca z pewnością nie przyszedł tutaj dyskutować o zaletach ich gabinetów. Nie należał też do ludzi marnujących czas i energię, gdy chcieli coś zrobić lub czegoś się dowiedzieć — Brunetti zapamiętał to z lat wspólnej nauki w szkole średniej. Najlepiej było siąść i czekać, i właśnie tak zamierzał postąpić.

Nie musiał czekać długo, bo już po chwili Brusca się odezwał:

— Chcę cię o coś zapytać, Guido.

Wyjął z teczki przezroczystą plastikową koszulkę, a z niej kilka dokumentów i spojrzał na przyjaciela.

— W ratuszu rozmawiam z wieloma osobami — wyjaśnił. — A oni mówią mi rzeczy, które czasem budzą moją ciekawość, wtedy rozpytuję się i dowiaduję kolejnych rzeczy. A ponieważ siedzę w swoim gabinecie na parterze, w którym jest tylko jedno okno, i ponieważ moja praca pozwala mi interesować się tym, co robią inni ludzie... i ponieważ zawsze jestem bardzo grzeczny i bardzo sumienny... ludzie zwykle odpowiadają na moje pytania.

— Nawet jeśli tak naprawdę dotyczą spraw, które w sensie zawodowym nie powinny cię obchodzić? — zapytał Brunetti, zaczynając podejrzewać, dlaczego Brusca odwiedził swojego przyjaciela z policji.

— Właśnie.

— I to właśnie tam masz? — upewnił się komisarz, wskazując głową na dokumenty. Podobnie jak Brusca należał do ludzi, którzy nie lubią tracić czasu.

Brusca wręczył mu papiery, mówiąc:

31

— Obejrzyj.

Na pierwszym dokumencie widniał nagłówek „Tribunale di Venezia". Lewa strona kartki zawierała cztery kolumny z nagłówkami: numer sprawy, data, sędzia, numer sali rozpraw. Za grubą pionową kreską znajdowała się pojedyncza rubryka z nagłówkiem „wynik". Brunetti odsunął dokument na bok i znalazł jeszcze trzy podobne. Kopie miały zróżnicowaną jakość: jedna była tak niewyraźna, że prawie nieczytelna. W prawym dolnym rogu każdej strony przybito stempel z datą, opatrzony z boku starannym podpisem i pieczęcią Ministerstwa Sprawiedliwości. Daty się różniły, ale podpis był ten sam. W dwóch wypadkach pieczęć ministerstwa przybito niestarannie i nie zmieściła się na kartce w całości. Brunetti miał wrażenie, że spędził całe życie, oglądając takie dokumenty. Ile sam ostemplował, zanim powierzył je lekturze kolejnej osoby?

Nie miał przed sobą dokumentów sądowych, jakie zazwyczaj czytał w trakcie prowadzonych przez siebie śledztw, zapisów zeznań lub argumentów przedstawianych na końcu procesu ani też kopii ostatecznego wyroku. Były przeznaczone wyłącznie do użytku wewnętrznego i jeżeli właściwie je interpretował, dotyczyły posiedzeń przygotowawczych. Nie doszukał się w nich żadnej prawidłowości.

Zerknął na Bruscę siedzącego z obojętnym wyrazem twarzy i znów skupił wzrok na dokumentach. Szukał podobieństw i spostrzegł, że wiele z wyszczególnionych w wykazach posiedzeń zostało odroczonych bez przesłuchania, a potem zauważył, że większość tych spraw była rozpatrywana przez tę samą sędzię. Rozpoznał jej nazwisko. Nie miał o niej dobrego zdania, choć gdyby musiał, nie potrafiłby wyjaśnić dlaczego. Rzeczy zasłyszane, przypadkiem podsłuchane, pewien ton, jakiego używano, gdy jej nazwisko pojawiało się w rozmowie, i coś, co wiele lat temu powiedział jeden z jego informatorów. A właściwie nie powiedział, lecz dał do zrozumienia, i nie o niej, ale o kimś z jej rodziny. Nazwisko urzędnika, który podpisał dokumenty, nic mu nie mówiło.

Spojrzał na przyjaciela i rzekł:

— Przypuszczam, że te odroczenia mogą być korzystne dla jednej ze stron w każdej sprawie, a sędzia Coltellini jest w nie jakoś uwikłana. — Brusca skinął zachęcająco głową i wskazał brodą na dokumenty, jakby chciał podpowiedzieć dobrze zapowiadającemu się studentowi. — Jeżeli to znaczy, że mam się tu dopatrzyć czegoś więcej, to sądzę, że osoba, której podpis widnieje na tych dokumentach, też jest w to zamieszana.

— Araldo Fontana — rzekł Brusca. — Urzędnik sądu. Zaczął tam pracować w tysiąc dziewięćset siedemdziesiątym piątym roku, dziesięć lat później awansował na naczelnego woźnego sądowego i odtąd pełni tę funkcję. Dziesiątego kwietnia dwa tysiące czternastego roku powinien odejść na emeryturę.

— Jakiego koloru jest jego bielizna? — zapytał z poważną miną komisarz.

— To bardzo śmieszne, Guido, bardzo śmieszne.

— No dobra. Zapomnij o bieliźnie i opowiedz mi o nim.

— Jako naczelny woźny sądowy dba o to, by dokumenty były opracowywane i dostarczane na czas.

— A to znaczy...?

Brusca rozsiadł się na krześle, założył nogę na nogę, po czym uniósł rękę w geście imitującym ruch.

— W sądzie jest centralny depozyt, gdzie trzyma się wszystkie dokumenty dotyczące rozpatrywanych spraw. Gdy są potrzebne w trakcie rozpraw, woźni pilnują, by dostarczono je do właściwej sali, aby sędzia w razie potrzeby mógł z nich skorzystać. Potem, gdy rozprawa się kończy, woźni odnoszą je do centralnego depozytu i umieszczają z powrotem w aktach. Podczas następnej rozprawy znowu trafiają na salę posiedzeń. Kiedy zapada wyrok, wszystkie dokumenty w tej sprawie przenosi się do depozytu stałego.

— Ale?

— Ale czasem giną lub nie zostają dostarczone, a gdy ich nie ma, sędziemu pozostaje tylko odroczyć rozprawę i wyznaczyć inny termin. A gdy rozprawa wypada przed jakimś świętem, sędzia może uznać, że najlepiej odroczyć ją na okres poświąteczny. Jednak w obu wypadkach sędzia musi sprawdzić wokandę i zobaczyć, na kiedy można wyznaczyć kolejną rozprawę, a wtedy zwłoka może być bardzo długa.

Brunetti skinął głową; ogólnie biorąc, tak właśnie pojmował funkcjonowanie tego układu.

— Powiedz mi w takim razie, bo słuchać cię to przykładać ucho do bijącego serca bogini Plotki, co tu jest grane? — poprosił.

Brusca uśmiechnął się, ale bardzo nieznacznie. Jego uśmiech nie był dowodem poczucia humoru ani rozbawienia, ale świadectwem uznania natury ludzkiej w prawdziwej, nie zaś pożądanej postaci.

— Zanim powiem coś na ten temat, muszę ci wyznać jedną rzecz. — Toni zrobił na tyle długą pauzę, by mieć pewność, że absorbuje całą uwagę Brunettiego, po czym ciągnął dalej: — Fontana jest przyzwoitym człowiekiem. Wiem, że to staroświeckie słowo, ale on jest staroświecki. Jakby był z pokolenia naszych rodziców — tak mówią o nim ludzie. Codziennie chodzi do pracy w garniturze, jest dla każdego grzeczny. Przez te wszystkie lata nie słyszałem, by ktokolwiek mówił o nim źle, a jak wiesz, w ratuszu o wszystkich można usłyszeć jakieś kalumnie, i na ogół zostają one w końcu powtórzone mnie. Prędzej czy później dowiaduję się chyba wszystkiego. Ale jedyne krytyczne słowa o Fontanie to opinie, że jest nudny i nieśmiały.

Brunettiemu wydawało się, że Brusca skończył, więc zapytał:

— Dlaczego zatem jego podpis widnieje na tych dokumentach? I dlaczego uznałeś za stosowne przynieść je do mnie? — Po chwili przyszło mu do głowy kolejne pytanie: — A przede wszystkim, dlaczego trafiły one do ciebie?

Brusca spuścił wzrok, po czym spojrzał na Brunettiego, następnie na ścianę, a potem znów na komisarza.

— Dał mi je ktoś, kto pracuje w sądzie.

— Po co?

Brusca wzruszył ramionami.

— Może dlatego, że chciał, by ta informacja wyszła poza mury Tribunale.

— To z pewnością dopiął swego — odparł Brunetti, nie uśmiechnął się jednak. Potem zapytał: — Powiesz mi, kto to był?

Brusca pokręcił w odpowiedzi głową.

— To bez znaczenia, a obiecałem jej, że nikomu nie powiem.

— Rozumiem — odparł zgodnie z prawdą Brunetti. Odczekawszy na próżno, aż Brusca powie coś jeszcze, komisarz zaproponował:

— Powiedz mi, co to znaczy. Albo co znaczy twoim zdaniem.

— Masz na myśli te odroczenia?

— Owszem.

Brunetti odchylił się do tyłu na krześle, splótł dłonie za głową i przyjrzał się uważnie sufitowi gabinetu.

— W wypadku zaciekłej walki o rozwód, gdy stawką jest spory majątek, opóźnianie wszystkiego na tyle, by przenieść bądź ukryć posiadane aktywa, służyłoby bogatszej stronie. — Zanim zdążył zapytać, Brusca wyjaśnił:

— Gdyby dokumenty dostarczono w dniu przesłuchania do niewłaściwej sali rozpraw lub nie dostarczono ich w ogóle, sędzia miałby prawo nakazać odroczenie do czasu udostępnienia wszystkich niezbędnych materiałów.

— Chyba zaczynam rozumieć.

— Pomyśl o sądach, w których byłeś, i tych stertach teczek pod ścianami. Widziałeś je w każdym sądzie.

— Czyż nie wprowadza się wszystkiego do komputerów? — zapytał nagle Brunetti, przypominając sobie okólniki rozprowadzane przez Ministerstwo Sprawiedliwości.

— W końcu wszystko tam trafi, Guido.

— To znaczy?

— To znaczy, że to potrwa lata. Pracuję w dziale personalnym, więc dobrze wiem, że do tego zadania przydzielono dwie osoby: zajmie im to wiele lat, może nawet dziesięcioleci. Część akt, które muszą skopiować, pochodzi z lat pięćdziesiątych i sześćdziesiątych.

— Czy obowiązkiem Fontany jest dopilnowanie, by dokumenty były dostarczane?

— Tak.

— A sędzia?

— Jest ponoć jego oczkiem w tępej głowie.

— Ale to przecież tylko zwykły kancelista, na litość boską. A ona jest sędzią. Poza tym musi być od niej ze dwadzieścia lat starszy.

— Ach, Guido — westchnął Brusca, pochylając się i stukając Brunettiego palcem w kolano. — Nie wiedziałem, że myślisz tak schematycznie. Twoim grzechem są przesądy klasowe i wiekowe, a wszystko to za jednym zamachem. Potrafisz tylko myśleć o miłości. Albo o seksie.

— A o czym mam myśleć? — zapytał komisarz, usiłując zamaskować urazę tonem zaciekawienia.

— W przypadku Fontany — ustąpił Brusca — przynajmniej z tego, co słyszałem, chyba mógłbyś myśleć o miłości i niczym więcej. Ale w przypadku pani sędzi powinieneś raczej myśleć o pieniądzach. — Toni westchnął, po czym dodał przytomniej: — Myślę, że mnóstwo ludzi bardziej interesuje się pieniędzmi niż miłością. Czy nawet seksem.

Chociaż myśl, by pójść tropem tej tezy, była intrygująca, Brunettiemu zależało raczej na informacjach, więc zapytał:

— I sędzia Coltellini do nich się zalicza?

Żarty się skończyły, a głos i mina Bruski stały się ponure.

— Ona wyssała chciwość z mlekiem matki. — Zrobił pauzę, a potem, jakby ujawniał właśnie odkrytą tajemnicę, dodał: — To dziwne. Uważamy, że zamiłowanie do muzyki czy też umiejętność malowania mogą być dziedziczne. Ale dlaczego chciwość też? — Ponieważ Brunetti zachował milczenie, Toni zapytał: — Myślałeś kiedyś o tym?

— Owszem — odparł komisarz zgodnie z prawdą.

Brusca pozwolił sobie na westchnienie i ciągnął dalej, rezygnując z ogólników na rzecz konkretu:

— Jej dziadek był chciwym człowiekiem, a ojciec jest taki po dziś dzień. Nauczyła się tego od nich, stała się chciwa w uczciwy sposób, można by tak rzec. Gdyby jej matka żyła, posunąłbym się do stwierdzenia, że sędzia Coltellini rozważyłaby propozycję jej sprzedaży, gdyby trafiła się okazja.

— Miałeś kiedyś z nią kłopoty?

— Nie, absolutnie nie — odparł Toni Brusca, wyglądając na szczerze zdziwionego tym pytaniem. — Jak mówiłem, ja tylko siedzę w swoim maleńkim gabinecie w ratuszu i rejestruję informacje o wszystkich pracownikach: kiedy zostają zatrudnieni, ile zarabiają, kiedy odchodzą na emeryturę. Wykonuję swoją pracę, a ludzie rozmawiają ze mną i mówią mi różne rzeczy. Od czasu do czasu muszę zatelefonować i zadać jakieś pytanie. Żeby coś wyjaśnić. Czasem odpowiedzi, które otrzymuję, budzą moje zaskoczenie, a wtedy oni mówią mi o tym więcej lub informują o innych rzeczach. I przez te lata uznali, że moim obowiązkiem jest o wszystkim wiedzieć.

— I ludzie ufają ci na tyle, by wynosić takie rzeczy z sądu — zauważył Brunetti.

Brusca skinął głową, lecz to skinienie było tak pełne rezygnacji, że komisarz zapytał:

— Ponieważ jesteś człowiekiem czystego serca i masz czyste ręce?

Toni roześmiał się i nastrój w gabinecie wyraźnie się poprawił.

— Nie. Ponieważ pytania, które zadaję, są zwykle tak rutynowe i nudne, że nikomu nigdy nie przyszłoby do głowy, żeby zataić prawdę.

— Chętnie bym opanował tę metodę — zauważył Brunetti.

Rozdział 4

Rozstali się przyjaźnie, choć z zakłopotaniem, nie zważając na to, że Brusca nie wyjaśnił, dlaczego przyszedł do Brunettiego i co komisarz ma zrobić z otrzymanymi informacjami. Ponieważ dał jasno do zrozumienia, że Coltellini jest kobietą, którą do działania pobudza żądza posiadania pieniędzy, nietrudno było wywnioskować, że otrzymuje je od osób, których sprawy są odraczane. Jednak łatwość, z jaką doszedł do tego wniosku, nie czyniła go jeszcze prawdziwym ani możliwym do udowodnienia w sądzie.

Niejasny dla komisarza był powód zaangażowania Fontany. Miłość nie wydawała się wystarczającym motywem skorumpowania człowieka określanego mianem „przyzwoity", ale z drugiej strony czy kiedykolwiek sprawiała takie wrażenie?

Po tych wszystkich latach jakieś nowe odkrycia dotyczące biegłości, z jaką jego współobywatelom udawało się obchodzić prawo, rzadko budziły oburzenie Brunettiego. W niektórych wypadkach — nikomu się do tego nie przyznawał — czuł mimowolny podziw dla ich pomysłowości, zwłaszcza gdy pociągała za sobą omijanie przepisów, które uważał za niesprawiedliwe, lub unikanie sytuacji, które uznawał za całkowicie nienormalne. Skoro sygnalizację świetlną celowo programowano tak, by światła zmieniały się szybciej, niż nakazywało prawo, a policjanci mogli dzielić się dodatkowymi wpływami z mandatów z ludźmi ustawiającymi chronometry, chyba tylko szaleniec uznałby wręczenie policjantowi łapówki za przestępstwo. Skoro mnóstwo ludzi oskarżonych o przestępstwa zasiadało w parlamencie, kto mógłby wierzyć w rządy prawa?

Trudno byłoby powiedzieć, że Brunettiego zaszokowało domniemane postępowanie sędzi Coltellini, ale z pewnością był nim zdziwiony, tym bardziej że chodziło o kobietę. Wprawdzie na poparcie swojego przekonania, że kobiety są mniej skłonne do przestępstw od mężczyzn, używał statystyk, tak naprawdę jednak opierał się na wychowaniu i doświadczeniu życiowym. Gdyby insynuacje Bruski były prawdą, wtedy to, co uważał za prawidłowy porządek rzeczy, zostałoby w dwójnasób podważone.

Pamiętając o sugestii Toniego, rozłożył na biurku dokumenty i przyjrzał im się na nowo. Skupiając uwagę na nazwisku pani sędzi, spostrzegł, że pojawia się ono wiele razy na każdej z czterech stron i figuruje obok numerów sześciu spraw. Otworzył drzwiczki biurka i wyjął kolorowe flamastry do podkreślania. Zaczął zielonym u góry pierwszej strony i podkreślił jej nazwisko w pierwszej z wyszczególnionych spraw, a potem użył tego samego koloru do zaznaczenia wszystkich rozpraw, jakie prowadziła w tym procesie. To samo zrobił z następnym procesem, tym razem używając różowego. Trzeci zaznaczył na żółto; czwarty na pomarańczowo, numer piątego musiał zakreślić ołówkiem, a ostatniego czerwonym długopisem.

Zielone trafiły do niej tylko trzy razy: drugi raz strony stawiły się w sądzie w dniu wyszczególnionym w kolumnie „wynik" odnoszącej się do pierwszego stawiennictwa, a trzeci raz w dniu wyznaczonym na drugiej rozprawie, ale i tak cały proces trwał dwa lata. W procesie różowym dotrzymano wszystkich terminów wyznaczonych dla każdej kolejnej rozprawy, było ich jednak sześć, oddalonych w czasie co najmniej o pół roku. Brunetti był ciekaw, o co chodziło; co trzeba było rozstrzygać aż trzy lata?

Żółty trop był bardziej sugestywny. Pierwsza rozprawa, która miała miejsce ponad dwa lata wcześniej, zakończyła się niewyjaśnionym sześciomiesięcznym odroczeniem, a gdy już się odbyła, wyznaczono nowy termin, bez wyjaśnienia, ponad pięć miesięcy później. Rubryka „wynik" odnosząca się do trzeciej rozprawy zawierała nową datę, odległą o pół roku, i dopisek „brak dokumentów". Następne odroczenie, o kolejne pół roku, zostało wyjaśnione „chorobą", nie określono jednak czyją. Wyglądało na to, że następna rozprawa, dwudziestego grudnia, służyła jedynie odroczeniu wszystkiego o kolejne cztery miesiące, co wytłumaczono „wakacjami" w ostatniej kolumnie. Nowy termin, w drugiej połowie kwietnia, przekonał Brunettiego, że posiedzenie zaplanowano w czasie tygodnia wielkanocnego, lecz sędzia Coltellini zaskoczyła go, najwyraźniej poprowadziwszy rozprawę i wyznaczywszy nowy termin — odległy o siedem miesięcy — przeznaczony na „przesłuchanie nowych świadków".

Komisarz zastanawiał się, jacyż to nowi świadkowie mogli pojawić się w procesie, który się toczył — zbeształ się natychmiast w myślach za tak pochopny dobór czasownika — już prawie trzy lata. Nic dziwnego, że ludzie bali się dostać w tryby sądowej machiny: było oczywiste, że najgorsze, co może przytrafić się człowiekowi z wyjątkiem poważnej choroby, to uwikłać się w sprawę sądową. W rzeczy samej.

Sędzia Coltellini zdołała ponownie zadziwić Brunettiego, rozstrzygnąwszy sprawę pomarańczową w ciągu niespełna roku, aczkolwiek procesy podkreślone ołówkiem i czerwonym długopisem nadal się wlokły, każdy od ponad dwóch lat.

Odszukał w biurku spis numerów, po czym wybrał numer Bruski.

— Tak? — zapytał Toni spokojnym głosem, zupełnie jakby nadal znajdował się w gabinecie komisarza, tym samym tonem, którego używał na lekcjach historii w pierwszej klasie szkoły średniej. Przez te wszystkie lata Brunetti nigdy nie widział, by jego przyjaciel okazywał zdziwienie zachowaniem ludzi, choćby najbardziej nikczemnym, a wiadomo było doskonale, że praca w miejskiej administracji narażała go na kontakt z całą masą dziwnych zachowań.

— Przyjrzałem się bliżej tym dokumentom — powiedział z powagą Brunetti. — Pokazywałeś je jeszcze komuś?

— W jakim celu? — zapytał Brusca, przybierając nagle równie poważny ton.

— Jeżeli to prawda, to należy temu położyć kres — stwierdził komisarz, wiedząc, że myśl o wymierzeniu kary była niedorzeczna.

— Masz rację — odparł Brusca, jakby dyskutowali o jakiejś drużynie piłkarskiej, a nie o korupcji w sądownictwie. — Jednak nie sądzę, by była na to szansa.

— Czemu w takim razie mi je dałeś? — Brunetti nie próbował ukryć rozdrażnienia.

W słuchawce długo panowała cisza, po czym Brusca odparł:

— Uznałem, że może wymyślisz jakiś sposób. I liczyłem na to, że będziesz tym oburzony.

— To trochę za mocno powiedziane.

— No dobra, nie chodzi o oburzenie, ale o nadzieję. Chyba to właśnie w tobie podziwiam, że wciąż potrafisz mieć nadzieję, iż wszystko dobrze się ułoży i stajnia Augiasza zostanie oczyszczona.

— Jak sam twierdzisz, nie ma na to szans — zgodził się Brunetti, po czym wracając do pierwotnej przyczyny swojego telefonu i do przyjaznego tonu, zapytał: — A tak naprawdę po co mi je dałeś?

— Mówię szczerze. Miałem nadzieję, że zdołasz coś zrobić — odparł Brusca, a potem głosem, któremu, jak podejrzewał komisarz, celowo nadał lżejsze brzmienie, dodał: — Poza tym zawsze przyjemnie jest móc przysporzyć im odrobiny kłopotów.

— Zobaczę, co da się zrobić — obiecał Brunetti, wiedząc, jak niewielka jest na to szansa.

Brusca pożegnał się szybko.

Komisarz wsparł się lewym łokciem o biurko i przesunął paznokciem kciuka po dolnej wardze. Czuł, że koszula lepi mu się do skóry pod pachami i na plecach. Podszedł do okna i spojrzał na wody kanału czarne w ostrym świetle dnia. Na Campo San Lorenzo słońce wypaliło wszelkie oznaki życia; nawet koty, które mieszkały w wielopiętrowym kocim bloku mieszkalnym, wzniesionym przy fasa-

44

dzie kościoła, zniknęły; zastanawiał się, czy uciekły z miasta, by udać się na wakacje.

Przez chwilę snuł fantazje o kotach odpoczywających w górach lub nad morzem, posłanych tam przez DINGO, spółdzielcze towarzystwo miłośników zwierząt. Brunetti nie znosił *animalisti*, nienawidził ich za obronę wstrętnych, dotkniętych chorobami gołębi, nienawidził ich za urządzanie obław na wszystkie dzikie koty w mieście, zapewne ku zachwytowi coraz większej populacji szczurów. Będąc przy temacie zwierząt, dodał do listy znienawidzonych ludzi tych, którzy nie sprzątali po swoich psach; gdyby to od niego zależało, przysoliłby im taką grzywnę...

— *Commissario*?

Oderwał się od dzikich rozważań o wysokości grzywny, którą by nakładał, i systemie, który pozwoliłby mu ją wymierzać.

— Słucham, *signorina*? — odparł, odwracając się ku Elettrze. — O co chodzi?

— Przed momentem widziałam Vianella. Gdy weszłam do pokoju odpraw, rozmawiał przez telefon. Nie wyglądał dobrze.

— Jest chory? — zapytał Brunetti, myśląc o nagłych schorzeniach, które mógł nieść ze sobą upał.

Signorina Elettra zrobiła kilka kroków w głąb gabinetu.

— Nie wiem, panie komisarzu. Nie wydaje mi się. Wyglądał raczej na zmartwionego lub przestraszonego i próbował to ukryć.

Brunetti przywykł już do jej dobrej prezencji. Dzisiaj ze zdumieniem zdał sobie sprawę, że Elettra wciąż wygląda odlotowo. Zamiast pytać o Vianella, wydukał:

— Nie jest pani gorąco?

— Słucham, panie komisarzu?

— Upał. Temperatura. Nie jest gorąco? To znaczy, pani. Nie sądzi pani, że jest gorąco? — Gdyby dłużej drążył ten temat, doszłoby do tego, że dla zilustrowania pytań narysowałby dla niej słońce.

— Nie, nieszczególnie, panie komisarzu. Jest zaledwie trzydzieści stopni.

— I to nie jest upał?

— Dla mnie nie.

— Dlaczego?

Obserwował, jak się waha, nie wiedząc, co ma powiedzieć. W końcu odparła:

— Dorastałam na Sycylii, panie komisarzu, więc przypuszczam, że moje ciało przywykło do upałów. Albo tak zaprogramowano mój termostat. Coś w tym rodzaju.

— Na Sycylii?

— Owszem.

— Jak do tego doszło?

— Och, mój ojciec pracował tam przez kilka lat — odparła, a jej obojętny głos podpowiedział Brunettiemu, że najlepiej będzie, jak okaże lub przynajmniej uda taką samą obojętność.

Brunetti posłusznie odszedł od spraw jej życia osobistego i zapytał:

— Wie pani, z kim rozmawiał?

— Nie, panie komisarzu, ale był to ktoś, kogo zna wystarczająco dobrze, by zwracać się do niego per „ty". I wydawało się, że raczej słucha, niż mówi.

Komisarz wstał, wziął dokumenty, które Elettra dała mu wcześniej tego ranka i rzekł:

— Chciałem mu to przekazać. Zaniosę je na dół. — Czekał, aż sekretarka Patty wyjdzie, uznawszy, że Vianello nie powinien widzieć ich razem na schodach i odnieść wrażenie, że to on rozsiewa plotki biurowe.

Elettra uśmiechnęła się, zanim odwróciła się ku drzwiom.

— On mnie nie widział, *commissario* — powiedziawszy to, wyszła. Gdy dotarł na próg gabinetu, nie było jej już na schodach.

Brunetti powoli zszedł na parter. W pokoju odpraw zastał Vianella przy biurku. Nadal rozmawiał przez telefon, na wpół odwrócony, lecz komisarz natychmiast zrozumiał, o co chodziło signorinie Elettrze. *Ispettore* siedział zgarbiony, wolną dłonią toczył ołówek tam i z powrotem po blacie biurka. Z tej odległości wydawało się, że ma zamknięte oczy.

I wciąż, w milczeniu, wykonywał ten ruch ołówkiem po biurku. Obserwowany przez Brunettiego, co chwila zaciskał usta. Ołówek nadal krążył. W końcu Vianello powoli, z wielkim wysiłkiem, jakby między słuchawką a jego głową wytworzyło się pole magnetyczne, odsunął ją od ucha. Trzymał słuchawkę przed sobą co najmniej przez dziesięć sekund i Brunetti usłyszał dobiegający z niej głos: kobiecy, starczy, płaczliwy. Vianello otworzył oczy, przyjrzał się powierzchni biurka, po czym z wolna i czule, jakby to była osoba, której głos wciąż się z niej wydobywał, położył słuchawkę na widełki.

Inspektor siedział długo, wpatrując się w telefon. Wyjął chusteczkę i otarł czoło, a potem włożył ją z powrotem do kieszeni i wstał. Nim odwrócił się w stronę drzwi, Brunetti ukrył wszelkie emocje malujące się dotąd na jego twarzy i z plikiem kartek w zaciśniętej dłoni ruszył zdecydowanym krokiem ku swojemu zastępcy.

Zanim zdążył wspomnieć o dokumentach, Vianello zaproponował:

— Chodźmy na most. Muszę się napić.

Komisarz znowu złożył kartki, a ponieważ nie miał na sobie marynarki, zrobił to jeszcze raz i wsunął je do tylnej kieszeni spodni.

Wyszli na chodnik przed komendę i wtedy Brunetti zdał sobie sprawę, że nie wziął okularów słonecznych. Odruchowo uniósł lewą dłoń, by osłonić oczy przed oślepiającym światłem, i powiedział:

— Ciekawe, czy tak właśnie jest podczas okazania. — Mrużąc oczy, poczekał, aż przywykną do blasku, po czym, trzymając dłoń przy czole, ruszył w stronę baru.

Za kontuarem stał Bambola. Jego galabija wyglądała równie świeżo jak dokument wyjęty dopiero co z koperty.

Było po jedenastej, więc obaj zamówili *spritza*; Vianello poprosił, by Bambola nalał go do szklanek z dużą ilością lodu. Gdy barman przyniósł drinki, Vianello wziął je z kontuaru i ruszył do boksu najbardziej oddalonego od drzwi. W tym kącie sali było duszno, lecz Brunetti poddał się w starciu z upałem: już nic nie mogło uczynić go bardziej dotkliwym, a tam przynajmniej mieli szansę rozmawiać w spokoju.

Gdy usiedli naprzeciw siebie, Brunetti postanowił przestać udawać, że nie wie, o czym Vianello mówił przez telefon, i zapytał:

— Twoja ciotka?

Vianello wypił spory łyk alkoholu i odstawił zimną szklankę na stolik.

— Tak.

— Wyglądałeś na zaniepokojonego — podpowiedział Brunetti.

— Chyba jestem zaniepokojony — odparł Vianello, obejmując szklankę obiema dłońmi w geście rzadko widywanym podczas picia zimnych napojów. — I w potrzasku.

— Dlaczego?

— Dlatego, że nie mogę na nią krzyczeć, a tego właśnie pragnę. To dość normalna reakcja, gdy ludzie robią coś takiego. — Inspektor spojrzał na komisarza i szybko odwrócił wzrok.

— Gdy ludzie robią co?

Ich spojrzenia spotkały się na ułamek sekundy, potem jednak Vianello znowu popatrzył na swoją szklankę i odparł:

— Wariują. Odchodzą od zmysłów.

Kilka razy uniósł szklankę obiema rękami i stawiał ją na blacie, tworząc na nim wzór z kręgów, a potem zamazał je, przesuwając drinka.

— Co zrobiła?

— Jeszcze nie zrobiła. Ale zrobi. Mówiłem ci, zia Anita ma silną wolę, a gdy coś postanowi, nic nie zmieni jej decyzji.

— Co postanowiła zrobić? — zapytał Brunetti i wreszcie pociągnął łyk swojego drinka. Ten był już tak wodnisty, że niemal zupełnie bez smaku, ale zimny, więc go wypił.

— Chce sprzedać firmę.

— Myślałem, że należy do twojego wuja.

— Należała. Cóż, była jego własnością, a teraz należy do jego synów. Ale tylko na papierze.

— Wyjaśnij mi to.

— W sensie prawnym wszystko należy do niej. Gdy wuj otworzył firmę i kupił budynek, w którym znajdują się warsztat i biura, jego *commercialista*, doradca prawny, powiedział mu, że z uwagi na podatki będzie lepiej, jeżeli zarejestruje ją na żonę. Potem z upływem czasu mogliby przepisać ją na chłopców.

Vianello westchnął.

— Ale nie przepisali?

Inspektor pokręcił głową, dopił drinka i poszedł po następnego, nie racząc zapytać komisarza, czy też ma ochotę. Brunetti opróżnił szklankę i odsunął ją na bok.

Vianello szybko wrócił, ale tym razem szklanki zawierały jedynie wodę i kostki lodu. Komisarz przyjął swoją z wdzięcznością — topniejący lód zepsuł pierwszego drinka, rozcieńczając campari i pozbawiając prosecco barwy i smaku.

— Czemu chce ją sprzedać? — zapytał.

— Żeby dostać pieniądze — odparł Vianello i upił wody.

— Daj spokój, Lorenzo. Albo mi o tym powiedz, albo wracamy do pracy.

Vianello oparł się łokciami o stolik. W końcu odparł:

— Myślę, że chce je oddać jakiemuś wróżbicie.

Rozdział 5

— *Gesù Bambino* — wyszeptał Brunetti, po czym, pamiętając, co wcześniej mówił mu Vianello, zapytał: — Te magazyny?

— To tylko część problemu — odparł inspektor. W jego głosie pobrzmiewała rozpacz. Wsunął prawą rękę pod kołnierzyk koszuli i przejechał dłonią po karku. — Boże, jak ja nienawidzę tego upału. Nie sposób od niego uciec.

Tym razem Brunetti był skupiony i wypił kolejny łyk wody. Obaj przesłuchali razem tylu świadków i podejrzanych, że zetknęli się już z każdą taktyką. Usiadł wygodnie ze skrzyżowanymi ramionami, prawdziwy wzór cierpliwości.

Vianello też się rozsiadł.

— Mówiłem ci, jak to się zaczęło: od czytania horoskopów. I od porannej audycji radiowej. Potem zaś odkryła te prywatne kanały, na których pokazują ludzi czytających z kart. — Zwinął prawą dłoń w pięść i uderzył nią w stolik, ale lekko, by pokazać, że chodziło o gest, a nie przejaw wściekłości. — Jedna z przyjaciółek powiedziała jej o tych programach i o tym, jak bardzo pomagają telefonującym.

51

— W czym twoja ciotka potrzebuje pomocy? — mimo woli zapytał komisarz. Z tego, jak Vianello mówił o niej przez lata, wydawało się, że jest dla ich rodziny prawdziwą opoką.

Po twarzy inspektora przemknął grymas, jakiego Brunetti nigdy nie widział, a w każdym razie nie żeby Vianello stroił takie miny do niego.

— Dojdę do tego, Guido — odparł. Pewnie był zaskoczony brzmieniem własnego głosu, rozluźnił bowiem dłoń i położył swobodnie rękę na oparciu ławy, jakby w ten sposób przepraszał komisarza.

Ten uśmiechnął się, ale nic nie powiedział.

Inspektor ciągnął dalej:

— Podobało jej się to, że ludzie czytający w kartach udzielali rad wszystkim telefonującym. Wydawali się rozsądni. Tak właśnie tłumaczyła swoim dzieciom. — Vianello zrobił pauzę, jakby zachęcał do pytań, ale Brunetti nie miał żadnych. — A dowiedziałem się o tym tak: kilka miesięcy temu mój kuzyn Loredano wspomniał mi o tym niemalże żartem jako o nowej pasji jego matki. Jakby słuchała czegoś w rodzaju Radia Maria lub zaczęła czytać czasopisma ogrodnicze. Nie przykładał do tego dużej wagi, ale mniej więcej po miesiącu jego siostra, moja krewna Marta, powiedziała mi, że martwi się o matkę, że ona mówi o tym przez cały czas i chyba naprawdę wierzy we wszystkie te horoskopy. Marta nie wiedziała, co robić. — Vianello opróżnił szklankę z wodą i odstawił ją na stolik. — Ja też nie wiedziałem. Ona się martwiła, ale Loredano uważał, że to minie, i ja chyba też tak uważałem lub chciałem w to wierzyć, bo tak było łatwiej. — Inspektor spojrzał na ko-

52

misarza i uśmiechnął się ironicznie. — Myślę, że nikt z nas nie chciał, by to był jakiś problem. Zignorowaliśmy to więc i udawaliśmy, że nic się nie dzieje.

Przy drzwiach wybuchł jakiś harmider, gdy do baru weszli ludzie, ale żaden z policjantów nie zwrócił na to uwagi. Vianello mówił dalej:

— Miesiąc temu Loredano zadzwonił do mnie z informacją, że ciotka Anita wyjęła z firmowego konta trzy tysiące euro, nie mówiąc mu o tym.

Czekał na komentarz Brunettiego, ale ten milczał, więc inspektor kontynuował opowieść:

— Loredano przyjrzał się operacjom na rachunku i spostrzegł, że przez kilka ostatnich miesięcy wybierała z konta pieniądze: pięćset, trzysta, sześćset euro naraz. Gdy ją zapytał, powiedziała tylko, że to jej pieniądze i może nimi rozporządzać, jak chce, że jest to niezbędne i służy bardzo słusznym celom, a ona robi to dla jego ojca.

Brunetti wiedział, że starsze kobiety często odczuwają potrzebę ofiarowania swoich pieniędzy na zbożne cele i że bardzo często chodziło o Kościół. Chociaż on nie nazwałby tego zbożnym celem, wiedział, że ludzie, którzy łożyli na Kościół, ujawniliby to bez wahania. Tajemniczość ciotki, zdaniem Vianella, otwierała pole dla najgorszych domysłów w kwestii ewentualnych beneficjentów jej szczodrości.

— Zbożny cel — powtórzył Brunetti obojętnym głosem. — Dla ojca.

— Nic więcej nie powiedziała — odparł Vianello.

— Czy twoi kuzyni wiedzą, jakie sumy wchodzą w grę?

— Razem z tymi trzema tysiącami może siedem tysięcy.

Ale ona ma także własne pieniądze, a oni nie mają jak się dowiedzieć, co z nimi zrobiła.

— Czy o tym właśnie z nią teraz rozmawiałeś?

— Nie rozmawiałem, tylko słuchałem — powiedział inspektor zmęczonym głosem. — Zadzwoniła do mnie, by się poskarżyć, że Loredano zawraca jej głowę.

— Z a w r a c a   g ł o w ę?

Vianello nie zdobył się na uśmiech.

— Tak właśnie teraz to postrzega: robi coś, co jej zdaniem jest konieczne. Uważa, że ma do tego wszelkie prawo, i złości się, ponieważ jej dzieci próbują ją powstrzymać.

— Zapomniałem, Lorenzo: ile tam jest dzieci?

— Marta i Loredano, oni są najstarsi. Oraz Luca i Paolo, dwójka najmłodszych. Trzej chłopcy... w rzeczywistości mężczyźni... kierują firmą.

— A twój wujek? Co on ma do powiedzenia?

Vianello mimowolnie podniósł ręce.

— Mówiłem ci: na niewiele rzeczy zwraca uwagę. Nigdy tego nie robił, a teraz, gdy się postarzał i podupadł na zdrowiu, jest jeszcze gorzej. Loredano twierdzi, że próbował z nim porozmawiać i uświadomić mu to, ale ojciec powiedział mu tylko, że jego żona ma własne pieniądze i może z nimi, czy też jego pieniędzmi, robić, co chce. Przypuszczalnie uważa, że to, iż jego żona może wydawać dużo pieniędzy, stanowi dowód jego męskości, świadczy o tym, jak świetnie potrafi zapewnić rodzinie godziwe życie.

— Chociaż już nie pracuje?

— Teraz gdy nie pracuje i nie może robić rzeczy, które robił kiedyś, przypuszczalnie stało się to jeszcze ważniejsze.

— Boże, jakie to skomplikowane, nieprawdaż? — rzekł Brunetti, pochylając się i opierając łokciami na blacie stolika. — Czy któreś z nich wie, co ona robi z tymi pieniędzmi?

Vianello pokręcił głową.

— Nic, czego byliby pewni. Jeżeli jednak twierdzi, że łoży na zbożny cel, to przypuszczalnie komuś je daje. — Tym razem inspektor walnął w blat stolika, nie próbując maskować złości. — Kłopot w tym, że się z nią zgadzam. Częściowo. Ona rzeczywiście ma prawo robić ze swoimi pieniędzmi, co tylko chce. Kiedy firma powstawała, przez wiele lat harowała jak wół i nie dostawała za to ani grosza. Nawet gdy sytuacja się poprawiła, została w biurze i nim kierowała. I nigdy nie otrzymała za to zapłaty.

Brunetti skinął głową.

— Ma więc prawo do tylu pieniędzy, ile zechce. Zarówno w sensie prawnym, jak i... moralnym, jeżeli to odpowiednie słowo. — Sam podejrzewał, że tak.

— Ale... — zaczął inspektor i nie zdołał dokończyć zdania.

Brunetti zaproponował, co zrobić.

— Ale jej rodzina ma prawo wiedzieć, co z nimi robi?

— Tak właśnie myślę. Nie podoba mi się, że to mówię, ale sądzę, że tak właśnie jest. I nie dlatego, że to ich pieniądze. Bo należą do niej. Ale na pewno to, że nie chce z nimi rozmawiać, sprawia, iż podejrzewają, że nie powinna robić tego, co z nimi robi.

— Co twoi kuzyni mają zamiar uczynić?

Vianello zapatrzył się w stół.

— Śledzić ją.

— Słucham?

Inspektor uniósł wzrok i odpowiedział poważnie:

— Chyba naoglądali się za dużo filmów w telewizji.

Rozmawiali z dyrektorem banku. Zna tę rodzinę od trzydziestu lat. Prowadził ich wszystkie operacje bankowe.

Vianello wbił wzrok w swoje dłonie, jakby jeden z palców był dyrektorem banku, a on chciał zobaczyć, co ten zamierza zrobić.

— Co mu powiedzieli?

— O wypłatach z konta i o tym, że matka nie chce im zdradzić, co z nimi robi.

— I?

— Powiedział, że następnym razem w takiej sytuacji zadzwoni do Loredana, a potem zacznie z nią rozmawiać i zatrzyma ją w banku tak długo, jak tylko zdoła.

— Aż ktoś z rodziny dotrze na miejsce, by sprawdzić, dokąd stamtąd pójdzie? — zapytał komisarz, nie kryjąc zdumienia. — Zabawa w policjantów i złodziei?

Vianello pokręcił głową, wciąż wpatrując się w swoje dłonie.

— Chciałbym, żeby to było takie proste.

— To nie jest proste — przyznał Brunetti. — Tylko szalone!

— Też tak myślałem. I to właśnie ode mnie usłyszeli.

— I?!

— No i chcą, żebym to zrobił.

Komisarzowi brakowało słów. Spojrzał na przyjaciela, który nadal przyglądał się swoim dłoniom.

— To jeszcze bardziej szalone — powiedział w końcu.

— Też im to powiedziałem.

— Lorenzo — rzekł komisarz. — Nie chcę tu siedzieć i wyduszać tego z ciebie. Co zamierzasz zrobić?

— Myślałem o tym, gdy jej słuchałem... o jakimś sposobie, by sprawdzić, co robi... ale jedyny pomysł, na jaki zdołałem wpaść, wiąże się z tobą. Poniekąd.

— Ze mną? Jak?

— Musisz mi pozwolić to zrobić.

— Zrobić co?

— Zapytać kilku gości, czy mi pomogą.

— Pomogą śledzić twoją ciotkę?

— Tak. Pomyślałem, że Pucetti byłby skłonny, gdybym go poprosił. — Vianello spojrzał na Brunettiego z przejęciem. — Gdyby robili to w czasie wolnym od pracy, tak naprawdę nie byłoby w tym nic niezgodnego z prawem.

— Po prostu spacerowaliby po mieście, pilnując własnych spraw — zauważył oschle komisarz. — Po prostu przypadkiem zmierzaliby w tym samym kierunku co krucha staruszka z gotówką w torebce. — Poczuł nagłe oburzenie. Czyżby policja upadła aż tak nisko?

— Guido — rzekł Vianello spokojnie. — Wiem, jak to wygląda i jak brzmi, ale to jedyny sposób, żeby dowiedzieć się, co ona robi z tymi pieniędzmi.

— A jeżeli okłamuje was wszystkich i chodzi do kasyna, żeby przepuścić je w automatach do gier? — zapytał Brunetti.

Vianello zaskoczył komisarza tym, że potraktował jego słowa poważnie.

— Wtedy możemy dać jej zakaz wstępu do kasyna.

Brunetti zmienił ton i zapytał:

— A jeżeli gdzieś chodzi, a potem wychodzi bez pieniędzy? Co wtedy? Ty i twoi kuzyni wkraczacie i bijecie tego, kto ma te pieniądze, i je odbieracie?

— Nie — odparł spokojnie Vianello. — Wtedy ewentualnie sprawdzamy, czy jest więcej kruchych staruszek, które trafiają pod ten sam adres z gotówką w torebce.

Zaskoczenie przeszkodziło Brunettiemu w natychmiastowej odpowiedzi, a gdy przemówił, zdołał tylko zauważyć:

— Nie do wiary! — I zapytał: — Tak właśnie myślisz?

— Nie wiem, co myśleć — odparł Vianello. — Ale moja ciotka nie jest głupia, więc ktokolwiek przekonuje ją, by dawała mu pieniądze... o ile tak właśnie się dzieje, a ona nie traci wszystkiego w automatach do gier... też nie jest głupcem, więc można spokojnie założyć, że nie on jeden jest w to uwikłany.

Brunetti wstał z kanapy i podszedł do kontuaru, gdzie kupił dwie butelki wody mineralnej i postawił je na blacie stolika, wróciwszy na swoje miejsce.

— Jest sposób, by zrobić to oficjalnie — powiedział Brunetti.

— Jaki?

— Czy Scarpa nie prowadzi przypadkiem szkolenia nowych funkcjonariuszy?

— Owszem, ale nie rozumiem...

— Jedną z rzeczy, których powinni się nauczyć, o ile nie są wenecjanami, jest śledzenie kogoś w mieście.

Vianello natychmiast pojął aluzję i dodał:

— A ponieważ Scarpa nie jest wenecjaninem, nie wie, jak to zrobić.

— Co oznacza — ciągnął Brunetti — że musi pozwolić, by to wenecjanie pokazali im, jak się to robi.

Vianello sięgnął po szklankę.

— Wiem, że nie należy wznosić toastu wodą, ale mimo to... — pociągnął łyk. — Tak więc musimy jedynie — dodał Brunettiemu otuchy swobodnym użyciem liczby mnogiej — poprosić signorinę Elettrę o dopilnowanie, by wyznaczono odpowiednich wenecjan do poprowadzenia pododdziału. Scarpie nie zrobi to żadnej różnicy. On nam wszystkim nie ufa i wszystkich nas nie lubi w równym stopniu.

Vianello zwrócił się w stronę kontuaru i pomachał do Bamboli.

— Mógłbyś nam przynieść dwa kieliszki prosecco?

Rozdział 6

Było zbyt gorąco nie tylko, by myśleć o wędrówce przez miasto na obiad; było zbyt gorąco, by w ogóle myśleć o jedzeniu. Brunetti wrócił do komendy z Vianellem, obiecując, że porozmawia z signoriną Elettrą o harmonogramie zajęć z orientacji w terenie, prowadzonych przez Scarpę. Kiedy jednak dotarł do sekretariatu Patty, nie zastał jej tam.

Wrócił do swojego gabinetu i zatelefonował do Paoli, która niemal z ulgą przyjęła wiadomość, że nie przyjedzie do domu.

— O jedzeniu będę mogła pomyśleć dopiero, gdy zajdzie słońce — zastrzegła.

— Świętujesz ramadan? — zapytał beztrosko.

Roześmiała się.

— Nie! Ale słońce dociera do salonu po południu i przez niemal cały dzień muszę się ukrywać w gabinecie. Jest zbyt gorąco, żeby wyjść z domu, mogę więc tylko siedzieć i czytać.

Przez większość roku akademickiego Paola tęskniła za letnimi wakacjami, czekając niecierpliwie na lektury w gabinecie.

— Biedactwo — rzekł Brunetti takim tonem, jakby nie żartował.

— Guido — odparła słodkim głosem — żeby rozpoznać kłamcę, samemu trzeba być kłamcą. Ale dziękuję ci za współczucie.

— Wrócę po zachodzie słońca — oznajmił Brunetti, jakby Paola w ogóle się nie odezwała, i odłożył słuchawkę.

Rozmowa z żoną sprawiła, że komisarz poczuł coś, co przypominało głód, nie tak silny jednak, by zaryzykował opuszczenie budynku w poszukiwaniu jedzenia. Otwierał kolejne szuflady, ale znalazł jedynie torebkę orzeszków pistacjowych, których wcześniej nie zauważył, paczkę chrupek kukurydzianych oraz baton czekoladowy z orzechami laskowymi, przyniesiony do biura ubiegłej zimy.

Wydobył jeden z orzeszków, włożył go do ust i rozgryzł, by poczuć coś o konsystencji gumy. Wypluł go na dłoń i cisnął wraz z resztą zawartości torebki do kosza na śmieci. W porównaniu z orzeszkami chrupki były doskonałe i bardzo mu smakowały. Dobrze jest, pomyślał, zjeść w taki upał dużo soli. Te chrupki na pewno ratowałyby go, gdyby znalazł się na równiku.

Kiedy rozrywał opakowanie batonika, zauważył, że jest pokryty białym nalotem, czekoladowym odpowiednikiem śniedzi. Wyjął chusteczkę i wycierał go energicznie, aż znowu upodobnił się do czekolady: ciemnej czekolady z orzechami laskowymi. Jego ulubionej. Szepnął: „Deser" i ugryzł batonik. Miał doskonały smak, równie łagodny i kremowy, jaki miałby przed sześcioma miesiącami. Brunetti zachwycał się, kończąc go jeść, po czym schylił głowę, by zajrzeć w głąb szuflady w płonnej nadziei, że znajdzie tam jeszcze jeden.

Zerknął na zegarek i spostrzegł, że nie minęła jeszcze przerwa obiadowa. To znaczyło, że komputer w pokoju odpraw może być dostępny. Gdy tam wszedł, zobaczył, jak Riverre wkłada marynarkę przy biurku, które dzielił z funkcjonariuszem Alvise.

— Wybierasz się na obiad, Riverre? — zapytał.

— Tak, panie komisarzu — odparł, próbując zasalutować, lecz z ręką uwięzioną w rękawie, zrobił z tego żałosną farsę.

Brunetti siłą nawyku zlekceważył to, co się właśnie stało.

— Mógłbyś w drodze powrotnej wstąpić do baru Sergia i przynieść mi parę *tramezzini*?

Riverre uśmiechnął się.

— Oczywiście, *commissario*. Chciałby pan coś konkretnego? — Gdy Brunetti zawahał się, Riverre zaproponował: — Z krabami? Z sałatką jajeczną?

W tym upale to te akurat pewnie pierwsze by się zepsuły, ale Brunetti odparł tylko:

— Nie, może z pomidorem i szynką.

— Ile, panie komisarzu? Cztery? Pięć?

Dobry Boże, za kogo on go uważa!

— Nie, dziękuję. Dwie powinny wystarczyć. — Sięgnął do kieszeni po portfel, ale policjant uniósł obie ręce niczym chrześcijanin na widok diabła. — Nie, panie komisarzu. Niech pan nawet o tym nie myśli. Obrazi mnie pan. — Ruszył do drzwi, wołając przez ramię: — Przyniosę też panu wodę mineralną. W tym skwarze trzeba dużo pić.

Brunetti wykrzyknął słowa podziękowania za oddalającym się Riverrem, a potem pod nosem mruknął po angielsku, chociaż nie był całkiem pewien kontekstu, w którym należałoby używać tego zwrotu:

— *From the mouth of babes**.

Ktoś zostawił włączony komputer z czynnym połączeniem internetowym, więc Brunetti, używając czterech palców, wpisał hasło *Oroscopo*.

Gdy Riverre wrócił ponad godzinę później, komisarz nadal siedział przy komputerze, choć był już mądrzejszym człowiekiem. Wizyta na jednej stronie prowadziła do następnej, jedna informacja pobudziła go do refleksji o czymś innym i w ten sposób w krótkim czasie odbył wędrówkę po świecie wiary i oszustw tak oczywistych, że nie mógł się im nadziwić. „Horoskop" zaprowadził go do „przepowiedni", te z kolei do „wróżących z kart", to hasło zaś do „konsultantów parapsychologów", „chiromantów" oraz nieskończenie długiego wykazu astrologów, którzy spełniali konkretne potrzeby. Natrafił również na długą listę stron interaktywnych, gdzie za określoną opłatą otwierały się portale umożliwiające kontakt z „konsultantami astralnymi" w czasie rzeczywistym.

Niektórzy z nich poświęcili się rozwiązywaniu problemów biznesowych lub finansowych; wielu innych analizowało kwestie miłości i uczuć; jeszcze inni zajmowali się trudnościami w pracy lub w stosunkach z kolegami; a reszta obiecywała pomoc w kontakcie ze zmarłymi krewnymi i przyjaciółmi. Lub z ulubionymi zwierzętami. Byli też tacy,

---

* Nawet małe dziecko potrafi czasem powiedzieć coś mądrego.

którzy oferowali pomoc astralną w odchudzaniu, rzucaniu palenia bądź pomagali uniknąć zakochania się w niewłaściwej osobie. O dziwo, choć próbował, nie znalazł nikogo, kto by proponował pomoc astralną w zwalczaniu uzależnienia od narkotyków, znalazł za to stronę, na której zapewniano rodzicom informacje, które z ich dzieci jest najbardziej narażone na takie uzależnienie — to wszystko było zapisane w gwiazdach.

Brunetti miał dyplom z prawa i chociaż nigdy nie zdawał egzaminu państwowego ani nie prowadził kancelarii prawnej, przez dziesiątki lat zwracał baczną uwagę na język, jego właściwe i niewłaściwe wykorzystanie. Praca Brunettiego niosła ze sobą niezliczone przykłady celowo zwodniczych oświadczeń i umów. Przez lata wykształcił w sobie umiejętność dostrzegania kłamstwa bez względu na to, jak przemyślnie było ono ukryte i jak skutecznie język, jakim je przedstawiano, zdejmował z kłamcy wszelką odpowiedzialność za fałszywe roszczenia lub obietnice.

Informacje na tych stronach sporządzali fachowcy. Wzbudzali nadzieję, nie składając żadnych obietnic, które dociekliwe umysły mogłyby uznać za prawnie wiążące. Zaszczepiali pewność bez egzekwowalnych przyrzeczeń; obiecywali spokój i wyciszenie w zamian za akt wiary.

A zapłata? Gruba mamona? Prośba, by ludzie płacili za świadczone usługi? Samo to pytanie było obraźliwe dla osób oferujących swoje usługi dla dobra zatroskanej ludzkości. Cóż znaczyło dziewięćdziesiąt centów za minutę dla człowieka, który potrzebował pomocy i który mógł ją znaleźć dzięki słuchawce telefonu? Szansa bezpośredniej rozmowy z profesjonalistą, który nauczył się rozumieć problemy i cierpienie osoby grubej/chudej/rozwiedzionej/nie-zamężnej/nieżonatej/zakochanej/odkochanej/samotnej lub tkwiącej w pułapce nieszczęśliwego związku — czyż to nie było warte dziewięćdziesięciu centów za minutę? Poza tym, w niektórych wypadkach, istniała szansa, że telefon będzie jednym z tych odebranych na żywo podczas programu telewizyjnego i w ten sposób twoje imię i problem staną się znane szerszemu ogółowi, to zaś może prowadzić jedynie do jeszcze większego współczucia i zrozumienia dla ciebie i twoich cierpień.

Brunetti mógł tylko podziwiać taką pomysłowość. Dokonał szybkiej rachuby. Przy cenie dziewięćdziesięciu centów za minutę dziesięciominutowa rozmowa kosztowałaby dziewięć euro, a godzina pięćdziesiąt cztery. Załóżmy, że było dziesięć bądź dwadzieścia osób odbierających telefony albo sto, że te linie są czynne okrągłą dobę. Dziesięciominutowa rozmowa telefoniczna? Czy on oszalał? To była sposobność do zwierzenia się pełnemu współczucia słuchaczowi, ujawnienia bolesnych szczegółów związanych ze zranionym, niedocenianym ja. Poza tym w ogłoszeniach pisano, że ludzie odbierający telefony są „wyszkolonymi fachowcami". Z pewnością nauczono ich słuchać, chociaż Brunetti był zdania, że ich celem mogło być coś innego niż zapewnienie wsparcia i pomocy ludziom przygnębionym i słabego ducha. Kto mógłby się oprzeć pokusie rozmowy o nieskończenie fascynującej jaźni? Kto był niewrażliwy na pytanie zadane ze współczuciem i wyrażające pragnienie dogłębniejszego poznania telefonującej osoby?

Brunetti cieszył się w komendzie opinią wprawnego przesłuchującego, często bowiem udawało mu się nawiązać rozmowę z najbardziej nawet zatwardziałym recydywistą. Prawdę, że jego celem nie jest rozmowa, lecz monolog, zachowywał dla siebie. Siądź, okaż zainteresowanie, od czasu do czasu o coś zapytaj, ale mów jak najmniej, okaż zrozumienie dla tego, co słyszysz, i dla mówiącej osoby; niewielu zatrzymanych i podejrzanych potrafi się oprzeć odruchowej chęci wypełnienia ciszy własnymi słowami. Kilku jego kolegów, wśród nich zwłaszcza Vianello, posiadło tę samą umiejętność co on.

Im sympatyczniejszy wydawał się przesłuchujący, tym ważniejsze stawało się dla przesłuchiwanego zaskarbienie sobie jego życzliwości. Aby ten cel najłatwiej osiągnąć — jak wierzyło wielu podejrzanych — należało sprawić, by prowadzący przesłuchanie rozumiał ich motywy, to zaś wymagało obszernych wyjaśnień. Podczas większości przesłuchań Brunettiemu zależało głównie na odkryciu, co przesłuchiwany zrobił, i skłonieniu go do przyznania się do winy, przesłuchiwany natomiast zbyt często skupiał się na zyskaniu jego współczucia.

Tak jak ludzie, którzy z nim rozmawiali, rzadko zastanawiali się nad prawną konsekwencją swoich słów, tak ci, którzy rozmawiali z przeszkolonymi fachowcami z rozmaitych infolinii, nie brali pod uwagę finansowych skutków swojej gadatliwości.

— Pańskie *tramezzini*, panie komisarzu — rozległ się głos Riverrego. Brunetti odwrócił się, żeby mu podziękować, nim jednak zdążył otworzyć usta, Riverre, widząc ekran, zapytał:

— O, pan też z tego korzysta, *commissario*?

Bojąc się cokolwiek powiedzieć, komisarz wziął papierową torbę z kanapkami oraz dwiema półlitrowymi butelkami wody mineralnej i postawił ją obok komputera.

— Nie jestem pewien — odparł obojętnie, jakby rzeczywiście korzystał — ale lubię sprawdzić raz na jakiś czas, żeby się przekonać, czy jest coś nowego. — Postanawiając w tym momencie zjeść posiłek w pokoju odpraw, Brunetti otworzył torbę i wyjął jedną kanapkę. Z pomidorem i szynką. Zdjął serwetkę, którą była owinięta, i ugryzł kęs.

Żując, wskazał kanapką w stronę ekranu i zapytał:

— Masz jakieś faworytki, Riverre?

Riverre zdjął marynarkę i odsunął się, by powiesić ją na krześle przy swoim biurku, po czym wrócił do komisarza.

— Cóż, trudno powiedzieć, że to moja ulubiona, ale jest jedna kobieta... chyba z Turynu... która rozmawia o dzieciach i ich problemach. Lub o problemach, które mogą mieć z nimi rodzice.

— Dzieci dzisiaj tak się zachowują — zgodził się ponuro Brunetti — że to pewnie dobra rzecz.

— Tak właśnie sądzę, panie komisarzu. Moja żona dzwoniła do niej kilka razy, żeby zapytać, co powinniśmy zrobić z Gianpaolem.

— Pewnie ma teraz dwanaście lat, nieprawdaż? — zapytał Brunetti, próbując odgadnąć wiek chłopca.

— Czternaście, panie komisarzu. Ale dopiero co skończył. I nie jest już małym chłopcem, więc nie możemy go tak traktować.

— Czy tak właśnie powiedziała ona, ta kobieta z Turynu? — upewnił się komisarz, kończąc pierwszą *tramezzino* i sięgając po butelkę z wodą mineralną. Gazowaną. To dobrze. Otworzył ją i zaproponował Riverremu, ale policjant pokręcił głową.

— Nie, panie komisarzu. Tak mówi moja matka.

— A ta kobieta z Turynu? Co mówi?

— Prowadzi kurs, na który można się zapisać. Dziesięć lekcji, które żona i ja odbylibyśmy razem.

— W Turynie? — zapytał Brunetti, nie kryjąc zaskoczenia.

— Ależ nie, panie komisarzu — odparł Riverre z łagodnym śmiechem. — Oboje z żoną żyjemy teraz w epoce nowoczesności. Mamy dostęp do sieci, wystarczy się zapisać, zajęcia odbywają się za pośrednictwem naszego komputera, my oglądamy lekcje, a potem zdajemy testy. Przysyłają wszystko... quizy i testy oraz pomoce naukowe... na skrzynkę e-mailową, ty je odsyłasz, a potem tą samą drogą dostajesz oceny i uwagi.

— Rozumiem — rzekł Brunetti i pociągnął łyk wody. — To bardzo pomysłowe, prawda?

Słysząc uwagę komisarza, Riverre nie mógł się powstrzymać od uśmiechu.

— Chodzi jedynie o to, panie komisarzu, że teraz nie możemy tego zrobić z powodu wakacji, za które musimy zapłacić: w przyszłym tygodniu wyjeżdżamy na Elbę. Na kemping, ale dla nas trojga to i tak spory wydatek.

— A ile kosztuje ten kurs? — zapytał z umiarkowanym zainteresowaniem Brunetti.

— Trzysta euro — odparł Riverre i spojrzał na komisarza, by sprawdzić, jak zareaguje na tę cenę. Gdy jego zwierzchnik uniósł brwi w odpowiedzi, policjant wyjaśnił: — Razem z testami i ich ocenianiem.

— Yhm — mruknął komisarz i skinął głową. Sięgnął do torebki po drugą kanapkę. — Tanie to nie jest, prawda?

— Nie — przyznał Riverre, kiwając z rezygnacją głową. — Ale to nasz jedynak i chcemy dla niego jak najlepiej. To chyba naturalne, nie sądzi pan?

— Tak, chyba tak — potwierdził Brunetti i ugryzł kanapkę. — Jest dobrym chłopcem, prawda?

Riverre uśmiechnął się, zmarszczył czoło w głębokiej zadumie i znowu się uśmiechnął.

— Myślę, że tak. I dobrze sobie radzi w szkole. Żadnych problemów.

— W takim razie chyba moglibyście trochę poczekać z tym kursem. — Komisarz zjadł drugą kanapkę, żałując, że poprosił podwładnego, by przyniósł mu tylko dwie, i dopił resztę wody. Rozejrzawszy się, zapytał: — Gdzie mam wyrzucić butelkę?

— Przy drzwiach, panie komisarzu. Niebieski kubeł.

Brunetti podszedł do plastikowych pojemników, włożył butelkę do niebieskiego, a papierową torbę i serwetki do żółtego.

— Widzę tu rękę signoriny Elettry — powiedział.

Riverre roześmiał się.

— Gdy nam o tym powiedziała po raz pierwszy, myślałem, że będzie musiała użyć siły, ale teraz już przywykliśmy — wyznał, po czym, jakby ujawniał informację, nad którą zastanawiał się od pewnego czasu, dodał: — Naprawdę szkoda, że to nie ona tutaj rządzi, zgodzi się pan, panie komisarzu?

— Masz na myśli komendę? — upewnił się Brunetti. — Całą strukturę?

— Tak, panie komisarzu. Chce mi pan powiedzieć, że nigdy pan o tym nie myślał?

Brunetti otworzył drugą butelkę wody i pociągnął długi łyk.

— Moja córka ma w klasie koleżankę z Iranu, uroczą dziewczynkę — rzekł, pesząc Riverrego, który chyba spodziewał się odpowiedzi na swoje pytanie. — Ilekroć chce wyrazić zadowolenie, używa zwrotu „Dużo, dużo, zbyt, bardzo". — Wypił kolejną porcję wody.

— Nie jestem pewien, czy dobrze pana rozumiem, komisarzu — oświadczył Riverre, a jego mina odzwierciedlała te słowa.

— Tylko to mi przychodzi do głowy w odpowiedzi na pomysł, by signorina Elettra przejęła tu władzę: „Dużo, dużo, zbyt, bardzo". — Zakręcił butelkę, podziękował Riverremu za poczęstunek i zszedł na parter, by poprosić sekretarkę Patty o wprowadzenie zmian w planach Scarpy dotyczących obsady szkolenia.

Rozdział 7

Przez kilka następnych dni wydawało się, że jakaś kosmiczna siła sprawcza usłyszała jego życzenie zawarcia umowy z siłami chaosu, przestępczość bowiem zrobiła sobie w Wenecji wakacje. Rumuni, którzy grali w trzy karty na weneckich mostach, chyba pojechali do domu albo przenieśli swoje stanowiska pracy na tutejsze plaże. Liczba kradzieży z włamaniem spadła. Żebracy, w reakcji na zarządzenie władz miasta zakazujące żebrania pod surową karą, zniknęli przynajmniej na parę dni, zanim wrócili do pracy. Kieszonkowcy zostali oczywiście na stanowiskach: na wakacje mogli wyjeżdżać jedynie w listopadzie i lutym, gdy miasto się wyludniało. Chociaż upał często skłaniał ludzi do aktów przemocy, w tym roku było inaczej. Być może w pewnym momencie skwar połączony z wilgotnością czyniły ewentualną próbę uduszenia lub okaleczenia zbyt wyczerpującą, by ją w ogóle rozważać.

Bez względu na przyczynę Brunetti był zadowolony z tej chwili zastoju. Część wolnego czasu wykorzystał na sprawdzenie kolejnych stron internetowych, które oferowały pomoc duchową lub nieziemską osobom potrzebującym. Był tak oczytany w dziełach greckich i rzymskich historyków, że nie widział absolutnie nic dziwnego w pragnieniu zasięgnięcia rady u wyroczni lub znalezienia jakiegoś sposobu na odszyfrowanie przesłania bogów. Czy była to wątroba świeżo zabitego kurczaka, czy też wzory tworzone w powietrzu przez stado ptaków, znaki te istniały dla ludzi, którzy potrafili je zinterpretować. Wystarczył ktoś skłonny uwierzyć w tę interpretację i układ zostawał zawarty. Kume lub Lourdes; Diana z Efezu lub Maryja Dziewica z Fatimy — usta posągu poruszyły się i wydobyła się z nich prawda.

Kobiety z rodziny Brunettiego odmawiały kiedyś różaniec i w dzieciństwie, wracawszy ze szkoły w piątkowe popołudnia, często zastawał je na klęczkach w salonie, recytujące zaklęcia. Ten zwyczaj i ożywiająca go wiara wydawały mu się zarówno wtedy, jak i teraz, dwa pokolenia później, normalną, zrozumiałą częścią ludzkiej egzystencji. Tak więc przejście od przekonania o dobroczynnych mocach Madonny do przekonania o mocy pozwalającej komuś na nawiązanie kontaktu z duchami zmarłych wydawało się — przynajmniej Brunettiemu — bardzo małym krokiem na drodze wiary.

Nie mając nigdy do czynienia z przypadkiem wypaczenia wiary — o ile rzeczywiście to ono było przyczyną dziwnego zachowania ciotki Vianella — Brunetti nie miał pewności co do obowiązujących w takiej sytuacji przepisów. Włochy były krajem, w którym istniała religia państwowa, dlatego też prawo zwykle tolerancyjnie podchodziło do Kościoła i jego funkcjonariuszy. Oskarżenia o lichwiarstwo, powiązania z mafią, wykorzystywanie nieletnich, oszustwa i wymuszenia — to wszystko zniknęło, jakby zadziałał prawny odpowiednik kropidła i kadzidła.

Strony internetowe stanowiły jednak konkurencję dla religii państwowej, tak więc prawo mogło się zapatrywać na ich działalność mniej jednoznacznie. A jeżeli zapewnienia składane w kościołach były równie prawdziwe jak te składane na stronach internetowych, to gdzie leżała prawda? Spekulacje komisarza przerwał telefon.

— To ja, Guido — rzekł Vianello. — Właśnie dzwonił Loredano. Dyrektor banku zatelefonował do niego z informacją, że jest tam moja ciotka. Wypłaciła z konta trzy tysiące euro. Poprosił, by przyszła na chwilę do jego gabinetu podpisać dokumenty.

— Kto jest w patrolu?

— Pucetti i jakiś nowy pracownik są w drodze na Via Garibaldi.

Brunetti przebiegł w pamięci tę ulicę w górę i w dół.

— Banco di Padova?

— Tak. Obok apteki.

— Jak długo może ją tam zatrzymać?

— Dziesięć minut. Powiedział, że zapyta, jak sobie radzą jej krewni. Opowieść o tym powinna trochę potrwać.

— Gdzie jesteś?

— Na Murano. Ktoś próbował ukraść torebkę jakiejś kobiecie. Zebrał się tłum i wrzucił złodzieja do kanału. Musieliśmy interweniować, żeby wyłowić go z wody.

— Pojadę i się przyjrzę — zaproponował Brunetti i odłożył słuchawkę, zdążył jednak usłyszeć, jak Vianello mówi:

— Ma na sobie zieloną bluzkę.

Komisarz był tak bardzo zaabsorbowany informacjami od Vianella, że nie przygotował się na upał, który buchnął w niego, gdy wychodził z budynku komendy. Przez chwilę Brunetti nie wiedział, czy przesycone wilgocią powietrze pozwoli mu oddychać. Przystanął, cofnął się do nędznego cienia rzucanego przez nadproże i wyjął okulary przeciwsłoneczne. Chroniły przed światłem, ale nie pomagały w walce ze skwarem. Marynarka z cienkiej niebieskiej bawełny oblepiła jego ciało niczym islandzki sweter.

Atak skwaru i światła był tak nagły, że Brunetti dopiero po chwili przypomniał sobie, dlaczego wyszedł na dwór, a następnie jak dojść na Via Garibaldi.

— To szaleństwo — wymamrotał pod nosem i przeszedł mostem na drugą stronę kanału. Nie miał innego wyboru niż spuścić wzrok przed blaskiem i zaufać swoim stopom. Podążał wijącymi się w lewo i w prawo uliczkami, nie zastanawiając się, dokąd zmierza. Nogi niosły go przez kolejny most, później w prawo, aż wreszcie wyszedł na Via Garibaldi i od razu pożałował, że to zrobił. Kamienne płyty chodnika prażyły się w słońcu od wielu godzin i żar, którym emanowały, wydawał się formą protestu przeciwko ich własnej bezradności. Uwięziony między nieustępliwym słońcem i ciepłem promieniującym od dołu nie potrafił wymyślić żadnego sposobu samoobrony. Jakaś kobieta przeszła szybko obok niego, mówiąc *con permesso* dobitniej, niż mogłaby powiedzieć, ale to on przecież stał nieruchomo na chodniku, tarasując przejście. Jej słowa odblokowały go i cofnął się w uliczkę, która zapewniała minimalną osłonę przed słońcem.

Po chwili zdobył się na odwagę, by wyjść na Via Garibaldi w słoneczny skwar. Bank stał po prawej stronie, dalej, pod parasolami jakiegoś baru kryło się kilka stolików. Przy jednym z nich siedział Pucetti i młoda kobieta, którą roz-śmieszyły słowa młodego policjanta. Miała jasne włosy, ob-cięte krótko jak u chłopca, ale wrażenie chłopięcości niwe-czył jej obcisły biały podkoszulek. Oboje nosili okulary przeciwsłoneczne, a Pucetti miał na sobie czarny T-shirt, równie mocno opinający jego ciało jak T-shirt pierś dziew-czyny, jednak wywoływał nieco odmienne wrażenie.

Brunetti cofnął się w *calle*, odczekał, jak uznał, minutę, wiedział jednak, że trwało to krócej, i znowu ruszył na-przód. Pucetti i dziewczyna właśnie wstawali od stolika. Komisarz zauważył, że ona ma na sobie bardzo krótką spódnicę, która odsłaniała opalone i zgrabne nogi. Oboje nosili sandały. Między nim a młodymi funkcjonariuszami policji stała przed bankiem starsza kobieta w typowy dla wenecjan sposób zmierzająca najkrótszą drogą do założo-nego celu. Spojrzała w niebo, jakby sądziła, że jest na nim wypisana dokładna temperatura. Miała na sobie luźne ba-wełniane spodnie i jasnozieloną bluzkę z długimi ręka-wami. Chodziła w praktycznych brązowych czółenkach na niskim obcasie, miała mocną budowę ciała, typową dla ko-biet, które urodziły dużo dzieci i były aktywne przez całe życie. Przez ramię przewiesiła brązową skórzaną torbę, trzymając ją mocno obiema rękami za paski. Ruszyła w lewo w stronę *embarcadero* i Riva degli Schiavoni. Gdy szła, można było odnieść wrażenie, że lekko się garbi i mocniej opiera na lewej nodze.

W chwili gdy się odwracała, para atrakcyjnych młodych ludzi, którzy znajdowali się bliżej przystanku tramwaju wodnego, odwróciła się w tym samym kierunku i zaczęła iść przed nią. Pucetti objął ramieniem swoją towarzyszkę, ale okazało się, że jest zbyt gorąco, poprzestali więc na trzymaniu się za ręce. Przystanęli, żeby spojrzeć na wystawę sklepu sportowego. Starsza kobieta przeszła obok, nie zwracając na nich uwagi. Powoli ruszyli jej śladem, a komisarz śledził całą trójkę.

Na końcu Via Garibaldi staruszka podeszła do *embarcadero* i usiadła, zwracając twarz ku wodzie. Młoda para zatrzymała się przy kiosku z gazetami, mężczyzna kupił egzemplarz „Men's Health". Z lewej strony przypłynęła „dwójka" i starsza kobieta wstała. Nie okazując pośpiechu, młodzi policjanci włożyli do czytnika swoje karty iMOB, po czym weszli na pokład łodzi. Gdy zrzucono cumy i łódź zaczęła oddalać się od nabrzeża, Brunetti dołączył do nich tuż przed zasunięciem bramki przez członka załogi.

Kobieta usiadła w kabinie pasażerskiej na fotelu w pierwszym rzędzie przy przejściu, najbliżej otwartych drzwi, przez które mogła dotrzeć choć odrobina powietrza. Pucetti rozłożył magazyn na drewnianym kontuarze za sterówką i pokazywał swojej towarzyszce popielatą lnianą marynarkę, pytając, co o niej sądzi. Był odwrócony plecami do kabiny pasażerskiej, ale policjantka stała twarzą do niego, by nie stracić z oczu starszej pani.

Brunetti stanął obok Pucettiego. Młoda policjantka spojrzała na niego i wyprostowała się trochę, a Pucetti, nie odrywając wzroku od zdjęcia, rzekł:

— Pomyślałem, że Vianello do pana też zadzwoni.

— Owszem, zadzwonił.

— Chce pan to kontynuować w taki sam sposób: my śledzimy ją, a pan nas?

76

— Wydaje się, że to najlepsze rozwiązanie.

Łódź podpłynęła do przystanku San Zaccaria. Wtedy Pucetti przewrócił kilka kartek czasopisma, przyciągając ręką swoją towarzyszkę, żeby mogła zobaczyć coś na kolejnej stronie. Wkrótce przepłynęli pod Ponte dell'Accademia, minęli San Samuele i wtedy Brunetti usłyszał, jak policjant mówi:

— Wstaje.

Pucetti zamknął czasopismo i pochylił się w bok, żeby pocałować w skroń swoją młodą partnerkę. Ona skłoniła ku niemu głowę i coś powiedziała, po czym odsunęli się od siebie i wysiedli przy San Tomà. Od starszej kobiety z brązową skórzaną torbą dzieliło ich kilkoro pasażerów, a od podążającego za nimi mężczyzny w niebieskiej bawełnianej marynarce kilkoro następnych.

Na końcu *calle* śledzona kobieta skręciła w prawo, a następnie poszła w lewo na *campo*. Przecięła plac po przekątnej, zmierzając w prawo ku wąskiej uliczce, która prowadziła z powrotem w stronę Rio dei Frari. Porozumiewając się bez słów, rozdzielili się i Brunetti podążył prawą stroną, żeby nie stracić z oczu staruszki w labiryncie wąskich i krętych uliczek.

Gdy miał skręcić w Calle Passion, ujrzał starszą panią przed sobą. Stała przed budynkiem po prawej stronie z ręką uniesioną do dzwonka. Poszedł dalej, zatrzymał się i odwrócił, wtedy zobaczył coś, co mogło być stopą znikającą w drzwiach domu. Skręcił w zaułek i mijając drzwi, odnotował numer budynku.

Gdy wchodził na Campo dei Frari, młodzi policjanci skręcali właśnie w boczną uliczkę.

— Numer dwa tysiące dziewięćset osiemdziesiąt dziewięć — rzekł obojętnie Brunetti. Policjantka spojrzała na niego, jakby był jednym z tych internetowych magików, na których strony zaglądał. Pucetti uśmiechnął się i rzekł:

— Będę o tym opowiadał swoim wnukom, panie komisarzu.

Brunetti nie był pewien, czy ta uwaga miała wzmóc, czy osłabić jego satysfakcję, że się udało, więc odparł nonszalancko:

— Po prostu przypadkiem to ja ją zobaczyłem. — Pucetti skinął głową, podczas gdy młoda kobieta dalej gapiła się na Brunettiego.

— Co teraz, panie komisarzu?

— Wy idziecie się czegoś napić, a ja pójdę na San Tomà do agencji nieruchomości i poszukam nowego mieszkania.

— Paląca robota, *commissario* — zauważyła ze współczuciem dziewczyna.

Brunetti skinął głową w podziękowaniu.

Na szczęście nie zapomniał zabrać ze sobą telefonu komórkowego, więc uzgodnili, że pozostaną w kontakcie. Wrócił na *campo* i zajął miejsce przed witryną agencji. O tej porze popołudniowe słońce prażyło w plecy.

Promienie słońca zamieniły witrynę agencji w olbrzymie lustro — to była ich jedyna zaleta — w którym niebawem ujrzał odbicie zbliżającej się starszej kobiety z brązową torbą na ramieniu. Tyle że nie przytrzymywała już jej pasków rękami i torba wisiała swobodnie przy jej boku. Kobieta szła w jego stronę, a on w tym czasie oglądał zdjęcie mansardy w Santa Croce, zaledwie pół miliona euro za sześćdziesiąt metrów kwadratowych.

— Powariowali — wyszeptał.

Kobieta skręciła w prawo, a potem w lewo w uliczkę prowadzącą do *embarcadero*. Brunetti wybrał numer Pucettiego i gdy ten się odezwał, rzekł:

— Wraca na przystań. Może ty i twoja przyjaciółka padniecie sobie czule w objęcia przed progiem numeru dwa tysiące dziewięćset osiemdziesiąt dziewięć?

— Zaproponuję jej to natychmiast, panie komisarzu — odparł Pucetti i przerwał połączenie. Brunetti odsunął się od witryny w głąb *calle* prowadzącej ku domowi Goldoniego, gdzie mógł przynajmniej stać w cieniu. Kilka minut później pojawili się Pucetti i młoda kobieta, którzy nie trzymali się już za ręce.

— S. Gorini, panie komisarzu — poinformował Pucetti. — Pod tym numerem widnieje tylko jedno nazwisko.

— Wracamy w takim razie do komendy? — zaproponował Brunetti.

— Nadal jesteśmy na służbie, panie komisarzu — przypomniał Pucetti.

— Myślę, że wszyscy już dość się nałaziliśmy za ludźmi w tym upale — odparł Brunetti, co tamtych dwoje przyjęło z wyraźną ulgą. Komisarz po raz pierwszy uśmiechnął się do dziewczyny i rzekł: — Zobaczmy więc, czy potrafisz śledzić niezauważona *commissario di polizia* w drodze powrotnej do biura.

Rozdział 8

Zachęcony chyba szacunkiem młodej kobiety, która — jak ustalono — nazywała się Betina Trevisoi, dla jego zdolności śledczych, Brunetti postanowił sprawdzić, czego sam potrafi się dowiedzieć o S. Gorini. Pierwszą rzeczą, jaką odkrył, chociaż w tym celu wystarczyło sięgnąć po książkę telefoniczną, było to, że S. oznacza Stefano. Ale nawet gdy operowało się imieniem i nazwiskiem, przeglądarka Google'a proponowała jedynie szeroką gamę produktów i ofertę randki w ciemno z młodymi dziewczynami. Ponieważ miał własną w domu, nie potrzebował następnej, wzgardził więc cyberpropozycjami, choć inni mogliby uznać je za kuszące.

Zawiódłszy się na Google'u, Brunetti musiał pomyśleć o innych miejscach, gdzie można było znaleźć wzmiankę o jakiejś osobie. Musiał być sposób na odkrycie, czy Gorini wynajmuje to mieszkanie, czy też jest jego właścicielem: prawdopodobnie w biurze ratusza. Jeżeli to jego własność, pewnie spłacał kredyt hipoteczny, ten ślad mógł doprowadzić do jego banku, co pozwoliłoby zdobyć informacje o jego sytuacji finansowej. Na pewno istniał sposób, by się dowiedzieć, czy miasto przyznało mu jakieś koncesje, czy ma paszport. Archiwa linii lotniczych mogły dostarczyć wiadomości, czy i jak często podróżował samolotem po Włoszech lub do innych krajów. Gdyby miał jakąś specjalną kartę oferowaną przez koleje, istniałby wykaz biletów kolejowych, które nabył. Kopie rachunków za telefon, zarówno stacjonarny, jak i komórkowy, dałyby pojęcie o tym, kim są jego przyjaciele i współpracownicy. Pojawiliby się również, gdyby pod tym adresem prowadził jakąś działalność gospodarczą. Rejestr transakcji na kartach kredytowych często okazywał się prawdziwą kopalnią wiedzy.

Komisarz siedział przed komputerem, a te ewentualności kolejno atakowały jego wyobraźnię. Nie mógł się nadziwić, jak te najbardziej podstawowe we współczesnym życiu usługi narażają człowieka na łatwą kontrolę i skutecznie naruszają jego prywatność.

Co ważniejsze jednak, nie mógł się nadziwić, jak trudno znaleźć choćby jedną z tych informacji. Wiedział, że wszystkie one muszą być w jego komputerze, ale nie umiał ich wyszukać. Odwrócił się do Pucettiego. Stażystka Trevisoi stała obok.

— Nasze próby sprawdzenia go to strata czasu — powiedział Brunetti, kładąc nacisk na pierwsze słowo.

Obserwował, jak Pucetti poskromił odruchową chęć wyrażenia sprzeciwu. W ostatnich latach młody policjant sporo dowiedział się od signoriny Elettry o metodach omijania blokad w infostradzie. Pucetti zerknął na młodą kobietę u swego boku i poskromiwszy swoją męską dumę, wbrew woli przytaknął zwierzchnikowi.

— Może powinniśmy poprosić o pomoc signorinę Elettrę — zgodził się w końcu Pucetti.

Zadowolony z reakcji podwładnego i świadom, że Trevisoi jest młodą i atrakcyjną kobietą, Brunetti wstał i podsunął Pucettiemu krzesło.

— Lepiej, żeby sprawdzały to dwie osoby — stwierdził, po czym, zwracając się do stażystki, dodał: — Pucetti jest jednym z naszych speców od wyszukiwania informacji.

— Wyszukiwania informacji, panie komisarzu? — zapytała tak niewinnie, że Brunetti zaczął podejrzewać, iż za tymi ciemnymi oczami kryje się chyba więcej, niż pierwotnie sądził.

— Szpiegowania — wyjaśnił. — Pucetti jest w tym bardzo dobry, ale signorina Elettra jeszcze lepsza.

— Signorina Elettra jest bezkonkurencyjna — przyznał młody policjant, ponownie włączając monitor.

W drodze do biura Elettry komisarz postanowił powstrzymać się od powtórzenia pochwalnej opinii Pucettiego. Gdy wszedł, sekretarka właśnie wyłaniała się z gabinetu swojego zwierzchnika, vice-questore Giuseppe Patty. Tego dnia miała na sobie czarny podkoszulek i luźne spodnie z czarnego lnu, a na bosych stopach żółte tenisówki Converse. Uśmiechnęła się na powitanie.

— Niech pan spojrzy — powiedziała, podchodząc do krzesła i wskazując na ekran swojego monitora. Chyba z powodu upału włosy związała z tyłu zieloną wstążką.

Brunetti stanął za nią i spojrzał na ekran. Zobaczył na nim coś, co wyglądało niczym strona katalogu sprzętu elektronicznego, równe rzędy komputerów, które dla komisarza wyglądały identycznie. Czyżby w końcu zamierzali zamówić jeden do jego gabinetu, zastanawiał się?

Bo też dlaczego Elettra zawracałaby sobie głowę pokazywaniem mu takich rzeczy? Wzruszyła go jej troskliwość.

— Bardzo ładne — powiedział z rezerwą, głosem wyzbytym wszelkich śladów osobistej zachłanności.

— Prawda? Niektóre są prawie tak dobre jak mój. — Wskazując na jeden z komputerów na ekranie, rzuciła jakieś liczby, które Brunetti zdołał zrozumieć, na przykład „2,33" oraz „1333", i wspomniała o megahercach i gigabajtach. Tego nie rozumiał.

— A teraz proszę spojrzeć na to — dodała i powędrowała na dół ekranu do cennika przyporządkowanego pokazywanym wyżej modelom. — Widzi pan cenę? — zapytała, wskazując na trzecią pozycję.

— Tysiąc czterysta euro — odczytał Brunetti. Elettra mruknęła z aprobatą, więc zapytał: — To korzystna cena? — Pochlebiała mu myśl, że Ministerstwo Sprawiedliwości może być skłonne wydać na niego tak dużo, lecz skromność sprawiła, że nie pisnął ani słowa.

— Bardzo korzystna — odparła sekretarka Patty. Przycisnęła kilka klawiszy. Obraz zniknął z ekranu i na jego miejscu pojawiła się długa lista nazw i liczb. — A teraz niech pan spojrzy na to — wskazała na jedną z pozycji na liście.

— To ten sam komputer? — zapytał komisarz, przeczytawszy nazwę modelu i cyfry.

— Tak.

Przebiegł wzrokiem do liczby z prawej strony.

— Dwa tysiące dwieście? — zdziwił się. Elettra skinęła głową, ale nie skomentowała tego faktu.

— Skąd się wzięła pierwsza cena?

— Z internetowej firmy w Niemczech. Komputery przychodzą z pełnym oprogramowaniem w języku włoskim, z włoską klawiaturą.

— A te pozostałe?

— Pozostałe zostały zamówione, ale nie zapłacono za dostawę — odparła. — Dokument, który panu pokazałam, to zlecenie zakupu.

— Ależ to szaleństwo — zauważył Brunetti, używając nieświadomie słów i tonu, jakimi jego matka komentowała zwykle ceny ryb.

Signorina Elettra w milczeniu przesunęła na szczyt listy obraz opatrzony nagłówkiem „Ministero dell'Interno".

— Przepłacają osiemset euro? — zapytał niepewny, czy ma się zdumiewać, czy oburzać, czy też jedno i drugie.

Skinęła głową.

— Ile sztuk zakupili?

— Czterysta.

Kalkulacja zajęła mu tylko parę sekund.

— To trzysta dwadzieścia tysięcy euro więcej — policzył. Sekretarka Patty milczała. — Czy ci ludzie nie słyszeli o zakupach hurtowych? Czy wtedy cena nie powinna być niższa?

— Myślę, że gdy zakupu dokonuje rząd, zasady są inne, panie komisarzu.

Brunetti cofnął się od komputera i obszedł jej biurko.

— A w takim wypadku jak ten ktoś inny dokonuje zakupu? I kto konkretnie?

— Przypuszczam, że jakiś biurokrata w Rzymie, panie komisarzu.

— Czy ktoś kontroluje, co on robi? Porównuje ceny bądź oferty?

— Z pewnością ktoś to robi — odparła z wyraźną nonszalancją.

Mijał czas, kiedy Brunetti rozpatrywał możliwości. To, że jeden człowiek mógł zamówić przedmiot, który kosztował osiemset euro więcej niż drugi, identyczny, nie oznaczało, że druga osoba sprzeciwiłaby się zawyżonej cenie, zwłaszcza gdy wydawano rządowe pieniądze i tylko te dwie osoby były wtajemniczone w proces licytacji.

— Czy nikogo to nie obchodzi? — usłyszał swoje pytanie komisarz.

— Kogoś pewnie tak, *commissario* — odparła Elettra, po czym z niemal bojowym ożywieniem dodała: — W jakiej sprawie chciał pan się ze mną zobaczyć?

Opowiedział szybko o ciotce Vianella i wypłatach, których dokonywała, po czym podał Elettrze nazwisko i adres Stefana Goriniego, pytając, czy znajdzie czas, żeby czegoś się o nim dowiedzieć.

Signorina Elettra zapisała nazwisko oraz adres i zapytała.

— Czy to ta ciotka, która wyszła za elektryka?

— Byłego elektryka — poprawił ją Brunetti, po czym dodał: — Tak.

Posłała mu ponure spojrzenie i pokręciła głową.

— Myślę, że to tak, jak być księdzem lub lekarzem — zauważyła.

— Słucham?

— Być elektrykiem, panie komisarzu. Myślę, że skoro już się coś takiego robi, to ma się moralny obowiązek robić to nadal. — Sekretarka Patty dała mu czas na zastanowienie się nad jej stwierdzeniem, a gdy nie uczynił żadnej uwagi, dodała: — Nie ma nic gorszego od ciemności.

Mając za sobą długie doświadczenie mieszkańca miasta, gdzie w wielu domach wciąż były przewody elektryczne położone przed pięćdziesięciu lub sześćdziesięciu laty, Brunetti pojął, o co jej chodziło, i mógł tylko powiedzieć:

— Tak. Nie ma nic gorszego.

Wyglądało na to, że jego natychmiastowe przytaknięcie ją ucieszyło.

— Czy to pilne, panie komisarzu?

— Nie, niezupełnie — odparł Brunetti, mając na uwadze fakt, że prawdopodobnie nie było to też legalne.

— W takim razie jutro się temu przyjrzę, panie komisarzu.

Zanim wyszedł, wskazując na jej komputer, rzekł:

— A gdy już się tam pani dostanie, mogłaby pani sprawdzić, czego można się dowiedzieć o woźnym sądowym Araldzie Fontanie?

Brunetti nie podał jej nazwiska sędzi Coltellini, nie z powodu skrupułów towarzyszących dzieleniu się informacjami policyjnymi z cywilną pracownicą komendy — już dawno temu uznał to za dziecinadę — ale dlatego, że nie chciał jej obarczać sprawdzaniem trzeciego nazwiska, a wyraźna obrona Fontany prowadzona przez Bruscę sprawiła, że to na nim skupił swoje zainteresowanie.

Nie mógł jednak powstrzymać się przed zadaniem pytania:

— Gdzie pani zdobywa te informacje, *signorina*?

— Och, wszystko znajduje się w archiwach publicznych, panie komisarzu. Trzeba tylko wiedzieć, gdzie zajrzeć.

— Więc chodzi sobie pani, że tak powiem, po tych aktach, żeby zobaczyć wszystko, co może pani zobaczyć?

— Tak — odparła z uśmiechem. — Sądzę, że można by tak to ująć. Zwykła przechadzka. Podoba mi się.

— I pewnie nigdy nie wie pani, co pani po drodze wyłowi.

— Nie, nigdy — potwierdziła i wskazując na kartkę z zapisanym nazwiskiem do sprawdzenia, dodała: — Poza tym zapewniają mi tak interesujące rzeczy jak ta.

— Czy reszta pani pracy nie jest interesująca?

— Nie, niestety w sporej części nie, *dottore*. — Wsparła brodę na dłoni i zacisnęła usta w grymasie rezygnacji. — Ciężko jest, gdy tylu urzędników, dla których pracuję, to tak nieciekawe osoby.

— Często tak bywa, *signorina* — zauważył Brunetti i wyszedł.

Rozdział 9

Zanim Brunetti dotarł nazajutrz do swojego gabinetu, pogodził się z tym, że nieprędko będzie miał własny komputer, trudniej jednak było mu się pogodzić z panującą w gabinecie temperaturą. Poprzedniego wieczoru rodzina komisarza dyskutowała, dokąd pojechać na doroczne wakacje, a on przepraszał, że zamieszanie wokół obowiązków służbowych tak długo nie pozwalało mu określić, kiedy będzie miał wolne. Szybko przerwał wszelkie dyskusje o wyjeździe nad morze: nie w sierpniu, nie z milionami ludzi w wodzie, na drogach i w restauracjach. Pamiętał, że w pewnym momencie powiedział: — Nie pojadę do Puglii, gdzie jest czterdzieści stopni w cieniu, a oliwa z oliwek jest podrobiona.

Z perspektywy czasu nie wykluczał, że mógł być zbyt stanowczy. W obronie własnych pragnień znalazł sprzymierzeńca — Paola nigdy nie dbała o to, dokąd jadą; pilnowała jedynie, które książki powinna zabrać i czy tam, dokąd się wybierają, jest ciche miejsce, gdzie będzie mogła leżeć w cieniu i czytać.

Inni mężczyźni mieli żony, które błagały ich, by poszli potańczyć, podróżowali po świecie, kładli się późno spać i robili szalone rzeczy. Brunettiemu udało się ożenić z kobietą, która cieszyła się na myśl, że o dziesiątej położy się do łóżka z Henrym Jamesem. Albo, gdy miotały nią dzikie namiętności, których wstydziła się ujawnić mężowi, z Henrym Jamesem i jego bratem.

Niczym prezydent bananowej republiki, Brunetti zaproponował demokratyczny wybór, po czym przeforsował własną propozycję na przekór wszystkim różnicom zdań lub sprzeciwom. Jego kuzyn odziedziczył wiejski dom w Górnej Adydze, na północ od Glorenzy i zaproponował Brunettiemu gościnę w nim na czas, gdy sam będzie spędzał urlop z rodziną w Puglii.

— W upale, jedząc podrabianą oliwę — mruknął komisarz, choć był wdzięczny kuzynowi za tę propozycję. Tak więc rodzina Brunettich miała pojechać na dwa tygodnie w góry. Myśląc o tym, poczuł przypływ ulgi na samą myśl o spaniu pod kołdrą i konieczności noszenia swetra wieczorową porą.

Vianello i jego rodzina wynajęli dom na plaży w Chorwacji, gdzie inspektor zamierzał pływać, łowić ryby i do końca miesiąca nie robić nic innego. Pod ich nieobecność w nieoficjalnym śledztwie w sprawie Stefana Goriniego też miała nastąpić przerwa wakacyjna.

Komisarz spędził pierwszą część ranka, sprawdzając w komputerze w pokoju odpraw pociągi do Bolzano i czytając o różnych atrakcjach turystycznych w Górnej Adydze. Potem wrócił do gabinetu i zatelefonował do kilku kolegów, by się dowiedzieć, czy zetknęli się kiedyś z Gorinim. Lepiej poszło mu jednak z weryfikacją rozkładu jazdy pociągów.

Tuż po wpół do pierwszej wybrał numer domowego telefonu. Paola odebrała po trzecim dzwonku, mówiąc:

— Jeżeli zdołasz dotrzeć tu w kwadrans, to są figi z szynką, a potem makaron ze świeżą papryką i krewetkami.

— Dwadzieścia minut — powiedział i odłożył słuchawkę.

Bał się, że tak szybki spacer w upalny dzień będzie dla niego zabójczy, wyszedł więc na nabrzeże i udało mu się od razu wskoczyć na pokład „dwójki". Przy San Tomà złapał „jedynkę", która podpłynęła po dwóch minutach, i wysiadł przy San Silvestro. Podróż trwała dłużej niż na piechotę, ale oszczędził sobie wędrówki przez miasto w samo południe.

Paola i dzieci siedzieli w kuchni — taras w ciągu dnia zamieniał się w saunę i można było z niego korzystać jedynie po zmroku. Brunetti powiesił marynarkę, zastanawiając się, czy nie powinien najpierw jej wyżąć, i usiadł przy stole.

Zerknął na twarze najbliższych i zastanawiał się, czy apatia, którą dostrzegł, to skutek jego nacisku w sprawie wakacji czy tylko upału.

— Jak spędziłaś przedpołudnie? — zapytał córkę.

— Poszłam do Livii i przymierzałam ciuchy, które dostała na nowy rok akademicki — odparła Chiara, starannie odkrawając tłuszcz z szynki i przenosząc go w milczeniu na talerz Raffiego, uznawszy najwyraźniej, że wegetarianie mogą jeść szynkę, ale nie tłuszcz.

— Rzeczy na jesień? Już teraz? — zdziwiła się Paola, kładąc przed mężem talerz z szynką i czarnymi figami. Gdy pochylała się nad stołem, wsparła się ręką na ramieniu Brunettiego, pozwalając mu sądzić, że przynajmniej jeden członek jego rodziny cieszy się perspektywą wakacyjnego wyjazdu.

— Tak — odparła Chiara z ustami pełnymi fig. — Gdy w zeszłym tygodniu byłyśmy w Mediolanie odwiedzić jej siostrę... Marisę... studiuje w Bocconi... zabrały mnie na zakupy. Wszystko jest tam o wiele lepsze od tego, co można znaleźć tutaj. U nas są ciuchy tylko dla nastolatek i starszych pań.

Moja córka mieszkała w Mediolanie, pomyślał Brunetti, gdzie mieści się galeria Brera, *Ostatnia Wieczerza* Leonarda oraz najwspanialsza katedra gotycka we Włoszech, i poszła na zakupy.

— Znalazłaś coś, co ci się spodobało? — zapytał i zjadł pół figi. Jego córka mogła być filistrem, ale figa była słodką doskonałością.

— *No, papà* — odparła tragicznym tonem. — Wszystko było obłędnie drogie. — Okroiła kolejny kawałek szynki i czubkiem noża przeniosła tłuszcz na talerz Raffiego, który zajmował się swoim posiłkiem i opowieści o zakupach najwyraźniej go nie interesowały. — Miałam pieniądze, ale *mamma* dostałaby szału, gdybym wydała dwieście euro na parę dżinsów.

Paola spojrzała znad swojej przekąski.

— Nie dostałabym szału, ale wysłałabym cię na resztę lata do obozu pracy.

— Jak mamy wyjść z kryzysu finansowego, jeżeli nikt nie wydaje pieniędzy? — zapytała Chiara, dowodząc niezbicie, że spędziła dzień w towarzystwie studentki najlepszej włoskiej uczelni biznesowej.

— Pracując ciężko i płacąc podatki — odparł Raffi, ucinając tym samym wszelkie ewentualne wątpliwości Brunettiego, czy flirt jego syna z marksizmem już się zakończył.

— Żeby to było tylko takie proste — powiedziała Paola.

— Co masz na myśli? — zapytał Raffi.

— Trzeba mieć pracę, żeby ciężko pracować — odparła Paola, spoglądając na niego z uśmiechem. — Zgadza się? — Raffi skinął głową. — A żeby płacić podatki, trzeba też mieć pracę. Albo prowadzić firmę.

— Oczywiście — zgodził się Raffi. — Każdy głupi o tym wie.

— A jak znajduje się pracę?

Zanim Raffi zdążył to wyjaśnić, Paola zadała kolejne pytanie:

— Nie znając kogoś i nie mając ojca prawnika bądź notariusza, który może zapewnić ci pracę zaraz po ukończeniu studiów? — I znowu, zanim jej syn zdążył odpowiedzieć, dodała: — Pomyśl o starszym rodzeństwie twoich szkolnych przyjaciół. Ilu z nich znalazło porządne posady? Mają eleganckie dyplomy, jak leci, sam sznyt, siedzą w domu i są na garnuszku rodziców. — I zanim Raffi zdążył zarzucić jej brak wrażliwości, dodała: — Niekoniecznie dlatego, że tego chcą, ale dlatego, że nie ma dla nich pracy. Jeżeli mają szczęście, idą na śmieciówkę, a gdy umowa wygasa, zwalnia się ich i zatrudnia na sześć miesięcy kogoś innego.

Dobry Boże, pomyślał Brunetti, i kto tu teraz jest marksistą?

— Jak mają zdobyć pracę i płacić podatki? — zapytał delikatnie.

Paola już otwierała usta, ale najwyraźniej postanowiła porzucić ten temat.

— Makaron chyba jest już gotowy — powiedziała.

I był. Paola obrała wcześniej z przypieczonej skórki paprykę, a jej słodki smak i konsystencja przypominały figi. Rodzina komisarza ukojona rozkoszami podniebienia poświęciła resztę obiadu spokojnej dyskusji o tym, jak spędzić czas w górach.

Po posiłku Brunetti usiadł na kanapie i przekartkował „Il Gazzettino", lecz nawet bylejakość wydrukowanych słów i zwrotów nie zdołała uśmierzyć niepokoju spowodowanego aż nazbyt oczywistą zmianą tematu przez Paolę. Odwrót nie był na ogół stosowanym przez nią wybiegiem taktycznym.

Weszła do salonu z kawą, wręczyła mężowi filiżankę i usiadła w głębokim fotelu naprzeciw niego. Oparła stopy na niskim stoliku i wypiła łyk ciemnego płynu.

— Jeżeli kiedyś, kiedykolwiek, powiem, że miło jest mieszkać na najwyższym piętrze, pod dachem, to wepchniesz mnie do piekarnika i przetrzymasz w nim do chwili, aż się opamiętam, dobrze?

— Moglibyśmy zainstalować klimatyzację — odparł, żeby ją sprowokować.

— I skłonić Chiarę do wyprowadzki? To hasło działa na nią jak płachta na byka. Ojciec jednej z jej przyjaciółek zainstalował to urządzenie w domu i Chiara nie chce już tam chodzić.

— Myślisz, że spłodziliśmy fanatyczkę?

Paola dopiła kawę i odstawiła filiżankę ze spodkiem na blat stolika.

— Jeżeli już musi być fanatyczką, lepiej, że chodzi o ekologię niż o cokolwiek innego — powiedziała.

— Nie sądzisz jednak, że jej reakcja jest trochę przesadna?

Paola wzruszyła ramionami.

— Teraz, w tym roku, w tym okresie historycznym pewnie jest. Ale za dziesięć, dwadzieścia lat może się okazać, że miała rację, a my będziemy wracali myślami do naszego hulaszczego życia i uznamy go za zbrodnię.

Zamknęła oczy i pozwoliła, by głowa opadła jej na oparcie fotela.

— A wtedy ludzie nazwą ją prorokiem, nie fanatyczką?

— Kto wie? — odparła Paola, nie otwierając oczu. — To nieraz jedno i to samo.

— Czemu zmieniłaś temat?

— Chodzi o pracę i podatki?

Brunetti przyglądał się jej twarzy. Paola była ponad dwadzieścia lat starsza niż wtedy, gdy ją poznał, a mimo to nie widział żadnej różnicy. Niesforne blond włosy, nos, chyba zbyt duży jak na obecny kanon kobiecego piękna, policzki, które kiedyś całował. Odpowiedziała mruknięciem.

— Nie chciałam rozmawiać o podatkach — przyznała w końcu.

— Dlaczego?

— Moim zdaniem dalsze ich płacenie jest szaleństwem i gdybym mogła, przestałabym to robić.

— Czy to retoryczna przesada? — Do tego pytania skłoniło go bogate doświadczenie.

Paola otworzyła oczy i uśmiechnęła się do męża.

— Możliwe. Ale ku swemu zaskoczeniu uświadomiłam sobie przed kilkoma dniami, że część tego, co mówi Liga Północna... to, co przed dekadą doprowadzało mnie do wściekłości... zaczyna brzmieć dla mnie sensownie.

— Upodabniamy się do rodziców — zauważył Brunetti, powtarzając słowa, które kiedyś często padały z ust jego matki. — Co konkretnie?

— Że pieniądze z naszych podatków trafiają na Południe i znikają tam bez śladu. Że Północ ciężko pracuje, płaci podatki, a w zamian dostaje bardzo niewiele. Że Watykan każe nam, byśmy okazywali hojność dla imigrantów, ale sam żadnych nie przyjmuje.

— Masz zamiar zacząć mówić o budowie muru między Północą a Południem?

Paola parsknęła śmiechem.

— Jasne, że nie. Po prostu nie chciałam mówić w ten sposób przy dzieciach.

— Sądzisz, że one o tym nie wiedzą?

— Oczywiście, że wiedzą. Ale wyciągają wnioski tylko z tego, co my robimy lub co robią rodzice ich przyjaciół.

— Na przykład?

— Że gdy jemy w restauracji, której właściciel jest naszym znajomym, nie dostajemy *ricevuta fiscale*, więc podatek nie jest odprowadzany.

Brunetti zawsze, w niepohamowany sposób, z niechęcią odnosił się do wszelkich sugestii, że jest oszczędny, i szybko pośpieszył sam sobie z pomocą.

— Nie robię tego, by płacić niższy rachunek. To wiesz.

— I właśnie o to mi chodzi, Guido. To przynajmniej miałoby sens, bo pozwalałoby ci zaoszczędzić. Ale ty robisz to dla zasady, nie z chciwości, po prostu, żeby ten nasz odrażający rząd nie dostał przynajmniej tej drobnej części pieniędzy, by dać je później swoim kumplom lub zgarnąć do własnej kieszeni.

Komisarz skinął głową. O to właśnie chodziło.

— Dlatego nie chcę rozmawiać o podatkach. Jeżeli w końcu wyrobią sobie takie zdanie o tym rządzie, muszą odkryć to sami. Nie powinni dowiadywać się tego od nas.

— Nawet jeśli, jak twierdzisz, to „odrażający" rząd?

— Są gorsze — dodała po chwili refleksji.

— To chyba nie jest najbardziej przekonująca obrona władz, jaką w życiu słyszałem — zauważył Brunetti.

— Nie próbuję ich bronić — powiedziała ze złością. — To rząd odrażający, ale przynajmniej nie ucieka się do przemocy. Jeśli to coś zmienia.

— Sądzę, że zmienia — uznał komisarz po namyśle.

Wstał, obszedł stolik i przyklęknął, żeby ją ucałować i powiedzieć, że wróci na kolację o zwykłej porze.

Rozdział 10

W drodze powrotnej do komendy, znów płynąc *vaporetto*, żeby uniknąć upalnego słońca, Brunetti zastanawiał się nad tym, o czym oboje z Paolą rozmawiali i czego Paola nie powiedziała dzieciom przy obiedzie. Ile już razy słyszał, jak ludzie używają zwrotu *Governo Ladro*? Ile razy godził się w milczeniu, że rząd jest złodziejski? Lecz w ostatnich kilku latach, jakby pokonali wcześniejsze poczucie wstrzemięźliwości lub wstydu, ze strony rządzących było mniej prób udawania. Jednego z jego byłych przełożonych, ministra sprawiedliwości, oskarżono o zmowę z mafią, ale wystarczyła tylko zmiana gabinetu, by ta historia zniknęła z łamów gazet i o ile się nie mylił — także z sal sądowych.

Brunetti — z usposobienia i z wykształcenia — był słuchaczem: ludzie wyczuwali to w nim od razu i w jego towarzystwie mówili swobodnie. W ostatnim roku tym, co nader często słyszał w głosach ludzi — niekiedy z ust kobiety stojącej obok niego na pokładzie *vaporetto* bądź mężczyzny w barze — było rosnące poczucie odrazy do sposobu, w jaki nimi rządzono, oraz do osób, które nimi rządziły. Nie miało znaczenia, czy ludzie, którzy z nim rozmawiali, głosowali za piętnowanymi przez siebie politykami czy przeciw nim: z radością zamknęliby ich w miejscowym kościele i puścili z dymem.

U podstaw tego wszystkiego i niepokojów komisarza leżała rozpacz. Martwiła go bezradność odczuwana przez tylu ludzi i ich niezdolność zrozumienia, co się dzieje, jakby kosmici przejęli władzę i narzucili swój system. Rządy przychodzą i odchodzą, nastała lewica, potem ustąpiła miejsca prawicy, i nic się nie zmieniło. Chociaż żaden z polityków nie dowiódł, że naprawdę chce zmienić system, który tak dobrze służył ich celom, często mieli usta pełne obietnic.

Gdy łódź mijała Piazza San Marco, Brunetti ujrzał tłumy, kolejki wijące się wężowato pod bazyliką nawet teraz, o trzeciej po południu. Co opętało tych ludzi, że stali na dworze, w słońcu, bez ruchu? Nie umiał oddzielić swojego poufałego stosunku do bazyliki od wiedzy. W młodości nauczyciele i matka zabierali go do bazyliki niezliczoną ilość razy — nauczyciele chodzili tam z uczniami, żeby pokazać im jej piękno, a matka, jak przypuszczał, szczerość i potęgę swojej wiary. Starał się oczyścić umysł ze znajomości wspaniałego wnętrza i zastanawiał się, ile trudu by sobie zadał, gdyby tylko raz mógł wejść do bazyliki San Marco i musiał stać przez godzinę w kolejce w popołudniowym słońcu.

Odwrócił się w prawo, żeby zasięgnąć rady anioła na dzwonnicy kościoła San Giorgio i podjęli razem decyzję.

— Zrobiłbym to — rzekł Brunetti i skinął głową na potwierdzenie swoich słów, wprawiając w niemałą konsternację dwie skąpo odziane dziewczyny, siedzące między nim a oknem łodzi.

Poszedł prosto do biura signoriny Elettry, w którym, jak się spodziewał, było jeszcze goręcej niż poprzedniego dnia. Dzisiaj miała na sobie żółtą bluzkę i wciąż wydawała się obojętna na upał.

— Ach, *commissario* — powiedziała, gdy przekroczył próg sekretariatu. — Znalazłam pańskiego Goriniego.

— Przemów, muzo — odparł Brunetti z uśmiechem.

— Signor Gorini, który zgodnie z dowodem ma czterdzieści cztery lata — zaczęła, podsuwając mu kartkę — urodził się w Salerno. Od osiemnastego do dwudziestego drugiego roku życia był seminarzystą u franciszkanów. Uniosła wzrok zadowolona. Brunetti, równie zadowolony, odpowiedział jej uśmiechem.

— Potem, na cztery lata, ślad po nim zaginął, ale w końcu wypłynął w Aversie, gdzie pracował jako psycholog kliniczny. — Zerknęła na Brunettiego, by sprawdzić, czy słucha. Skinął zachęcająco głową.

— Gdy tam mieszkał, ożenił się i spłodził syna, Luigiego, który teraz ma szesnaście lat. — Strzepnęła jakiś pyłek i spojrzała na kartkę. — Po pięciu latach praktyki... choć słowo „praktyka" należy wziąć w cudzysłów... w Aversie odkryto, że nie ma licencji ani dyplomu z psychologii i, co władze ULSS, Unità Locale Socio Sanitaria, zdołały wówczas ustalić, absolutnie żadnego wykształcenia w tej specjalności.

— Co się z nim stało?

— Jego gabinet zamknięto, ukarano go trzema milionami lirów grzywny. Grzywna jednak nigdy nie została zapłacona, ponieważ signor Gorini wyniósł się z Aversy.

— A żona? I syn?

— Wygląda na to, że odtąd z nikim więcej się nie kontaktował.

— Widocznie bardziej nadawał się do życia klasztornego — pozwolił sobie na komentarz Brunetti.

— Najwyraźniej tak — zgodziła się Elettra i sięgnęła po kolejną kartkę. — Następnym razem zwrócił na siebie uwagę władz przed ośmiu laty, kiedy odkryto, że prowadzony przez niego ośrodek w Rapallo, specjalizujący się w pomocy w integracji uchodźców z Europy Wschodniej z miejscową siłą roboczą, był jedynie rodzajem schroniska, gdzie pozwalał mieszkać imigrantom, którzy podjęli pracę, jaką im znalazł.

— A w zamian?

— W zamian oddawali mu sześćdziesiąt procent pensji, ale przynajmniej mieli gdzie mieszkać.

— A jedzenie?

— Niech pan nie plecie głupstw, *dottore*. Przecież pomagał im również odnaleźć się w życiu w społeczeństwie kapitalistycznym.

— Każdy sobie rzepkę skrobie.

— Człowiek człowiekowi wilkiem — odparła sekretarka Patty, po czym dodała: — Chociaż w tym wypadku mamy nadzieję, że to nieprawda. W swoim lokum mogli przyrządzać posiłki.

— Przynajmniej tyle — zauważył Brunetti. — Co się stało?

— Jedna z kobiet poszła do *carabinieri*. Była Rumunką, więc można ją było zrozumieć. Powiedziała, jaka jest sytuacja, a oni zrobili nalot na ośrodek. Ale pana Goriniego tam nie było.

— Czy przez cały ten czas posługiwał się swoim nazwiskiem?

— Owszem. I najwyraźniej w niczym to nie przeszkadzało.

— Całe szczęście, że faktycznie się nim posługiwał — stwierdził komisarz, po czym, widząc jej reakcję, szybko dodał: — Choć jestem pewien, że gdyby używał innego nazwiska, nie miałoby to dla pani znaczenia. Po prostu dłużej by to trwało.

— Minimalnie — odparła, a Brunetti nie miał powodu jej nie wierzyć.

— A potem?

— Na kilka lat ślad po nim zaginął, po czym przed pięciu laty otworzył praktykę homeopatyczną, tym razem w Neapolu, ale — w tym momencie Elettra uniosła wzrok i pokręciła głową ze szczerym zdumieniem — po dwóch latach ktoś sprawdził jego zgłoszenie działalności i odkrył, że Gorini nigdy nie studiował medycyny.

— I co się stało?

— Działalność została zlikwidowana.

Elettra nie powiedziała nic więcej. Być może prowadzenie praktyki lekarskiej bez licencji nie było w Neapolu przestępstwem.

— Dwa lata temu — podjęła wątek — zamieszkał pod podanym przez pana adresem, ale to nie w jego imieniu spisano umowę najmu.

— A w czyim?

— Kobiety o nazwisku Elvira Montini.

— Która jest?

— Laborantką w Ospedale Civile.

— Może wrócił do uczciwego życia — zasugerował Brunetti.

Elettra uniosła ze zdziwieniem brwi, ale nic nie powiedziała.

— Znalazła pani jakieś informacje wskazujące na to, czym się zajmuje?

— Z tego, co udało mi się dowiedzieć, wynika, że oddaje się życiu kontemplacyjnemu i dobroczynności — odparła.

— Można jednak odnieść wrażenie, że ciotka Vianella zanosi mu pod ten adres duże sumy pieniędzy — powiedział sceptyczny Brunetti. — A w każdym razie jednej z osób, które mieszkają pod tym adresem — poprawił się. — Z tego wejścia korzystają lokatorzy tylko jednego mieszkania.

— Więc to tym Vianello się tak zamartwia — powiedziała signorina Elettra, a w każdym jej słowie pobrzmiewała troska i sympatia.

— Owszem, od pewnego czasu.

Pomyślał o swoich koneksjach w szpitalu i dodał:

— Mogę zapytać doktora Rizzardiego. Pewnie zna pracowników laboratorium.

Zakasłała dyskretnie, wręcz niedosłyszalnie, ale dla Brunettiego zabrzmiało to jak krzyk.

— Rozumiem, że już pani z nim rozmawiała?

— Tak, panie komisarzu. — Zanim zdążył zadać kolejne pytanie, wyjaśniła: — Pozwoliłam sobie zapytać go o to.

— Ach! — wyrwało się Brunettiemu. — I?

— I to ona jest tą jedyną rzetelną osobą, na której opiera się całe przedsięwzięcie — odparła Elettra, a Brunetti nadal uparcie unikał jej spojrzenia. — Mieszka tam od piętnastu lat, nigdy nie wyszła za mąż. Poślubiła swoją pracę.

— Jak zatem wytłumaczyć obecność pana Goriniego w jej domu? — zapytał Brunetti pod wpływem impulsu, nie chcąc, by zagłębiali się w rozważania, w jak wielu punktach, oprócz wieku, opis laborantki pasuje do samej signoriny Elettry.

— Właśnie — zgodziła się Elettra i ciągnęła dalej: — Zapytałam doktora, czy może mi powiedzieć o niej coś jeszcze, i wyczułam u niego pewną niechęć. Wydawało się wręcz, że zazdrośnie strzeże prywatności tamtej kobiety.

— Cóż więc pani zrobiła?

— Skłamałam, rzecz jasna — odparła spokojnie. — Powiedziałam, że moja siostra zna kogoś, kto pracuje z nią w laboratorium... co akurat jest prawdą... podałam nawet jej imię. To osoba, która studiowała medycynę z Barbarą, ale nie zrobiła dyplomu. Powiedziałam, że wyrażała się bardzo dobrze o signorinie Montini, ale jej zdaniem pani Montini zmieniła się w ostatnim roku.

Zanim Brunetti zdążył zapytać, wyjaśniła:

— Każda kobieta, która żyłaby od dwóch lat z takim mężczyzną, prawdopodobnie zmieniłaby się w tym czasie, i to wcale nie na lepsze.

— Co odpowiedział?

— Że nadal doskonale mu się pracuje, a potem zmienił temat.

— Rozumiem — rzekł Brunetti. — Chce pani poprosić siostrę, żeby porozmawiała ze swoją koleżanką?

Signorina Elettra pokręciła gwałtownie głową i spuściła wzrok.

103

— Nie rozmawiają ze sobą. — Tylko tyle powiedziała tytułem wyjaśnienia.

— Co jeszcze? — zapytał, widząc, że Elettra ma jeszcze na biurku kilka dokumentów, których nie otworzyła.

— Znalazłam jego rachunek w UniCredit. — Elettra wręczyła mu wyciąg z dokonywanych przez ostatnie sześć miesięcy transakcji na koncie Stefana Goriniego. Komisarz przejrzał go uważnie, szukając jakiejś prawidłowości, ale niczego nie dostrzegł. Sumy, zawsze w gotówce i nigdy nieprzekraczające pięciuset euro, wpływały i wypływały z rachunku co miesiąc. Aktualne saldo wynosiło niespełna dwa tysiące euro.

— Czy coś wskazuje na to, że ma jakieś źródło utrzymania?

Pokręciła głową.

— Może ma hojnych przyjaciół lub jest na utrzymaniu signoriny Montini albo, z tego co wiem, mogło mu sprzyjać szczęście w grze w ruletkę bądź w karty. Pieniądze przepływają i nigdy nie zdarza się wpłata lub wypłata na tyle duża, by wzbudzać najmniejsze zaciekawienie.

— A płatności kartą kredytową? — zapytał komisarz.

— Najwyraźniej nie ma karty kredytowej.

— *Mirabile dictu,* niesamowite. W dwudziestym pierwszym wieku.

— Ale mógłby mieć komórkę — zauważyła signorina Elettra i wyjaśniła: — Tego dowiem się dopiero dziś po południu, może jutro rano. — Widząc zaskoczenie w oczach komisarza, tytułem wyjaśnienia dodała: — Giorgio jest na wakacjach.

— Więc musi pani zapytać kogoś innego?

Mina Elettry świadczyła, jak bardzo jest oszołomiona tym, że Brunetti nie rozumie zasad klienckiej lojalności.

— Nie. Spróbuje załatwić to z Nowej Fundlandii, ale nie jest pewien, czy zdoła mi to dostarczyć dzisiaj. Powiedział, że podłączenie się do systemu Telecomu może być trudne.

— Rozumiem — powiedział, mijając się z prawdą Brunetti. — Chciałbym znaleźć sposób na obserwację jego domu.

— Odszukałam go w *Calli, Campi e Campielli*, panie komisarzu, i wygląda na to, że nie będzie to łatwe. Należałoby na stałe ulokować ludzi na Campo dei Frari oraz na San Tomà, ale nawet wtedy nie miałby pan pewności, czy ktoś, kto pojawił się na tej ulicy, mieszkał pod tym właśnie adresem.

— Czy ktoś z komendy zameldowany jest w pobliżu? — zapytał Brunetti.

— Moment — powiedziała i odwróciła się do komputera. Komisarz uznał, że sprawdza akta osobowe pracowników komendy. Po niespełna dwóch minutach stwierdziła: — Nie, panie komisarzu. Nikt nie mieszka w sąsiedztwie. A zważywszy na jego przeszłość — dodała, kładąc dłoń na dokumentach, by wrócić do Goriniego — z signoriną Montini czy bez, mało prawdopodobne, by żył tutaj na spokojnej emeryturze.

— A jeśli wyciągnął wnioski z dawnych doświadczeń — ciągnął Brunetti — będzie unikał najmowania pracowników i robienia czegokolwiek, co zmusiłoby go do przestrzegania przepisów lub jakiejkolwiek oficjalnej działalności. Czemu więc nie zostać wróżbitą?

— To niewiele różni się od bycia psychologiem, nieprawdaż? — zauważyła signorina Elettra.

Chociaż potwierdzenie własnych przesądów podnosi na duchu, Brunetti postanowił zachować milczenie.

Kiedy znowu na nią spojrzał, Elettra wspierała brodę na lewej ręce, a jej prawa dłoń spoczywała na klawiaturze.

— Nie — powiedziała po długim namyśle, czy konsultacji, tak to bowiem wyglądało, z pustym ekranem monitora. — Naprawdę nie mamy jak obserwować tego domu. A gdyby *vice-questore* dowiedział się, co robimy, mielibyśmy kłopot.

— Boi się pani tego? — zapytał komisarz.

Z jej ust wydobyło się ciche, lekceważące prychnięcie.

— Tu nie chodzi o mnie. Ani o pana, nawiasem mówiąc. Ale on wyładowałby się na Vianellu i wszystkich zaangażowanych w tę sprawę funkcjonariuszach, a Scarpa by się przyłączył. To nie jest tego warte.

Wyprostowała się na krześle i wcisnęła kilka klawiszy.

— Proszę, niech pan mu się przyjrzy.

Brunetti stanął za nią w chwili, gdy na ekranie pojawiło się zdjęcie jakiegoś mężczyzny w klasycznej pozie świeżo aresztowanego.

— To z czasów pobytu w Aversie, czyli sprzed piętnastu lat — wyjaśniła. — Nie zdołałam znaleźć niczego nowszego.

— Nie odnawiał swojego dowodu?

— Odnawiał, ale w Neapolu. Pięć lat temu, akta zaginęły.

— Wierzy pani? — zapytał, podejrzliwy wyłącznie z powodu lokalizacji archiwum, nie samego zdarzenia, które było dość powszechne.

— Owszem — odparła. — Zapytałam znajomego, któremu wierzę. Nie zeskanowali zdjęcia do komputera, a potem zgubili papierową teczkę. — Postukała ekran palcem wskazującym. — Tak więc to wszystko, co mamy.

Z ekranu spoglądała na nich pozbawiona wyrazu twarz. Mimo długich bokobrodów i kudłatych włosów — które miał Gorini w okresie, gdy robiono to zdjęcie — z regularnymi, pięknymi rysami. Ciemne, ukośne oczy nad wydatnymi kośćmi policzkowymi nadawały twarzy mężczyzny wyraźnie tatarskie cechy. Nos był długi, nieco przekrzywiony w jedną stronę i ze zgrubieniem tuż przed grzbietem. Usta szerokie i kształtne. Brunetti musiał przyznać, że ta kombinacja cech tworzyła wrażenie prawdziwej męskości. Nie przypominał sobie, by kiedykolwiek widział w mieście starsze wcielenie Goriniego.

Wskazał na zdjęcie.

— Chciałbym, żeby pani dała kopie tego zdjęcia paru detektywom Scarpy... nie mówiąc o tym poruczniku. — Zauważył, że Elettra chce coś powiedzieć, więc dodał: — Niech im pani powie, że to stare zdjęcie kogoś, kto mieszka w mieście, chodzi po prostu, by w ramach szkolenia sprawdzić, czy potrafią go rozpoznać.

— Oszukać porucznika Scarpę... choćby w drobnej sprawie... to prawdziwa przyjemność.

Rozdział 11

Nim zdążył wyjść z sekretariatu, Elettra zapytała:

— Nadal interesuje się pan signorem Fontaną?

Fontana? Fontana? Cóż to nazwisko miało wspólnego z ciotką Vianella? Potem sobie przypomniał tego „przyzwoitego człowieka"... i rzekł:

— O tak, oczywiście.

— Zgodnie z tym, co pan powiedział, jest woźnym sądowym, więc odnalezienie go nie nastręczało żadnych trudności. Pracuje w Tribunale od trzydziestu pięciu lat, mieszka z matką, nigdy się nie ożenił. Nie wziął nawet jednego dnia chorobowego. Jedynym dniem, w którym nie dotarł do pracy, był dzień pogrzebu jego ojca, trzydzieści cztery lata temu.

Brunetti powstrzymał ją, unosząc nagle dłoń.

— Nie opuścił ani jednego dnia pracy? No tak, jeden dzień z powodu pogrzebu. I pani twierdzi, że ten człowiek jest urzędnikiem państwowym?

— Tak — odparła. — Mam panu przynieść krzesło, *commissario*?

— Nie, dziękuję — rzekł bardzo cicho. Oparł się o biurko i zwiesił bezwładnie głowę. — Jestem pewien, że jeżeli po prostu postoję tu spokojnie przez chwilę, nic mi nie będzie. — Gdy ta chwila minęła, pokręcił kilka razy głową i niepewnie poderwał dłoń z biurka. — Pucetti powiedział wczoraj, że zobaczył coś, o czym będzie opowiadał swoim wnukom. Myślę, że właśnie przydarzyła mi się taka sama rzecz. Nieobecny jeden jedyny raz w ciągu trzydziestu pięciu lat. — Spojrzał na przeciwległą ścianę, jakby obserwował jakąś rozświetloną rękę zapisującą te liczby. Po czym, nagle zmęczony swoim błazeństwem, zapytał: — Co jeszcze?

— Razem z matką wynajmuje mieszkanie koło San Leonardo. Wcześniej mieszkali w Castello. Trzy lata temu przeprowadzili się do *palazzo* przy Misericordia.

— Świetnie — rzekł Brunetti nagle czujny. — Czy jego matka pracuje?

— Nie. Nigdy nie pracowała.

— Warto byłoby chyba wiedzieć, z czego płaci czynsz, prawda?

— Wątpię, by miał kłopoty z zapłatą. — Elettra zaskoczyła go swoją odpowiedzią.

— Dlaczego? To małe mieszkanie?

— Nie, wręcz przeciwnie. Ma sto pięćdziesiąt metrów kwadratowych.

— Jak w takim razie udaje mu się za nie płacić?

Nieznaczny uśmiech samozadowolenia stanowił zapowiedź jej następnej uwagi, ale nawet Brunetti nie mógł sobie wyobrazić, co go czeka.

— Czynsz wynosi zaledwie czterysta pięćdziesiąt euro — odparła, po czym poszła na całość, dodając: — Na to w każdym razie wskazują comiesięczne przelewy z jego banku.

— Za mieszkanie przy Misericordia? Sto pięćdziesiąt metrów kwadratowych?

— Teraz chyba ma pan coś jeszcze do opowiadania swoim wnukom, *dottore* — odparła z uśmiechem.

Wybiegł myślami w przód, próbując znaleźć jakieś wytłumaczenie. Szantaż? Umowa spisana z zaniżoną opłatą czynszową, żeby Fontana mógł zapłacić resztę gotówką, co z kolei pozwoliłoby właścicielowi uniknąć płacenia podatków? Zniżka dla krewniaka?

— Do kogo trafiają te płatności?

— Do Marca Puntery — odparła Elettra, wskazując biznesmena, który zbił majątek na handlu nieruchomościami w Mediolanie, po czym siedem czy osiem lat temu przeprowadził się z powrotem do rodzinnej Wenecji.

Brunetti wiedział, że nawet osoba bez znaczenia ma swoje prawa, ale skąd, u licha, woźny sądowy znał takiego bogacza, jakim rzekomo jest Puntera, i jakim cudem otrzymał mieszkanie z tak niskim czynszem?

— On ma wiele mieszkań, nieprawdaż? — upewnił się komisarz.

— Co najmniej dwanaście i wszystkie są wynajęte. Oraz dwa *palazzi* nad Canal Grande — odparła. — Też wynajęte.

— Za porównywalny czynsz?

— Nie miałam czasu sprawdzić, panie komisarzu. Ale sądzę, że wiele z nich wynajęto cudzoziemcom. — Zrobiła pauzę, jakby szukała właściwych słów, po czym dodała: — Mówi się, że Puntera to ozdoba tutejszej społeczności anglo-amerykańskiej.

— Przecież nie jest ani Anglikiem, ani Amerykaninem — zauważył szybko Brunetti, który chodził z młodszym bratem Puntery do szkoły podstawowej.

— W tym sensie, że angażuje się w życie towarzyskie — ciągnęła z niezmąconym spokojem Elettra — abonament na basen w hotelu Cipriani, śpiewanie kolęd w kościele amerykańskim, udział w przyjęciach z okazji czwartego lipca, koleżeńskie stosunki z właścicielami najlepszych restauracji.

W uszach Brunettiego zabrzmiało to niczym zapowiedź jednej z tortur, którą przeoczył Dante.

— I od takiego człowieka Fontana dostaje korzystne warunki najmu? — rzekł jak ktoś, kto raczej znów wyraża zdumienie, niż zadaje pytanie.

— Na to wygląda.

— Dowiedziała się pani czegoś jeszcze?

— Pomyślałam, że najpierw porozmawiam z panem, *commissario*, i zobaczę, czy ich stosunki będą dla pana również zastanawiające jak dla mnie.

— Dla mnie są wręcz fascynujące — odparł Brunetti, zawsze zaciekawiony możliwościami, jakie wynikały z rozmaitych relacji międzyludzkich w mieście. Im bardziej niezwykła była dwójka znajomych, tym bardziej intrygujące okazywały się często owe możliwości.

— Dobrze. Tak też przypuszczałam. — Po chwili wahania Elettra dodała: — Ale przyjrzenie się temu bliżej może wymagać zwrócenia się o pomoc do ludzi, którym kiedyś wyświadczyłam przysługę. Chciałam więc sprawdzić, czy pan się zgodzi, zanim zacznę drążyć temat.

— Co pani ma na myśli?

Zamiast odpowiedzi usłyszał:

— Cieszę się, że aprobuje pan obsadę personalną szkoleń, *commissario*. Każę wywiesić grafik pod koniec dnia.

— Dobrze, *signorina*. Będę wdzięczny — odparł bez zająknienia Brunetti i odwrócił się w stronę drzwi, manifestując zaskoczenie na widok Giuseppego Patty i stojącego po prawej stronie komendanta porucznika Scarpy, jego marionetki.

— Dzień dobry, *vice-questore* — powiedział z miłym uśmiechem, po czym, jak Kopernik dostrzegający na niebie mniejszą planetę, dodał: — I poruczniku.

Opalenizna Patty osiągnęła niemal apogeum letniego nasycenia. Szef Brunettiego od maja codziennie pływał w basenie hotelu Cipriani i jego skóra miała już prawie kolor kasztanu. Jeszcze kilka tygodni, a będzie zupełnie brązowa, ale niedługo dni staną się krótsze i promienie słońca stracą intensywność. A w październiku zastępca komendanta będzie przypominał caffè macchiato, rozcieńczaną w miarę upływu tygodni coraz większą ilością mleka, aż w grudniu zrobi się blady niczym cappuccino. Jeśli nie wykorzysta świątecznych wakacji, by nabrać rumieńców na Malediwach lub Seszelach, ryzykuje, że dotrwa do następnej wiosny jako blady cień swego letniego wcielenia.

— Signorina Elettra właśnie mi objaśniała nowy grafik obsady personalnej — rzekł z życzliwym uśmiechem, kiwając grzecznościowo głową w kierunku Scarpy. — Myślę, że dobrze jest zmaksymalizować możliwości rozlokowania ludzi dzięki tym innowacjom, panie komendancie. — Patta uśmiechnął się, lecz Scarpa posłał komisarzowi wściekłe spojrzenie. — Dowodzi to kreatywności organizacyjnej, naprawdę nowatorskiego planowania, ośmielę się... — w tym momencie Brunetti odwrócił wzrok, jakby był uosobieniem godnej podziwu skromności — ... jeśli można zauważyć.

— Cieszę się, że tak myślisz — rzekł wylewnie Patta. — Muszę przyznać — teraz to on przywdział szaty skromności — że skorzystałem z bezpośrednich doświadczeń porucznika w kierowaniu naszymi ludźmi.

— Praca zespołowa to właściwe rozwiązanie — powiedział rozpromieniony Brunetti.

Signorina Elettra wykorzystała ten moment, by im przerwać:

— Pod pana nieobecność, *vice-questore*, dzwonili z hotelu Cipriani. Mówili coś o stoliku dla pana na jutrzejszy obiad i prosili o telefon.

— Dziękuję, *signorina* — odparł Patta, ruszając ku drzwiom swojego gabinetu. — Zajmę się tym teraz. — Zniknął w środku, odpowiadając na wezwanie z góry i pozostawiając ich troje w sekretariacie.

Czas minął. Signorina Elettra wysunęła szufladę i wyjęła z niej aktualny numer „Vogue'a". Rozłożyła miesięcznik na klawiaturze komputera.

Brunetti zrobił ku niej krok, zerknął przez jej ramię i zapytał:

— Naprawdę sądzi pani, że te rozcięcia z boku w żakietach to dobry pomysł?

— Jeszcze nie wiem, *commissario*. Co myśli o nich pana żona?

— Cóż, zawsze podobały się jej żakiety bez rozcięć. Twierdzi, że korzystniej się w nich wygląda. Może dlatego, że jest wysoka. Ale ten z pewnością jest doskonały — odparł, pochylając się i wskazując na beżowy żakiet na lewej

113

stronie. — Zapytam ją o to wieczorem i sprawdzę, czy ma jeszcze jakieś przemyślenia na ten temat.

Elettra odwróciła się do porucznika, ale on, najwyraźniej nie mając własnego zdania o rozcięciach, wykorzystał ten moment, żeby opuścić sekretariat, i nie zamknął za sobą drzwi.

— Mężczyzna bez wyczucia mody to mężczyzna bez duszy — zauważyła signorina Elettra i przewróciła kartkę.

Rozdział 12

Nic nie wskazywało na to, że Scarpa wróci, a lampka oznaczająca, iż telefon Patty jest zajęty, paliła się na czerwono, więc Brunetti powiedział:

— Nie powinna mnie pani kusić.

— Nie powinnam kusić siebie — odparła, zamykając żurnal i odkładając go do szuflady. — Ale nie mogę się oprzeć chęci sprowokowania go.

— Czy rzeczywiście to on sporządził ten grafik?

— Oczywiście że nie — odburknęła. — Zrobiłam to dziś rano w dziesięć minut. Leżał na moim biurku, gdy przyszedł Scarpa. Zapytał mnie, co to jest. Nic nie powiedziałam, ale wystarczyło, że przeczytał nagłówek. Wziął go i zaniósł do gabinetu i nim się spostrzegłam, Patta stał tutaj z grafikiem w dłoni, chwaląc inicjatywę porucznika. — Elettra mruknęła gniewnie i zasunęła z trzaskiem szufladę.

— Zawsze tak było — zauważył komisarz.

— Że kobiety wykonują pracę, a mężczyźni dostają pochwały? — zapytała nadal rozgniewana.

— Niestety tak.

Brunetti dostrzegł plamę potu na wewnętrznej stronie kołnierzyka jej bluzki.

— Patta jest jedyną osobą, która daje się na to nabrać — powiedział dla pocieszenia.

Elettra wzruszyła ramionami, wzięła głęboki oddech, po czym, już znacznie spokojniej, powiedziała:

— Chyba nie powinien wiedzieć, jak łatwo mi to przychodzi. Dopóki on... lub ten jego porucznik... myśli, że sam wszystko robi, ja mogę robić w pracy, co chcę.

— Riverre powiedział, że sytuacja byłaby o niebo lepsza, gdyby to pani kierowała komendą.

— Ach, te mądrości głupców — odparła, uśmiechnęła się jednak.

Wracając do rzeczy, komisarz zapytał:

— Co zamierza pani zrobić w sprawie Fontany? — W przekładzie to pytanie tak naprawdę znaczyło: kogo ma pani zamiar zapytać i ile będziemy musieli tej osobie zapłacić za przysługę?

— W sądzie jest urzędnik, którego znam od lat. Od czasu do czasu, gdy tam jestem, wstępuję do jego gabinetu i wychodzimy nieraz na kawę albo on towarzyszy mi, gdy kupuję kwiaty do biura. Kilka razy zaprosił mnie na kolację, ale zawsze byłam zajęta. Lub mówiłam, że jestem. — Spojrzała na Brunettiego i uśmiechnęła się. — Poczekam do wtorku i pójdę na targ kwiatowy. Może wtedy wpadnę do niego w drodze powrotnej i zobaczę, czy może się ze mną wybrać na kawę.

— Co mu dolega?

— Och, nic, naprawdę. Jest uczciwy, pracowity i całkiem przystojny. — Z tonu Elettry można by sądzić, że wymienia jego wady.

— I?

116

— I bardzo nieciekawy. Gdy żartuję, czuję się tak, jakbym biła szczeniaka. Patrzy na mnie dużymi piwnymi oczami zmieszany, licząc na to, że nie będę na niego zła, ponieważ nie potrafi się nauczyć tej sztuczki.

— Jednak jest urzędnikiem w Tribunale.

— A ja jestem tylko słabą kobietą — odparła z przeciągłym westchnieniem — i nie umiem się oprzeć okazji. — Zanim Brunetti zdążył zadać pytanie, ciągnęła dalej: — A lepsza się nie nadarza. Idę z nim na kawę i gdybym zechciała zapytać o sądowe tajemnice, są do mojej dyspozycji.

— Nie zechciała pani?

— Dotąd nigdy. Zawsze myślałam, że zachowam go w rezerwie. — Elettra szukała odpowiedniego porównania. — Niczym wiewiórka zakopująca orzeszek na wypadek, gdyby zima okazała się długa i ostra.

— Mnie przypomina to raczej wilka w *Czerwonym kapturku* — rzekł Brunetti — przebranego za babcię, który czeka na odpowiedni moment, żeby go pożreć.

— Ale ja nie chcę go pożreć — podkreśliła Elettra. — Chcę tylko zadać mu parę pytań.

— Skoro Paryż wart był mszy — zauważył komisarz — to informacje o Fontanie warte są chyba kawy.

— To nie pan musi ją z nim pić — odparła, zaciskając usta.

— Wiem — przyznał Brunetti, ale wcale nie miał pewności, na ile jej opowieść jest prawdziwa, a na ile zmyślona, co nie znaczyło, że kiedykolwiek można było mieć pewność w wypadku signoriny Elettry. — A signor Puntera? — zapytał, żeby ją odwieść od tego tematu.

— Mój znajomy z banku pracował chyba kiedyś dla niego jako konsultant. Sprawdzę, czy nadal pracuje w Wenecji, i zapytam, co o nim wie.

Brunetti nie przypominał sobie, by przez te wszystkie lata sekretarka Patty korzystała kiedykolwiek z kobiecego źródła informacji.

— Czy mężczyzn łatwiej jest ciągnąć za język?

— Chodzi panu o to, czy łatwiej niż kobiety?

— Tak.

Elettra przechyliła głowę i spojrzała na zamknięte drzwi gabinetu Patty.

— Przypuszczam, że tak. Kobiety są o wiele bardziej dyskretne od mężczyzn, przynajmniej jeśli chodzi o przechwałki. A może my przechwalamy się innymi rzeczami.

— Czy dlatego właśnie woli pani wykorzystywać mężczyzn? — zapytał, dopiero po chwili uświadamiając sobie, w jak niekorzystnym świetle ją przedstawił.

— Nie — odparła spokojnie. — Wyciąganie w ten sposób informacji od kobiet byłoby bardziej nieuczciwe.

— Nieuczciwe?

— To, co robię, z pewnością jest nieuczciwe. Wykorzystuję naiwność ludzi i nadużywam ich zaufania. To ma być pana zdaniem uczciwe?

— A jest bardziej nieuczciwe od włamywania się do czyjegoś systemu komputerowego? — zapytał, choć uważał, że jest.

Posłała mu zdziwione spojrzenie, że może zadawać pytanie w tak oczywistej sprawie.

— Oczywiście, że jest, *dottore*. Systemy informatyczne są tak konstruowane, by utrudnić włamywanie się do nich.

Użytkownicy są więc poniekąd ostrzeżeni i stosują, bądź powinni stosować, środki ostrożności. Kiedy jednak ludzie mówią nam coś w zaufaniu lub powierzają informacje, których, jak sądzą, nie zamierzamy powtarzać, są bezbronni. — Przycisnęła kilka klawiszy, ale obraz na ekranie się nie zmienił. — Pójdę więc z nim na kawę i zobaczę, co mi może powiedzieć o Araldzie Fontanie, wzorowym pracowniku.

— Można w to wierzyć lub nie — rzekł Brunetti — ale mój informator był przekonany, że nie da się o nim powiedzieć nic szczególnego. Fontana to ponoć przyzwoity człowiek. Informatora zaskoczyło chyba nawet to, że chcę o nim cokolwiek wiedzieć.

— Przyzwoity — powtórzyła Elettra, delektując się tym słowem. — Od jak dawna nie słyszałam tego określenia? — zapytała z nieznacznym uśmiechem.

— Prawdopodobnie od zbyt dawna — odparł komisarz. — To miłe, że ktoś mówi coś takiego o drugiej osobie.

— Owszem, prawda? — zgodziła się signorina Elettra. — Sądzę, że można by tak powiedzieć o moim znajomym z Tribunale.

— Tym urzędniku?

— Tak. — Brunetti czekał, ale sekretarka Patty powiedziała tylko: — Zapytam go o Fontanę.

— Jeśli pani może, proszę sprawdzić, czy wie coś o sędzi Coltellini — pop0rosił komisarz. Wcześniej się wahał, ale jeżeli Fontana to ślepy zaułek, może powinna przyjrzeć się drugiej postaci pojawiającej się w dokumentach.

119

— Luisie?

— Tak. Zna ją pani?

— Nie, ale kiedyś pracowałam z jej siostrą. W banku.
Była jednym z zastępców dyrektora. Sympatyczna osoba.

— Czy kiedykolwiek mówiła coś o swojej siostrze?

— Nie przypominam sobie. Ale chyba mogę to sprawdzić. Widuję ją na ulicy i od czasu do czasu wstępujemy razem na kawę.

— Wie, gdzie pani pracuje?

— Nie. Powiedziałam, że dostałam pracę w ratuszu; to zwykle zabija wszelkie zainteresowanie.

— Z tego, co powiedziała osoba, z którą rozmawiałem, wnioskuję, że Fontana interesuje się jej siostrą.

— A ona nie jest nim zainteresowana?

— Nie.

— Skądś to znam. — Elettra odwróciła się do swojego komputera.

— To bardzo do niej podobne — powiedziała tego wieczoru rozciągnięta na kanapie Paola, słuchając, jak jej mąż opowiada o swojej rozmowie z signoriną Elettrą i jej uwagach o nieuczciwości i oszukiwaniu — że uważa oszukanie kobiety za bardziej nieuczciwe. — Myślałam, że czasy kobiecej solidarności minęły.

— O ile mogłem się zorientować, niezupełnie chodziło o kobiecą solidarność — odparł Brunetti. — Chyba po prostu uważa, że nieuczciwość jest proporcjonalna do stopnia nadużycia zaufania, nie do kłamstwa, które faktycznie popełniamy. A z tego, co mówiła, mężczyźni są mniej dyskretni, bardziej skorzy do przechwałek i wobec tego ona uważa, że ma prawo wykorzystać każde ich słowo.

— A kobiety?

— Sądzi, że muszą bardziej ufać swoim rozmówcom, zanim coś ujawnią.

— A może kobiety zazwyczaj ujawniają słabość, a mężczyźni mówią o sile — zasugerowała Paola, patrząc na swoje bose stopy i poruszając palcami.

— Co przez to rozumiesz?

— Pomyśl o kolacjach, na których byliśmy, lub o rozmowach, które prowadziłeś z grupami samych mężczyzn. Zwykle pojawia się jakaś opowieść o zdobyczy: kobiecie, pracy, kontrakcie, a nawet zwycięstwie w wyścigu pływackim. Jest to więc bardziej przechwałka niż wyznanie. — Gdy zobaczyła sceptyczną minę męża, dodała: — Powiedz, że nigdy nie słyszałeś mężczyzny chwalącego się liczbą kobiet, które miał.

— Jasne, że słyszałem — odparł Brunetti po chwili namysłu, prostując się na kanapie.

— Kobiety, przynajmniej te w moim wieku, nie zrobiłyby tego w obecności kobiet, których nie znają.

— A w obecności tych znajomych? — zapytał zdumiony komisarz.

— Oszustwo ma jednak swoje zastosowanie — zauważyła zupełnie innym tonem, ignorując jego pytanie. — Bez zdrady nie byłoby literatury.

— Słucham? — odparł Brunetti, nie bardzo wiedząc, jak rozmowa o refleksjach signoriny Elettry na temat uczciwości doprowadziła ich do kwestii literatury, niezależnie od

121

urozmaiconych sztuczek, jakie stosowała Paola, by do takiej rozmowy doprowadzić.

— Pomyśl — odparła, wykonując wylewny ruch ręką. — Gilgamesz został zdradzony, Beowulf też, podobnie jak Otello, ktoś sprowadza Persów na tyły Spartan...

— To już historia — przerwał jej Brunetti.

— Jak chcesz — ustąpiła Paola. — A co w takim razie z Ulissesem? Kimże on jest, jeśli nie wielkim zdrajcą? Billy Budd, Anna Karenina i Chrystus oraz Isabel Archer: oni wszyscy zostali zdradzeni. Nawet kapitan Ahab...

— Przez w i e l o r y b a?

— Nie, przez swoją megalomanię i chęć zemsty. Można by rzec, że przez własne słabości.

— Czy ty nie wpadasz aby w lekką przesadę? — zapytał rozsądnie. Zmęczony długim dniem, nagle zajmował się sprawami, które formalnie nie były w gestii policji, w których mógł postępować tylko nieoficjalnie, a ich przestępczy charakter nie był nawet przesądzony. Wciąż jednak musiał przeanalizować dwa przypadki czegoś, co przypuszczalnie było zdradą, a jego żona chciała rozmawiać o jakimś wielorybie.

Paola natychmiast spoważniała i odwróciła się, by poprawić poduszkę leżącą przy oparciu kanapy.

— Przeprowadzałam próbę. Żeby sprawdzić, czy może się to okazać ciekawym pomysłem na artykuł.

— To wykracza poza pole zainteresowań Henry'ego Jamesa, nieprawdaż? — zauważył, nie do końca pewien, czy Paola wymieniła wcześniej jakąkolwiek postać z powieści tego pisarza.

Paola zrobiła się jeszcze bardziej poważna.

— Myślę o tym ostatnio — odparła.

— I do jakiego dochodzisz wniosku?

— Że świat Henry'ego Jamesa staje się dla mnie za mały.

Brunetti wstał i spojrzał na zegarek: minęła jedenasta.

— Chyba się położę — rzekł zbyt oszołomiony, by wymyślić jakąś inną kwestię.

Rozdział 13

Można było odnieść wrażenie, że święto Ferragosto co roku się wydłuża, ponieważ w nadziei uniknięcia korków na drogach ludzie dodawali kolejne dni do oficjalnego rozpoczęcia dwutygodniowych wakacji. Serwisy informacyjne, zarówno radiowe, jak i telewizyjne, zalecały bezpieczną jazdę, wspominając o dwunastu — lub czternastu czy piętnastu — milionach samochodów, których spodziewano się na drogach w ten weekend. Jeden z reporterów powiedział, że gdyby je ustawić bezpośrednio jeden za drugim, ciągnęłyby się nieprzerwaną linią od Reggio Calabria do przełęczy św. Gotharda. Nie mając pojęcia, ile wynosi przeciętna długość samochodu, Brunetti nie zawracał sobie głowy sprawdzaniem tych wyliczeń. Chociaż miał prawo jazdy, w istocie nie czuł się jego posiadaczem i niemal zupełnie nie interesował się samochodami. Były duże lub małe, czerwone, białe lub w jakimś innym kolorze i zdecydowanie zbyt dużo młodych ludzi co roku traciło w nich życie. Postanowił podróżować pociągiem. Sama dyskusja o wynajęciu auta groziła ekologicznym potępieniem ze strony Chiary — pojadą do Malles, gdzie na stacji będzie czekał jakiś samochód, który zawiezie ich do domu jego kuzyna; do Glorenzy i z powrotem dwa razy dziennie kursował autobus.

Przygotowując się do wakacji, każdy członek rodziny Brunettich zaczynał się pakować. Paola ułożyła na komodzie w ich sypialni stos książek. Jego zawartość zmieniała się codziennie w zależności od tego, jakie książki zamierzała wybrać na zajęcia z powieści brytyjskiej, które miała prowadzić w nadchodzącym semestrze. Brunetti co wieczór studiował tytuły i tak stał się stroną trwających zmagań: *Targowisko próżności* straciło miejsce na rzecz *Wielkich nadziei*, a komisarz przypisał tę zmianę ciężarowi książek; *Tajny agent* przetrwał trzy dni, ale zastąpiło go *Jądro ciemności*, chociaż różnica w wadze wydawała mu się znikoma. Dzień później *Barchester Towers* zajęły miejsce *Miasteczka Middlemarch*, co mogło sugerować, że zasada ograniczania ciężaru znowu obowiązuje. Egzemplarz *Dumy i uprzedzenia* pojawił się pierwszego wieczoru i wytrwał do końca.

Wieczorem, trzy dni przed planowanym wyjazdem, ciekawość wzięła górę i komisarz zapytał:

— Dlaczego zniknęły wszystkie grube książki, a powieść *Pretendent do ręki*, która jest najgrubsza, pozostała?

— Och, nie zamierzam prowadzić wykładów o tej powieści — odparła Paola, jakby pytanie ją zaskoczyło. — Po prostu od lat chciałam jeszcze raz ją przeczytać. To moja książka nagroda.

— Za co cię nagradzają?

— Pytasz o to osobę, która wykłada w Cà Foscari? Na wydziale literatury angielskiej? — zapytała głosem, zarezerwowanym na wyrażanie społecznego oburzenia. Potem,

125

już bardziej wyważonym tonem, dodała: — Przyjrzałam się książkom, które ty wybierasz.

Brunetti miał nadzieję, że to zrobi. Sądził, iż trzeźwość jego wyborów będzie pouczającym przykładem w zestawieniu z bezcelową lekkomyślnością niektórych decyzji Paoli.

— Wyczuwam zaskakującą nowoczesność w twoich wyborach. Czy słusznie?

— Postanowiłem przestudiować trochę dzieje nowożytne — zaznaczył z dumą.

— Ale czemu rosyjskie? — zapytała, wskazując na książkę zatytułowaną *Tragedia narodu. Rewolucja rosyjska 1891–1924.*

— Chodzi o rewolucję, interesuje mnie to.

— Mnie zaś interesuje, jak tylu z nas dało się na to wszystko nabrać — powiedziała Paola głosem, który raptem nabrał ostrości.

— Masz na myśli nas na Zachodzie?

— Nas. Na Zachodzie. Nasze pokolenie. Raj robotników. Braci w socjalizmie. Każdy nonsens, jaki gotowi byliśmy wygłosić, żeby tylko pokazać naszym rodzicom, że nie podobają się nam ich życiowe wybory. — Paola zakryła twarz dłońmi i w tym geście Brunetti nie wyczuł cienia fałszu. — Pomyśleć, że głosowałam na komunistów. Z własnej nieprzymuszonej woli głosowałam na nich.

— Historia zmiotła ich ze sceny. — Te słowa były jedynym pocieszeniem, jakie Brunetti zdołał wymyślić.

— Za późno — odparła z furią. — Znasz mnie na tyle dobrze, by wiedzieć, że nie jestem zwolenniczką roztrząsania win i umierania ze wstydu, ale nigdy nie pozbędę się poczucia winy, że głosowałam na tych ludzi, że nie chciałam słuchać głosu zdrowego rozsądku i wierzyłam w to, w co pragnęłam wierzyć.

— Oni nigdy nie mieli tutaj realnej władzy — zauważył komisarz. — Przecież wiesz o tym.

— Nie mówię o n i c h, Guido. Mówię o sobie. O tym, że mogłam być taka głupia przez tak długi czas. — Paola podniosła jego książkę i zaczęła przerzucać kartki, przerwała, by spojrzeć na niektóre zdjęcia, po czym zamknęła ją i odłożyła na miejsce. — Ojciec zawsze ich nienawidził, ale ja nie chciałam go słuchać. No bo cóż on mógł wiedzieć?

— Myślisz, że będziemy musieli znosić to samo? — zapytał Brunetti, żeby zmienić temat. — Ze strony naszych dzieci?

Paola wysunęła szufladę komody i wyciągnęła z niej sweter, na którego widok Brunetti oblał się potem.

— Raffi oprzytomniał dość szybko — odparła. — Chyba powinniśmy być za to wdzięczni. Ale prędzej czy później na pewno przywloką do domu jakieś inne idee.

Komisarz podszedł do okna, które wychodziło na północ, i poczuł słaby powiew bryzy.

— Myślisz, że pogoda może się zmienić? — zapytał.

— Prawdopodobnie zrobi się jeszcze upalniej — odparła Paola i wyciągnęła kolejny sweter.

Nazajutrz signorina Elettra miała się wybrać na kawę ze swoim adoratorem z Tribunale. Brunetti zakładał, że sekretarka Patty zechce kupić kwiaty wczesnym rankiem, zanim upał zdoła sparaliżować miasto. Uwzględniając czas na spokojne wypicie kawy urozmaicone interesującą rozmową o wspólnych znajomych i pracownikach sądu, oszacował, że najprawdopodobniej dotrze do komendy przed jedenastą. Zamierzał zejść na parter, by sprawdzić, czy już jest, przeszkodziła mu jednak długa rozmowa telefoniczna z przyjacielem, który pracował w komendzie w Palermo i dzwonił, żeby zapytać, czy wie coś o dwóch nowych pizzeriach i hotelu otwartych niedawno w Wenecji.

Brunetti słyszał wcześniej wiele rzeczy o nich oraz ich właścicielach, zarówno oficjalnych, jak i tych prawdziwych. To, co miał mu do powiedzenia jego przyjaciel, dotyczyło prawdziwych właścicieli. Najbardziej interesujące dla komisarza były informacje na temat niezwykłego tempa, w jakim udzielono pozwoleń na gruntowne odrestaurowanie obu pizzerii i hotelu.

O dziwo, pozwolenie na remont hotelu wydano w niespełna dwa tygodnie. Ponadto udzielono zgody na prowadzenie robót przez całą dobę, rzecz praktycznie niespotykana w tym mieście. Pizzerie nie wymagały aż tak intensywnych prac. Wydanie pozwoleń na nie zajęło niespełna tydzień.

Kiedy jego sycylijski przyjaciel przyznał, że szczególnie interesuje go dyrektor biura wydającego pozwolenia, Brunetti mógł jedynie westchnąć — tak dobrze znane było mu to nazwisko i tak bezcelowe, jego zdaniem, były wszelkie próby zbadania metod stosowanych w tym biurze.

— Kiedyś, gdy pracowałem w Neapolu, zaparkowaliśmy furgonetkę na ulicy koło pewnej pizzerii i filmowaliśmy z niej wszystkich wchodzących i wychodzących. — Brunetti, chciał się zaśmiać, ale wydał z siebie jęk. — Mieliśmy nawet jeszcze jedną kamerę naprzeciw tego lokalu, mogliśmy więc filmować wszystkich, którzy siedzieli przy stolikach aż do zamknięcia.

— Jakie mieli obroty?

— Osiem osób weszło do środka. Zostali tam na tyle długo, by coś przekąsić. Sfilmowaliśmy, jak czekają na swoje dania i potem je konsumują. I nagle jeden człowiek wszedł i kupił sześć pizz na wynos.

— Niech zgadnę — usłyszał w słuchawce komisarz. — Łączne spożycie tego dnia wyniosło trochę więcej niż czternaście pizz.

Brunetti mógł się tylko roześmiać.

— Zgarnęli ponad dwa tysiące euro.

— Co zrobiliście?

— Przekazaliśmy film ludziom z Guardia di Finanza.

— I?

— I sprawa trafiła do sądu, a sędzia orzekł, że filmowanie było pogwałceniem prywatności, a filmu nie można wykorzystać jako dowodu, ponieważ pokazanych na nim osób nie uprzedzono, że są filmowane. — Po chwili komisarz dodał: — To samo stało się ze sprawą ładowaczy samolotowych na lotnisku.

— Czytałem o tym.

Brunetti zerknął na zegarek i zobaczył, że jest prawie południe. Zapragnąwszy nagle porozmawiać z signoriną Elettrą, zanim wyjdzie na obiad, zakończył rozmowę:

— Gdy się czegoś dowiem, dam ci znać.

Aby ukryć, chyba przed sobą, jak bardzo zależy mu na rozmowie z Elettrą, opóźnił swoją wizytę, wstępując do pokoju odpraw, żeby pokazać zdjęcie Goriniego niektórym z pełniących służbę policjantów. Chociaż jego twarz była wyrazista, żaden nie pamiętał, by kiedykolwiek widział go w mieście. Komisarz zostawił fotografię z prośbą, by reszta brygady się jej przyjrzała, i zszedł na parter. Signorinę Elettrę zastał przy biurku, jak leniwie masowała sobie dłoń. Dwie wiązanki kwiatów leżały na parapecie okiennym na wpół rozpakowane. Zaczynały już więdnąć.

— Co się stało?

— Katastrofa. Cała ta sprawa okazała się katastrofą.

— Niech pani mówi. — Odsunął kwiaty i oparł się o parapet ze skrzyżowanymi na piersiach rękami.

Elettra ze świadomym wysiłkiem położyła dłonie po obu stronach klawiatury.

— Kupiłam kwiaty, po czym poszłam do sądu. Był w swoim gabinecie na górze, pracował, więc zaproponowałam, byśmy wybrali się na kawę. Zeszliśmy do Caffè del Doge. Zaproponował, byśmy usiedli przy stoliku, zamiast stać przy barze. Zastrzegłam, że nie mam dużo czasu, ale pozwoliłam się przekonać i zaczęliśmy rozmawiać. Opowiadał mi o swojej pracy, a ja słuchałam, jakby mnie to ciekawiło. Jedynym sposobem na skłonienie go do rozmowy o Fontanie, jaki zdołałam wymyślić, było wspomnienie jednego z pozostałych woźnych sądowych, Rizotta, gdyż chodziłam do szkoły z jego córką i kilka razy spotkałam go w gmachu sądu. Potem napomknęłam o Fontanie, powiedziałam, że słyszałam, że to doskonały pracownik. I to zapoczątkowało opowieści o nim, o tym, jak bardzo jest oddany pracy i kompetentny, jak długo tam pracuje i jakim wzorem są tacy ludzie dla nas wszystkich. I dokładnie w chwili, gdy miałam zamiar zacząć krzyczeć lub okładać go kwiatami, uniósł wzrok i rzekł: „O wilku mowa". Zanim więc zdążyłam go powstrzymać, podszedł do Fontany i przyprowadził go do stolika. Fontana miał na sobie garnitur i krawat. Uwierzyłby pan? Trzydzieści dwa stopnie w cieniu, a on w garniturze i krawacie. — Pokręciła głową na to wspomnienie.

Brunettiemu nie wyglądało to wcale na katastrofę.

— Dosiadł się więc do nas — ciągnęła dalej Elettra. — To potulny drobny mężczyzna. Zamówił macchiato oraz szklankę wody i prawie nic nie mówił, podczas gdy Umberto nadal gadał, a ja próbowałam być niewidzialna.

W to akurat Brunetti wątpił.

— I kto wtedy wchodzi do baru? Moja przyjaciółka Giulia wraz ze swoją siostrą Luisą!

— Coltellini? — zapytał Brunetti, choć wiedział, że to niepotrzebne pytanie.

— Owszem. Giulia spostrzegła mnie i przywitała się, a potem podeszła jej siostra. Pomyślałam, że biedny Fontana zaraz zemdleje. Tak szybko bowiem wstał, przewrócił filiżankę i wylał sobie kawę na spodnie. To było okropne. Nie wiedział, czy ma uścisnąć dłoń Giulii, tak bardzo ucieszył się na ich widok, lecz Giulia mogła jedynie podać mu serwetkę. Fontana zaczął wycierać kawę. Wyglądało to groteskowo. Biedaczek. Nie potrafił tego ukryć. Gdyby miał tablicę, wszyscy moglibyśmy na niej wyczytać: „Kocham cię, po trzykroć kocham".

— A pani sędzia?

— Przywitała się, a potem go ignorowała.

— To mi nie wygląda na jakąś wielką katastrofę — zauważył komisarz.

131

— Katastrofa nastąpiła, gdy Umberto nas sobie przedstawił. Kiedy sędzia usłyszała moje nazwisko, nie potrafiła ukryć zaskoczenia i wtedy spojrzała na Umberta i na Fontanę, po czym uścisnęła mi dłoń i próbowała się uśmiechnąć.

— Co pani zrobiła?

— Udawałam, że nic nie spostrzegłam, i nie sądzę, by to zauważyła.

— I co potem?

— Przysiadła się do nas. Wcześniej wyglądała tak, jakby chciała jedynie stamtąd uciec i uniknąć konieczności bliskiego kontaktu z Fontaną, a jednak usiadła z nami i zaczęła rozmawiać.

— O czym?

— Och, pytała, gdzie teraz pracuję, skoro przestałam pracować w banku.

— Co jej pani powiedziała?

— Że pracuję w ratuszu, a gdy zaczęła zadawać kolejne pytania, odparłam, że to wszystko jest tak nudne, że nie znoszę o tym rozmawiać, i zapytałam o bluzkę, którą miała na sobie.

— Powiedziała coś jeszcze?

— Po pewnym czasie, gdy zorientowała się, że nic ze mnie nie wyciągnie, zwróciła się do Fontany. „O jakich to ciekawych sprawach rozmawialiście, Araldo?" — zapytała miłym, życzliwym i nieco przesłodzonym tonem. Biedak. Gdy użyła jego imienia, zaczerwienił się, a ja się bałam, że dostanie ataku.

— Ale nie dostał?

— Nie. Nie odpowiedział też na jej pytanie, więc Umberto wyjaśnił, że rozmawialiśmy o pracy w sądzie. —

132

Zrobiła pauzę, kręcąc głową. — Chyba nie mógł powiedzieć nic gorszego. — Elettra spojrzała na komisarza. — Powinien pan widzieć jej twarz, gdy usłyszała te słowa. Wyglądała jak wykuta z lodu.

— Jak długo potem została?

— Nie wiem. Wzięłam kwiaty i powiedziałam, że muszę wracać do biura. Umberto zaproponował, że odprowadzi mnie do *traghetto*: on sądzi, że pracuję w Cà Farsetti, musiałam więc przepłynąć kanał i wejść głównym wejściem, bo machał do mnie z drugiego brzegu.

— Ale sędzia nie myśli, że pani tam pracuje? — zapytał Brunetti.

— Nie sądzę. Miała to wypisane na twarzy. Jest przecież s ę d z i ą, na litość boską, na pewno wiedziałaby, kto pracuje w komendzie.

— Być może. — Brunetti próbował grać na zwłokę.

Signorina Elettra wstała i ruszyła ku niemu tak szybko, że odsunął się, by mogła go ominąć. Nie zwracając na niego uwagi, sięgnęła po kwiaty i zdarła z nich papier. Położyła je na biurku, podeszła do *armadio* i wyjęła z szafy dwa duże wazony, po czym wyszła na korytarz. Komisarz został na swoim miejscu, zastanawiając się nad tym, co właśnie usłyszał.

Gdy wróciła, wziął od niej jeden z napełnionych wodą wazonów i postawił go na parapecie. Sekretarka Patty umieściła drugi na stoliku pod ścianą, a potem wzięła jeden z bukietów. Bez ceremonii ściągnęła gumki z łodyżek, cisnęła je na biurko i włożyła kwiaty do pierwszego wazonu. Później powtórzyła tę operację z drugim bukietem.

Usiadła wygodnie w swoim fotelu, spojrzała na Brunettiego, rzuciła okiem na kwiaty i powiedziała:

— Biedactwa. Nie powinnam była się na nich wyładowywać.

— Nie sądzę, by miała pani jakikolwiek powód, by się na czymkolwiek wyładowywać.

— Nie mówiłby pan tak, gdyby pan widział jej reakcję — nie ustępowała Elettra.

— Co zamierza pani zrobić?

— Chciałabym się przyjrzeć temu, co wzbudziło pańskie zainteresowanie panią sędzią.

Rozdział 14

Signorina Elettra poszła z komisarzem do jego gabinetu, gdzie dał jej papiery, które trafiły do niego z sądu. Wyjaśnił, co myśli o opóźnieniach w pewnych sprawach rozstrzyganych przez sędzię Coltellini i wskazał na podpis Fontany u dołu dokumentów.

— Dziecinna igraszka — powiedziała Elettra o systemie stosowanym przez Ministerstwo Sprawiedliwości w celu zachowania integralności sądownictwa. Patrząc na podpis Fontany, dodała: — Wie pan, zaczynam myśleć, że w jego zachowaniu w stosunku do sędzi było coś dziwnego.

— Nieodwzajemniona miłość zawsze dziwi ludzi, którzy jej nie odczuwają — zauważył Brunetti, świadom, że moralizuje bardziej niż Poloniusz.

— I o to właśnie chodzi — odparła signorina Elettra, patrząc na komisarza. — Nie jestem pewna, że to j e s t nieodwzajemniona miłość.

— Cóż to jest w takim razie?

— Nie wiem. — Skrzyżowała ręce i uderzała leniwie plikiem dokumentów w dolną wargę. — Wiem za to, jak wygląda nieodwzajemniona miłość. Początkowo myślałam, że właśnie o nią chodzi, ale im dłużej się zastanawiam, tym

135

bardziej wygląda mi na coś innego. Fontana jest zbyt służalczy, zbyt niewolniczy w rozmowie z nią; nawet tak nieciekawy mężczyzna jak on zdawałby sobie sprawę, że nikt nie lubi, jak ktoś się zwraca w taki sposób.

— Niektórzy lubią.

— Wiem, wiem. Ale nie ona. To jest bezsporne. O jednej rzeczy panu nie powiedziałam... mówienie o tym jest naprawdę żenujące... o tym, jak stale proponował, że jej coś kupi: kawę, wodę, ciastko. Jakby czuł się jej dłużnikiem, tyle że w jakiś osobliwy sposób.

— Jeżeli tkwią w tym razem, ona przypuszczalnie już dostaje większą część wpływów — uznał Brunetti, pamiętając o swojej wcześniejszej interpretacji przysłanego mu wykazu spraw. — Więc to ona powinna płacić za kawę.

— Nie, nie — zaprotestowała signorina Elettra, odrzucając zarówno jego interpretację, jak i próbę żartu. — To nie jest tak, jakby on sądził, że rzeczywiście może jej się czymś odpłacić, ale tak, jakby między nimi była przepaść, a on mógł myśleć jedynie o próbie jej zasypania, chociaż jest tak głęboka, że wie, iż nigdy się to nie uda. — Po chwili namysłu dodała: — Nie, o to też nie chodzi. On jest jej w d z i ę c z n y, ale tak, jak wdzięczni są ludzie, gdy Madonna odpowiada na ich modlitwę. To żenujący widok.

— Czy pani znajomy też to zauważył?

— Jeśli nawet, to nie skomentował tego, a ja tak bardzo chciałam stamtąd uciec, że go nie zapytałam. Poza tym przerażała mnie myśl o kolejnej minucie rozmowy z nim na słońcu. Pragnęłam tylko wsiąść do gondoli i dotrzeć na drugi brzeg.

Brunetti nie mógł powstrzymać cisnącego się na usta pytania:

— Czy właśnie tak traktuje panią Umberto... jak Madonnę?

— Ależ nie — odparła bez wahania. — W jego wypadku chodzi o nieodwzajemnioną miłość.

Ani tego, ani następnego dnia signorinie Elettrze nie udało się niczego odkryć w kwestii odroczeń w sprawach sądowych umieszczonych w wykazie. System informatyczny w gmachu sądu padł, a ponieważ dwaj ludzie, którzy go nadzorowali, byli na urlopie, baza danych miała być niedostępna co najmniej przez tydzień. Niestety dotyczyło to, jak odkryła, w równym stopniu dozwolonych jak i niedozwolonych prób sprawdzania zawartych w niej informacji.

W nadziei na jakieś pomyślne wieści przed wyjazdem na wakacje Brunetti zadzwonił do signoriny Elettry i zapytał, czy miała czas na dalsze śledzenie poczynań właściciela mieszkania, które wynajmował Fontana, Marca Puntery. Mało brakowało, a przeprosiłaby go za to, że nie mogła tego zrobić, wyjaśniła, że jej przyjaciel nie pracuje już w tym banku, a ona tak intensywnie zajmowała się przygotowywaniem zaleceń vice-questore Patty na okres urlopowy, że nie miała czasu sprawdzić, czego może się dowiedzieć o Punterze. Obiecała zająć się tym, gdy *vice-questore* znajdzie się w bezpiecznej odległości na wyspie Ponza, gdzie wraz z rodziną miał gościć w domu letniskowym szefa weneckiej rady miejskiej.

— Jeszcze jeden sposób na zapewnienie pełnej bezstronności sił porządkowych we wszystkich śledztwach dotyczących miejscowych polityków — rzekł Brunetti, usłyszawszy nazwisko gospodarza.

— Jestem pewna, że *vice-questore* jest odporny na wszelkie pochlebstwa — stwierdziła signorina Elettra w odpowiedzi na sugestię Brunettiego. — Wie pan przecież, jak często mówi o konieczności unikania nawet najmniejszej pokusy faworyzowania kogokolwiek.

— Dobrze wiem, jak o tym mówi — potwierdził komisarz, po czym skupili swoją uwagę na jego wakacyjnej nieobecności i na tym, co należało w tym czasie zrobić. Sekretarka Patty życzyła mu *buona vacanza* i powiedziała, że zobaczą się za dwa tygodnie.

Uznając życzenia za zgodę na opuszczenie komendy, Brunetti poszedł do domu i zaczął pakować rzeczy inne niż książki.

Nazajutrz rano komisarz wraz z rodziną załadowali się do odjeżdżającego za dziesięć dziesiąta ekspresu Eurostar, przesiedli się w Weronie i z rosnącym entuzjazmem zmierzali na północ. W Bolzano mieli złapać lokalny pociąg do Merano, a potem jadący doliną Val Venosta *trenino* do Malles, gdzie miał na nich czekać samochód. Niedługo po opuszczeniu Werony zaczęli przemierzać świat winorośli. Był taki wiersz, który Brunetti musiał przeczytać na trzecim roku zajęć z angielskiego, coś o armatach stojących po lewej i po prawej stronie; tylko że w tym wypadku chodziło o ciągnące się kilometrami winorośle, wszystkie przycięte do identycznej wysokości — o ile wiedział, dające owoce tej samej odmiany i wielkości.

Czas mijał tak, jak mija w pociągu: Brunetti szczęśliwy,

że jest na odkrytym terenie, wyglądał przez okno; Chiara rozmawiała z dwojgiem młodych ludzi dzielącymi z nimi przedział; natomiast Raffi, siedzący pośrodku naprzeciwko matki, ukrył się za tarczą swoich słuchawek, od czasu do czasu kiwając głową w rytm jakiejś melodii. W pewnym momencie, gdy jego głowa zaczęła kiwać się szczególnie miarowo, Paola zerknęła znad książki i zdołała wprawić w zakłopotanie pięcioro pozostałych pasażerów, mówiąc po angielsku: *Unheard melodies are indeed sweeter** — po czym z powrotem skupiła uwagę na spostrzeżeniach Henry'ego Jamesa.

Brunetti włączał się co jakiś czas do rozmowy swojej córki z ludźmi siedzącymi na miejscach przy oknie. Wywnioskował z tej dyskusji, że mają zamiar spędzić dwa tygodnie z przyjaciółmi w Bolzano, gdzie będą słuchać muzyki i wypoczywać. Ponieważ oboje podkreślali, jaka szkoła jest łatwa i jak nudne na ogół bywa życie, komisarza kusiło, by zapytać, o d   c z e g o   zamierzają odpocząć, ale zamiast to zrobić, poświęcił uwagę winoroślom. Miniaturowe traktory patrolowały korytarze między ich rzędami, opryskując krzewy. Gdy pociąg zaczął zwalniać, zbliżając się do Trydentu, Brunetti zauważył, że kierowca jednego z traktorów ma na sobie taki sam biały kombinezon ochronny, jakie nosi grupa dochodzeniowa, tyle że całą głowę zakrywały mu kaptur i maska.

Komisarz dotknął kolana Paoli, żeby przyciągnąć jej uwagę, i wskazał za okno.

— Wygląda niczym Marsjanin, nieprawdaż? — zapytał.

---

* Niesłyszane melodie są rzeczywiście słodsze.

Paola patrzyła przez okno dłuższy czas, po czym spojrzała na męża.

— Rozumiesz teraz, dlaczego jemy owoce z ekologicznych sadów?

— Jestem głodny — rzekł Raffi zaskakująco głośno, jak gdyby nazwa jadalnego produktu przeniknęła do jego słuchawek i pobudziła instynkt, który nigdy nie zanikał. Paola, niczym typowa matka z włoskiego filmu lat pięćdziesiątych, uważała, że żywność sprzedawana w pociągu jest szkodliwa, więc zapakowała do olbrzymiej torby kanapki, owoce, wodę mineralną i opróżnioną do połowy butelkę czerwonego wina.

Na znak matki Raffi ściągnął torbę z półki, po czym zaczął wręczać kanapki wszystkim, z dwojgiem młodych ludzi włącznie, którzy najpierw z obowiązku odmówili, a potem chętnie przyjęli poczęstunek. Były z szynką i pomidorami, szynką i oliwkami, mozzarellą i pomidorami, sałatką jajeczną, tuńczykiem i oliwkami oraz innymi kombinacjami tych składników. Raffi napełnił sześć kartonowych kubków wodą i rozdał je w przedziale.

Brunettiego ogarnęła nagła radość. Jechał w spokoju na północ, otoczony wszystkim, co kochał i cenił na świecie. Wszyscy byli zdrowi; wszyscy byli bezpieczni. Przez dwa tygodnie może chodzić po górach, zajadać się wędzoną szynką i strudlem, spać pod pierzyną, podczas gdy reszta świata piecze się w słońcu, i czytać, ile dusza zapragnie. Wyjrzał przez okno i spostrzegł, że winorośl zastąpiły jabłonie.

Rozmowa wśród młodych ludzi dotyczyła spraw ogólnych. Współtowarzysze podróży nie szczędzili podziękowań Paoli, zwracając się do niej i Brunettiego z szacunkiem, per *Lei*, chociaż w rozmowie z Chiarą i Raffim automatycznie przechodzili na *Tu*. Znaczna część dyskusji była hermetyczna dla komisarza, który nie rozumiał niemal żadnej z aluzji i stwierdził, że niektóre używane przez nich przymiotniki brzmią bezsensownie. Z kontekstu wywnioskował, że *refatto* ma pozytywny wydźwięk, nie było natomiast gorszego określenia niż *scrauso*.

Wyjechali z Trento, nadal zgodnie z rozkładem, i Raffi zaczął rozdawać banany i śliwki.

Dziesięć minut później, gdy z obu stron pociągu przesuwały się jabłonie, zadzwonił telefon Brunettiego. Komisarz przez chwilę bawił się myślą, że pozwoli mu dzwonić, potem jednak wyjął aparat z bocznej kieszeni torebki Paoli, gdzie wetknął go, gdy wychodzili z domu.

— *Pronto* — rzucił do słuchawki i w odpowiedzi usłyszał kobiecy głos.

— To ty, Guido?

— Tak. Kto mówi?

— Claudia. — Brunetti potrzebował chwili, by skojarzyć ten głos z imieniem i zdać sobie sprawę, że rozmawia z Claudią Griffoni, którą jako najniższą w hierarchii *commissario* pozostawiono na służbie podczas Ferragosto.

— O co chodzi? — zapytał, a obecność rodziny pomogła mu ustrzec się obaw przed najgorszym.

— Doszło do morderstwa. To mógł być tragiczny w skutkach bandycki napad.

— Co się stało?

Komisarz ujrzał dłoń Paoli na swoim kolanie i dopiero wtedy zdał sobie sprawę, że wbił wzrok w podłogę, by odgrodzić się od reszty osób w przedziale.

141

Nastąpiła nagła przerwa w połączeniu, po czym głos Griffoni przypłynął z powrotem.

— Leżał na środku podwórka swojego domu, więc pewnie został wepchnięty od strony ulicy, gdy otworzył drzwi, albo ktoś już tam czekał na niego.

Brunetti mruknął pytająco i Griffoni ciągnęła dalej:

— Wygląda na to, że ktoś powalił go na ziemię, a potem uderzył jego głową o jakiś posąg.

— Kto go znalazł?

— Jeden z mieszkańców budynku, gdy zszedł wyprowadzić psa na spacer. Około wpół do ósmej rano.

— Czemu wcześniej nikt do mnie nie zadzwonił?

— Gdy przyszło wezwanie, oficer dyżurny sprawdził wykaz dyżurów i zobaczył, że jesteś na wakacjach. W komendzie był wtedy tylko Scarpa, więc on pojechał na miejsce. Dopiero co zadzwonił, żeby o wszystkim poinformować.

Komisarz uniósł wzrok i spostrzegł, że trzy siedzące naprzeciwko osoby — córka, syn i młoda dziewczyna przy oknie — wpatrują się w niego oczami okrągłymi z zaciekawienia. Wstał, otworzył drzwi i wyszedł na korytarz, zasuwając je za sobą.

— Gdzie on teraz jest?

W słuchawce rozległ się kolejny trzask.

— Słucham?

— Gdzie teraz jest denat?

— W szpitalnej kostnicy.

— Co się dzieje w miejscu, gdzie zginął?

— Pojechała tam ekipa śledcza — zaczęła Griffoni, po czym jej głos zanikł na kilka sekund. Gdy powrócił, mówiła: — ...sytuacja jest skomplikowana. W tym budynku mieszkają trzy rodziny, a na *calle* prowadzą tylko jedne drzwi. Scarpie udało się powstrzymać lokatorów przed wychodzeniem na dziedziniec do czasu przyjazdu ekipy, ale o dziesiątej musiał ich wypuścić z mieszkań.

Brunetti postanowił nie komentować, jak zatrze to ślady pozostawione w miejscu zbrodni, a w każdym razie da przyszłemu obrońcy pretekst do zakwestionowania dowodów. Dowody sądowe akceptowano bez zastrzeżeń tylko w telewizyjnych serialach kryminalnych.

— Scarpa wciąż tam jest — powiedziała Griffoni. — Pojechał z kilkoma innymi. Zabrał ze sobą Alvisego.

— Równie dobrze mógł tam urządzić przystanek tramwaju wodnego — zauważył zdegustowany Brunetti. — Kto robi sekcję zwłok?

I znowu połączenie zostało przerwane.

— ...poprosiłam o Rizzardiego — odparła komisarz, znowu dowodząc, że jej krótki pobyt w komendzie nie był czasem zmarnowanym.

— Może ją przeprowadzić?

— Mam nadzieję. Jego nazwiska nie było w wykazie dyżurów, ale przynajmniej ten drugi idiota wyjechał na tydzień na wakacje i nie zostawił numeru kontaktowego.

— Nie mówi się tak o zastępcy miejskiego *medico legale*, pani komisarz — zauważył Brunetti.

— W takim razie ten arogancki idiota, *commissario* — poprawiła się Griffoni.

Komisarz puścił to mimo uszu w milczącym porozumieniu.

— Wracam.

— Liczyłam na to — odparła z wyraźną ulgą. — Większość ludzi wyjechała, a nie chciałam pracować nad tą sprawą z porucznikiem Scarpą. — Przeszła do szczegółów. — Jak wrócisz? Mam zadzwonić do Bolzano i kazać im przywieźć cię radiowozem?

Brunetti popatrzył na zegarek i zapytał:

— Gdzie teraz jesteś?

— W swoim gabinecie. Dlaczego pytasz?

— Zajrzyj do rozkładu jazdy i sprawdź, kiedy odchodzi najbliższy pociąg z Bolzano na południe.

— Nie chcesz jechać samochodem?

— Bardzo bym chciał, wierz mi. Ale z pociągu od czasu do czasu widać autostradę i na niektórych odcinkach wszyscy tkwią w korkach. Pociąg byłby szybszy.

Griffoni mruknęła coś pod nosem, a potem Brunetti usłyszał odgłos odkładania słuchawki. Przerwy w połączeniu wydawały się mieć związek z bliskością linii wysokiego napięcia. Potem jednak rozległ się głos jego współpracownicy.

— Ekspres EuroCity z Monachium do Wenecji odjeżdża według planu minutę po przyjeździe twojego pociągu.

— Dobrze — zdecydował komisarz. — Zadzwoń na dworzec w Bolzano i każ im poczekać. Powinniśmy być na miejscu za dwanaście minut, więc po prostu się przesiądę i mniej więcej za cztery godziny będę z powrotem.

— W porządku. Zadzwonię do ciebie.

Brunetti rozłączył się, oparł się o przeszkloną ścianę przedziału, w którym siedziała jego rodzina, i patrzył na góry wznoszące się nad ciągnącymi się nieprzerwanie sadami.

Minęli ich wiele, gdy zadźwięczał telefon.

— Tamten pociąg ma dziesięć minut opóźnienia, jeżeli więc twój będzie o czasie, zdążysz bez trudu. Odjeżdża z toru czwartego.

— Muszę odprowadzić żonę i dzieci do pociągu, więc zadzwoń do nich i powiedz, by kazali maszyniście zaczekać, aż wsiądę.

— Dobra. Ktoś wyjdzie po ciebie na stację.

Komisarz wsunął telefon do kieszeni i odwrócił się, by otworzyć drzwi przedziału.

Rozdział 15

Później, gdy już siedział w pociągu wiozącym go z powrotem do Wenecji, rozmyślał o tym, jak bardzo ludzka natura wciąż potrafi go zaskakiwać: młodzi ludzie z przedziału uparli się, żeby pomóc im w przeniesieniu bagaży do drugiego pociągu, jakiś konduktor wyszedł im naprzeciw i powiedział Brunettiemu, że pociąg do Wenecji jest opóźniony o kolejne dziesięć minut. Gdy rodzina komisarza znalazła się w wagonie, dwoje młodych ludzi zniknęło, nie wypytując o tajemniczy powód jego natychmiastowego powrotu do Wenecji. Brunetti ucałował Paolę i dzieci. Obiecał, że przyjedzie na północ jak najszybciej, i cofnął się od toru, gdy pociąg ruszył i powiózł ich do Merano, w góry, ku rozkoszom snu pod pierzyną w środku sierpnia.

Jego pociąg zapewnił mu podobne atrakcje, tyle że z przerwami, klimatyzator działał bowiem tylko wtedy, kiedy chciał, wydmuchując tropikalne powietrze na przemian z arktycznym. Okna w nowych wagonach się nie otwierały, więc komisarz i trójka innych pasażerów w przedziale pierwszej klasy, do którego zaprowadził go konduktor, siedzieli niczym w wehikule, który zatrzymywał się na przemian w Kalkucie i Ułan Bator. Swoją walizkę, a więc i swetry, Brunetti posłał razem z rodziną, kiedy więc jego pociąg był właśnie w okolicach stolicy Mongolii, musiał salwować się ucieczką na korytarz, gdzie przynajmniej utrzymywała się stała, choć bardzo wysoka temperatura.

Dlatego też na razie nie mógł ani czytać w spokoju, ani spokojnie myśleć o sytuacji w Wenecji i o tym, co być może trzeba będzie zrobić, gdy już tam dotrze. W końcu poszedł do wagonu restauracyjnego, gdzie klimatyzacja działała doskonale, usiadł i przeczytał gazetę, wypijając dwie kawy i butelkę wody mineralnej.

Gdy pociąg wjechał do Mestre, zadzwonił do komisarz Griffoni i z radością usłyszał, że wyjdzie po niego na dworzec w Wenecji.

— A Vianello? — zapytał. Wiedział, że jego przyjaciel jest na wakacjach, ale miał nadzieję, że Griffoni pomyśli o tym, by do niego zatelefonować.

— Dzwoniłam do niego po naszej rozmowie. Zna kogoś w Guardia Costiera i dzięki temu wydali zgodę na wpłynięcie na chorwackie wody terytorialne, byśmy go zabrali i przywieźli z powrotem.

— Kogo tam zna?

— Powiedział tylko, że jakiś kolega ze szkoły — wyjaśniła Griffoni.

— Dobrze. Dzięki.

Pociąg ruszył ze stacji i komisarz się rozłączył. Gdy przejeżdżali przez most, jego uwagę przykuły ogromne łaty morskich wodorostów na powierzchni wody po obu stronach. Wczesnoporanny przypływ zakrył je, ale teraz były widoczne jak na dłoni. Sunęli obok przez wiele minut, a one ciągnęły się bez końca. Kilka plastikowych butelek podskakiwało na zielonej tafli, która wydawała się ciągnąć aż pod most. Łodzie trzymały się od niej z daleka. Ptaki unoszące się na wodzie nie zbliżały się do niej. Zielony całun rósł niestrudzenie niczym zaniedbany wykwit skórny.

Brunetti ujrzał policyjną łódź motorową zacumowaną bezpośrednio przed dworcem i pośpiesznie zszedł ku niej po schodach. W wagonie restauracyjnym było mu tak przyjemnie, że dopiero po chwili poczuł rozprzestrzeniający się upał. Zanim dotarł do motorówki, koszula kleiła mu się do grzbietu i ze złością uświadomił sobie, że spakował swoje nowe okulary przeciwsłoneczne i zostawił je w walizce, która teraz była już na wysokości tysiąca czterystu pięćdziesięciu metrów w Alpach nad Glorenzą.

Skinął głową pilotującemu łódź Foi, wszedł na pokład i podał rękę Griffoni. Opalenizna sprawiła, że jej włosy wydawały się jeszcze jaśniejsze niż zwykle, a krótka spódniczka odsłaniała opalone nogi. Wyglądała jak każdy, tylko nie *commissario di polizia* na służbie. Foa odcumował, wrócił do kabiny i uruchomił silnik.

— A Vianello? — zapytał Brunetti.

— Już wrócił. Czeka na nas w domu ofiary. Powrót zajął mu niespełna trzy godziny.

Komisarz uśmiechnął się. Nawet jeśli konieczność powrotu do Wenecji zepsuła inspektorowi urlop, podróż pełnym gazem na łodzi patrolowej straży przybrzeżnej przez Adriatyk stanowiła pewną rekompensatę.

— Założę się, że miał niezłą frajdę.

— A któż by nie miał? — zapytała Griffoni i komisarz wyczuł zazdrość w jej głosie.

Łódź skręciła w lewo w Canale di Cannaregio, przepłynęła z umiarkowaną prędkością pod oboma mostami i wydostała się na lagunę. Griffoni wyjaśniła, że rozmawiała z doktorem Rizzardim, który powiedział, że spróbuje wrócić przed wieczorem ze swojego domu w Dolomitach. Gdyby nie mógł, zjawi się nazajutrz rano.

Griffoni nie widziała zwłok, które zabrano do kostnicy, zanim Scarpa zadzwonił do niej z informacją o popełnionej zbrodni. Brunetti zapytał ostrożnie o zachowanie porucznika i jego reakcję na wieść, że zarówno on, jak i Vianello wracają z wakacji, by przejąć tę sprawę.

— Nie powiedziałam mu.

— Więc sądzi, że sprawa jest jego?

— Jego i moja, ale ponieważ ja jestem tylko kobietą, to oczywiście się nie liczę.

Oboje postanowili zostać na pokładzie w nadziei, że ochłodzą ich podmuchy powietrza spowodowane ruchem motorówki, więc wiatr unosił niektóre słowa. Komisarz jeszcze raz spojrzał na policjantkę. Chociaż zdecydowanie była kobietą, sam nigdy nie poprzedziłby tego rzeczownika partykułą „tylko”.

— Zatem mój przyjazd go zaskoczy — zauważył nie bez satysfakcji.

— Mam nadzieję, że również go zdenerwuje — odparła ze złośliwością, do której często skłaniała każdego choćby najkrótsza znajomość z porucznikiem Scarpą.

Woda w tej części laguny była zaskakująco wzburzona i oboje musieli chwycić się relingu, żeby utrzymać równowagę. Foa mimo to gnał na otwartym akwenie pełnym gazem, zagłuszając rykiem silnika inne dźwięki i uniemożliwiając rozmowę. Brunetti zerknął w lewo, przeskakując wzrokiem z Murano na Burano i ku ledwie widocznej w parnym powietrzu dzwonnicy Torcello. Skręcili w prawo, minęli jeden kanał i wpłynęli w następny. Komisarz ujrzał płaskorzeźbę przedstawiającą mężczyznę prowadzącego wielbłąda i zapytał:

— Co my robimy przy Fondamenta della Misericordia?

— Jego dom znajduje się w głębi kanału, po lewej stronie.

— *Oddio!* — wykrzyknął Brunetti. — Chyba nie chodzi o Fontanę?

— Podałam ci jego nazwisko, gdy telefonowałam — powiedziała z naciskiem Griffoni.

Komisarz przypomniał sobie trzaski oraz zakłócenia na linii i odparł:

— Tak, oczywiście.

— Znasz go? — zapytała zaciekawiona.

— Nie. Ale wiem coś o nim.

— Pracował w sądzie, nieprawdaż?

Czując, że łódź zaczyna zwalniać, komisarz rzucił tylko „Tak", po czym ruszył naprzód, by chwycić cumę. Foa zatrzymał się przy prawym brzegu kanału. Brunetti wyszedł na chodnik i przywiązał linę do metalowego pierścienia. Podał rękę Griffoni i pomógł jej wysiąść z łodzi. Foa powiedział, że znajdzie jakiś bar w cieniu, i poprosił, by zatelefonowali, gdy skończą.

Griffoni szła przodem: do pierwszego mostu, na drugą stronę i dalej *calle* do pierwszej przecznicy po prawej. Następnie do trzeciego domu z prawej strony. Zatrzymali się przy dużej brązowej *portone* z tabliczką z nazwiskami lokatorów i dzwonkami obok.

Policjantka miała klucz i wprowadziła ich na duży, jak się okazało, dziedziniec zastawiony palmami i krzewami w donicach. Późnym popołudniem jego przeciwległa strona była już ocieniona. Wzrok Brunettiego przykuł jakiś ruch w tamtym miejscu. Młody policjant, jeden z nowego naboru, zerwał się na równe nogi i zasalutował dwojgu komisarzy. Brunetti zauważył, że dziedziniec był podzielony na dwie części taśmą zabezpieczającą; młodzieniec stał w tej dalszej. Oboje z Griffoni przeszli pod taśmą.

— Gdzie go znaleziono? — zapytał, gdy zbliżyli się do niego.

— Tam, *commissario* — odparł młodzieniec, wskazując w stronę schodów prowadzących do drzwi budynku.

Brunetti i Griffoni podeszli bliżej. Komisarz zwrócił uwagę na krwawą plamę na chodniku, która wyglądała tak, jakby powstała wokół trzech boków jakiegoś prostokąta. Z plamy wyłaniał się kredowy obrys postaci człowieka o stopach skierowanych w ich stronę. Z perspektywy Brunettiego sylwetka ofiary wydawała się zaskakująco mała.

— Gdzie jest ten posąg? — zapytał komisarz.

— Bocchese kazał zabrać go do laboratorium — odparła Griffoni. — To tylko dziewiętnastowieczna marmurowa kopia bizantyjskiego lwa. — Ta uwaga wprawiła Brunettiego w zakłopotanie, ale postanowił nie zadawać więcej pytań.

151

Spojrzał na *portone*, która wychodziła na ulicę, i spostrzegł, że krwawa plama znajduje się około piętnastu metrów od bramy, ktoś więc pewnie czekał tam na ofiarę. Albo Fontana został wepchnięty do środka. Albo też wszedł na dziedziniec z kimś, kogo znał.

— O której to się stało? — zapytał koleżankę po fachu.

— Nie bardzo wiadomo. Nie przesłuchiwaliśmy jeszcze mieszkańców budynku, ale jeden powiedział Scarpie, że oboje z żoną wrócili do domu tuż po północy i niczego nie widzieli. — Wskazując *portone* zamaszystym ruchem ręki, który zakończył się na wysokości plamy krwi, Griffoni dodała: — Nie mogliby go nie zauważyć, więc pewnie doszło do tego jakiś czas po północy.

— I przed wpół do ósmej — uzupełnił Brunetti. — Długi przedział.

Griffoni skinęła na potwierdzenie głową.

— Właśnie dlatego chciałam, żeby to Rizzardi zrobił sekcję zwłok.

— Co przekazał ci Scarpa?

— Że żona tego mężczyzny powiedziała mu, iż Fontana mieszkał z matką. To bardzo religijna kobieta, codziennie chodzi na mszę i raz w tygodniu na cmentarz, by zadbać o grób męża. Syn był jej bardzo oddany i to wielka szkoda, że zginął w kwiecie wieku. Typowa historia: gdy ktoś umiera, ludzie zaczynają przechodzić samych siebie, zapewniając, jakim świetnym był człowiekiem i jaka to strata, i jak cudowna jest cała jego rodzina.

— Co to twoim zdaniem znaczy?

Griffoni uśmiechnęła się i odparła:

— To, co znaczyłoby dla każdego, kto zwraca uwagę na

rzeczy, które ludzie naprawdę chcą przekazać, gdy zachwycają się innymi: że ona jest zołzą i przypuszczalnie zmieniła życie syna w piekło.

Stali w pewnej odległości od młodego rekruta i rozmawiali ściszonymi głosami. Brunetti żałował, że tak się stało, ponieważ opóźniało to ujawnienie młodzieńcowi jednej z podstawowych prawd, które prędzej czy później miał poznać w swoim fachu: nigdy nie wierzyć w nic, co mówi się o nieboszczyku.

Brunetti jeszcze raz obejrzał miejsce zbrodni, taśmę i narysowaną kredą postać.

— Przyjechałeś z porucznikiem Scarpą? — zawołał do młodego policjanta.

— Nie, panie komisarzu. Byłem na patrolu przy San Leonardo i wezwano mnie tutaj przez telefon.

— Kto tu był, gdy przyszedłeś?

— Porucznik, panie komisarzu. Scarpa. Oraz funkcjonariusze Alvise i Portoghese. I trzech techników z ekipy dochodzeniowej. I fotograf. — Policjant umilkł, ale było oczywiste, że jeszcze nie skończył.

— Kto jeszcze? — zapytał zachęcającym tonem Brunetti.

— Cztery osoby, które mieszkały w budynku lub zachowywały się jak lokatorzy. Jedna z nich miała psa. No i parę osób stojących przy *portone.*

— Zapisałeś ich nazwiska?

— Myślałem o tym, panie komisarzu. Ale skoro na miejscu był funkcjonariusz wysokiej rangi i dwaj inni, starsi stopniem ode mnie, cóż, uznałem, że już to zrobili. I pytanie ich o to wydawało mi się nie na miejscu.

Brunetti przyjrzał się baczniej młodemu mężczyźnie. Zerknął na naszywkę z nazwiskiem.

— Zucchero — przeczytał na głos. — Jesteś synem Pierluigiego?

— Tak, panie komisarzu.

— Nigdy nie poznałem twojego ojca, ale wszyscy tutaj wyrażają się o nim z szacunkiem.

— Dziękuję, panie komisarzu. Był dobrym człowiekiem.

— Jest ispettore Vianello?

— Na górze, rozmawia z matką, *commissario*. Dotarł tu pół godziny temu.

Brunetti cofnął się i obrócił wokół własnej osi, żeby obejrzeć dziedziniec. Jeden mur biegł wzdłuż ulicy; naprzeciw, po drugiej stronie taśmy odgradzającej, znajdowało się troje drzwi z metalowej kraty, wszystkie zamknięte.

— Co tam jest? — zapytał.

— Składziki mieszkańców, panie komisarzu — odparł Zucchero, po czym wskazał na czwartą kratę w jednym z bocznych murów dziedzińca, też zamkniętą, na wpół ukrytą za rzędem palm w doniczkach. — Tam jest jeszcze jeden.

— Zajrzyjmy do środka — zaproponował Brunetti.

Podeszli we trójkę do kraty, która znajdowała się w cieniu dwóch palm. Komisarz zauważył, że przez pręty kraty i metalowy wrzeciądz, przybity do drewnianej futryny, przewleczono stalowy łańcuch.

— Porucznik Scarpa kazał wymienić wszystkie kłódki, panie komisarzu. Ale mam klucze. — Minąwszy Brunettiego, Zucchero wsunął rękę między pręty i włączył światło, które pozwoliło im zobaczyć wnętrze pomieszczenia.

Składzik był pusty, posadzka pozamiatana, ale chyba dość dawno temu, maleńkie płaty sztukaterii odpadły bowiem z sufitu od czasu ostatniego sprzątania i wyglądały jak niewyraźne wyspy na betonowym morzu. Bielone mlekiem wapiennym ściany były zupełnie nagie, miejscami tylko łuszczyły się na powierzchni.

Komisarz sięgnął ręką do kontaktu i przeszli dziedzińcem do pierwszego z pozostałych składzików. Promienie słońca sięgały do połowy wysokości muru i wpadając pod kątem przez kratę drzwi, oświetlały pierwszy metr posadzki. Wyłożona terakotowymi płytkami, wznosiła się dwa stopnie nad powierzchnią dziedzińca, ograniczając wilgoć i być może chroniąc przed *acqua alta*. Zucchero otworzył kłódkę i pchnął drzwi. Komisarz skłonił głowę i wszedł do środka, znalazł przełącznik i zapalił światło.

W odróżnieniu od całkowitej pustki panującej w poprzednim składziku ten wprost eksplodował zawartością: pudła, walizki, plecaki, stare puszki z farbą, plastikowe kubły ze sterczącymi z nich szmatami, puste słoiki po dżemie i marynatach. Z rzeczy zgromadzonych w głębi pomieszczenia można było wyczytać historię dzieciństwa: składane łóżeczko dziecinne z foliową podkładką pod prześcieradło zawieszoną tak, że widać było jedynie metalowe rolki u dołu łóżeczka. Wisząca dekoracja ze zwierzątek i dzwonków została ciśnięta na biblioteczkę. W dwóch tekturowych pudłach mieściła się menażeria podniszczonych pluszaków. Dwa nieotwarte pudełka z pampersami stały obok mobile, oczekując pewnie narodzin kolejnego dziecka.

Brunetti zrobił krok w tył i wpadł na komisarz Griffoni. Przeprosił, odsuwając się, żeby mogła wyjść, po czym zgasił światło, a Zucchero zajął się zamykaniem kłódki.

Gdy zdjął łańcuch i otworzył drzwi trzeciego składziku, Griffoni postanowiła nie wchodzić do środka. Identycznej wielkości jak pozostałe, miał około trzech metrów szerokości i co najmniej pięć głębokości. Wewnątrz z obu stron od podłogi aż po sufit biegły półki z pudłami. Wszystkie, wykonane ze zwykłej brązowej tektury, były takie same: miały służyć do przechowywania rzeczy, nie przyniesiono ich do domu z supermarketu i nie użyto z braku innych. Pośrodku widocznego na półce boku każdego pudła umieszczono porządną etykietę z odręcznym opisem: „Serwis do herbaty ciotki Marii", „Chusteczki", „Buty zimowe", „Wełniane szaliki", „Książki Aralda". I tak to szło, pozostałości z dawnego życia, uporządkowane i szczelnie zamknięte — nic nie miało trafić na śmietnik, skoro mogło być kiedyś znowu użyte lub potrzebne.

Brunetti odwrócił się od składziku i zawartych w nim śladów ludzkiej egzystencji, zgasił światło i ruszył za Zucchero do czwartego pomieszczenia. Griffoni znowu szła tuż za nimi, wszyscy milczeli.

Gdy młody policjant wpuścił ich do ostatniego składziku, Brunetti włączył światło i spostrzegł, że jest on identycznej wielkości jak poprzedni i ma podobne półki. Jego wnętrze też świadczyło o wielu żywych istotach, a przynajmniej tylu, ile przeszło przez ręce właścicieli. Na większości półek z lewej strony stały puste klatki dla ptaków, co najmniej dwadzieścia. Wykonano je z drewna i metalu, były we wszystkich możliwych rozmiarach i kolorach. W niektórych wciąż stały pojemniczki z widocznymi ciemnymi plamami wskazującymi poziom wody w momencie umieszczenia klatek w składziku. Wszystkie klatki były zamknięte, żadna z zawieszonych w środku małych drewnianych huśtawek się nie poruszała. Wytarto je do czysta, lecz pomieszczenie wypełniał niewyraźny kwaśny zapach pozostały po ptakach. Była też jedna sterta pudeł, także z rodzaju tych, które kupuje się do przechowywania rzeczy. Opisane innym charakterem pisma zawierały „Swetry Lucia", „Buty Lucia" oraz „Swetry Eugenii".

Po drugiej stronie mieściły się stelaże na butelki z winem; nie półki — stelaże, które zaczynały się około trzydziestu centymetrów nad posadzką i sięgały prawie do sufitu. Brunetti podszedł bliżej i zaczął studiować etykiety. Część z nich rozpoznał i zaaprobował wybór, spostrzegł też, że pozostałe odkleiły się od butelek i zwisały luźno.

— W tej wilgoci, w tym przykrym zapachu?

Komisarz wysunął palec i potarł korek, wystający spod metalowej folii. Jego powierzchnię pokrywał szorstki biały nalot.

— Dziewięćdziesiąty ósmy — powiedział i wsunął butelkę z powrotem. Oboje skrzywili się, słysząc zgrzyt szkła trącego o metal.

W głębi pomieszczenia ujrzeli kanapę, a obok niej typową lampę, która zapewne padła ofiarą zmian po remoncie. Oparcie kanapy przykryto ręcznie tkanym afganem w ostrych odcieniach czerwono-zielonych, a przy drugim boku stał kwadratowy stół ze zrobioną szydełkiem poszarzałą serwetką na środku.

— Chodźmy na górę i zobaczmy, ile dotychczas wyciągnął z niej Vianello — powiedział komisarz do Griffoni, nie zawracając sobie głowy uwagami na temat tych sprzętów. Każdemu, kto nie znał niesamowitej zdolności Vianella do czarowania nawet najbardziej opornych świadków, takie słowa wydałyby się nieco złowieszcze, określały one jednak tylko to, czego należało się spodziewać po inspektorze.

Brunetti skinął głową młodemu policjantowi, który zasalutował i wycofał się do cienia.

— Mieszkanie jest na pierwszym piętrze — wyjaśniła Griffoni, prowadząc komisarza schodami do głównego wejścia. Drzwi były otwarte. Za ich progiem przystanęli u dołu owalnej klatki schodowej, która wiodła na górne kondygnacje. Stopnie były marmurowe, szerokie i niskie, u góry znajdował się świetlik: tylko z niego mogło spływać w dół światło rozświetlające i ogrzewające otaczającą ich przestrzeń.

— Byłaś tam przedtem? — zapytał Brunetti, wpatrując się w okno w dachu.

— Nie, gdy Scarpa się dowiedział, że Fontana mieszkał z matką, poszedł na górę z nią porozmawiać. Dopiero potem do mnie zadzwonił.

Komisarz skinął głową i zapytał:

— Jak myślisz, czemu czekał tak długo?

— Władza — odparła Griffoni, po czym bardziej refleksyjnie stwierdziła: — Jeśli tylko może kontrolować lub ograniczać wiedzę innych, wie więcej niż oni i czuje, że ma władzę nad nimi lub tym, co robią. — Wzruszyła ramionami, dodając: — To dość pospolita metoda.

— Powiedziałbym, że w niektórych instytucjach to standardowa procedura operacyjna — zauważył komisarz i ruszył po schodach na górę.

Z podestu na pierwszym piętrze prowadziło tylko dwoje drzwi; przed jednymi z nich stał policjant. Gdy ujrzał komisarzy, zasalutował i rzekł:

— Ispettore Vianello wciąż jest w środku.

Brunetti wskazał na drugie drzwi, ale policjant wyjaśnił:

— Ta strona budynku nie została wyremontowana, panie komisarzu. Wszystkie trzy mieszkania stoją puste. — Po czym, zanim komisarz zdążył zapytać, dodał: — Sprawdziliśmy je, *commissario*.

Brunetti podziękował skinieniem głowy i dwa razy zastukał w drzwi, ale gdy spostrzegł, że są uchylone, pchnął je i wszedł do mieszkania. Światło spływające ze świetlika wyparowało i widział tylko przyćmiony blask na końcu czegoś, co zapewne było długim korytarzem. Griffoni nieświadomie zbliżyła się do niego na tyle, że w niemal zupełnej ciemności zetknęli się ramionami. Stali nieruchomo, aż ich oczy oswoiły się z mrokiem i zaczęli rozróżniać sprzęty stojące wzdłuż ścian korytarza. Na prawo od siebie komisarz dostrzegł zarys drzwi i otworzył je, licząc na to, że wpuści trochę światła. Ale w pokoju panował mrok i zdołał jedynie dostrzec cztery cienkie pionowe złociste pręty. Dopiero po chwili zdał sobie sprawę, że to szpary w zamkniętych okiennicach, przez które wpadało światło. Tutaj także dostrzegł niewyraźne cienie porozsta-

159

wianych wewnątrz sprzętów, nie sposób było jednak ich rozpoznać.

Zamknął drzwi i zaczął obmacywać ścianę korytarza w poszukiwaniu kontaktu. Gdy go znalazł i przycisnął, różnica okazała się niewielka, zapaliła się bowiem tylko pojedyncza lampa sufitowa w połowie długości korytarza. Wszystkie ustawione tam sprzęty, które wyłoniły się z mroku — wąskie stoliki, niskie kufry, kilka lamp stojących, walizka — były stłoczone pod ścianami.

Usłyszeli z końca korytarza niewyraźny szmer, może dwa głosy, i oboje ruszyli w tym samym momencie. Minęli kolejne drzwi z prawej strony i jeszcze jedne po lewej. Normalnie ten mrok zapewniłby jakąś ulgę od upału, ale tutaj tak nie było. Zastygłe na pozór w bezruchu powietrze rozprzestrzeniało się w korytarzu. Gdy szli, napierało na nich, nie chcąc ich przepuścić, przysparzając im tylko dodatkowych niewygód. Na odsłoniętych częściach ciała czuli wilgoć.

Przystanęli przed uchylonymi drzwiami i Brunetti miał już wykrzyknąć imię Vianella, gdy przypomniał sobie, że kobieta, o którą chodzi, jest wdową, mieszkała tu z jedynym synem, który właśnie zginął.

— Ty go zawołaj — polecił cicho swojej współpracownicy.

— Ispettore Vianello? — rzuciła Griffoni w szparę między drzwiami a futryną.

W odpowiedzi usłyszała szuranie odsuwanego krzesła po podłodze i w otwartych na oścież drzwiach ukazał się Vianello. Podobnie jak Brunetti był ubrany wakacyjnie — w dżinsy i koszulę z krótkimi rękawami. Wszelkie niedo-

statki powagi w ubiorze zostały z naddatkiem zrekompensowane wyrazem jego twarzy i głosem, którym rzekł:
— Commissario Griffoni. Commissario Brunetti. Chciałbym przedstawić wam signorę Fontanę, matkę ofiary. — Ostatnie słowo wypowiedział trochę ciszej.

Cofnął się powoli od drzwi i ruszył w stronę dwóch krzeseł, które stały na środku pokoju zwrócone oparciami ku oknom zasłoniętym rdzawoczerwonymi kotarami.

Mieszkanie przygotowało komisarza na spotkanie z jakąś skromną osobą: wyobrażał sobie siwe włosy ściągnięte w mały kok z tyłu głowy i patykowate łydki pod długą ciemną spódnicą. Tymczasem kobieta siedząca w pokoju była pulchna i tak niska, że głową nie sięgała nawet do szczytu oparcia. Miała krótkie kręcone włosy, ufarbowane na typowy dla kobiet w jej wieku ciemnorudy kolor. Makijażu nie potrzebowała: jej zaróżowione policzki świadczyły o dobrym zdrowiu, cera była gładka jak u młodej kobiety. Oczy, gdy Brunetti zbliżył się na tyle, żeby je zobaczyć, wydawały się należeć do zupełnie innej osoby lub innej twarzy. Z opadającymi powiekami i kącikami, głęboko osadzone, patrzyły na świat i na komisarza z ostrością, której śladów nie sposób było dostrzec w jej pulchnym ciele.

Wszedł w głąb pokoju za Griffoni, która pochyliła się nad kobietą i powiedziała:
— *Signora*, w tej strasznej chwili chciałabym złożyć pani moje kondolencje. — Gospodyni wyciągnęła dłoń i pozwoliła pani komisarz ją uścisnąć, ale nie odezwała się ani słowem.

Brunetti schylił się i rzekł:

— Przyłączam się do wyrazów współczucia mojej koleżanki, *signora*. — Dłoń, którą podała mu pani Fontana, była miękka niczym dłoń dziecka, skóra gładka i nieskalana starczymi plamami. Kobieta nie uścisnęła jego ręki, pozwoliła mu jedynie przytrzymać swoją przez kilka sekund.

Spojrzała na Vianella i zapytała cichym głosem:

— Czy ci państwo to właśnie koledzy, o których mi pan opowiadał, *ispettore*?

— Tak, *signora*. Obaj z commissario Brunettim pracujemy od lat, a commissario Griffoni została przeniesiona tutaj dzięki przykładnej służbie w innej komendzie.

Niezupełnie odpowiadało to prawdzie. W rzeczywistości zaś było kłamstwem. Gdy Claudia Griffoni pracowała w komendzie od prawie roku, komisarz odkrył, że przysłano ją tam, ponieważ przejawiała zbyt dużą aktywność w badaniu poczynań biznesowych jednego z polityków partii mającej aktualnie większość w parlamencie. Komendant ostrzegał ją, podobnie jak dwaj sędziowie pokoju, którzy pracowali nad tym samym śledztwem. Obaj radzili jej, by prowadziła dochodzenie bardziej subtelnie i nie rozmawiała z prasą. Dziennikarze jednak nie mogli się oprzeć chęci pokazania historii, w której role przeciwników odgrywali skazaniec i bardzo atrakcyjna komisarz policji, która przypadkiem była blondynką, a jej ojciec dwie dekady wcześniej doznał poważnych obrażeń w mafijnym zamachu na jego życie.

Tydzień po ukazaniu się artykułu ujawniającego, że ów polityk jest przedmiotem policyjnego śledztwa, Griffoni została przeniesiona do Wenecji, miasta, które nie słynęło z czynnej ingerencji w poczynania członków klasy politycznej lub mafii.

Komisarza wyrwał z zamyślenia głos pani Fontany, która powiedziała:

— *Ispettore*, mógłby pan przynieść krzesła swoim kolegom?

Kiedy siedzieli we czwórkę w nierównym kręgu, Brunetti rzekł:

— Zdaję sobie sprawę, *signora*, że będzie to dla pani strasznie trudny czas. Nie dość, że poniosła pani stratę nie do opisania, to jeszcze będzie pani musiała znosić najazd prasy i ludzi.

— Oraz policji — dodała błyskawicznie.

Komisarz posłał jej niewyraźny uśmiech i skinął głową.

— Oraz policji, *signora*. Ale różnica polega na tym, że nas interesuje znalezienie sprawcy, a prasa ma inne cele.

Vianello wyprostował się na krześle i zwrócił do Brunettiego.

— Pani Fontana już otrzymała propozycję od jednego z czasopism. Żeby opowiedzieć o sobie. I o swoim synu.

— Rozumiem — odparł komisarz, odwracając się do gospodyni. — Co pani im powiedziała?

— *Ispettore* rozmawiał z nimi w moim imieniu. I zgodnie z prawdą powiedział, że nie jestem zainteresowana. — Kobieta ściągnęła usta z afektacją w wyrazie dezaprobaty, lecz jej czujne oczy wyczekiwały reakcji Brunettiego.

Ten skinął głową z nieskrywaną aprobatą, której najwyraźniej pragnęła.

— I tak napiszą swoje — wtrącił Vianello — ale oczywiście nie będą mogli użyć fotografii rodzinnych.

163

— Przynajmniej z mojej strony rodziny — zastrzegła signora Fontana dość szorstko.

Komisarz puścił to mimo uszu i zapytał:

— Czy wie pani, kto mógłby pragnąć zaszkodzić pani synowi?

Pokręciła gwałtownie głową, ale ani jeden pukiel jej ondulowanych włosów nie zmienił położenia.

— Nikt nie mógł tego pragnąć. Araldo był takim dobrym chłopcem. Zawsze taki był. Ojciec tak go wychowywał, a gdy umarł, starałam się robić to samo.

Griffoni położyła dłoń na jej ręce i powiedziała coś, czego Brunetti nie dosłyszał, nie odniosło to jednak żadnego skutku. Wydawało się wręcz, że ją zdopingowało do dalszych wynurzeń.

— Był pracowity, uczciwy i oddany swej pracy. I mnie. — Kobieta ukryła twarz w dłoniach i jej ramiona zadrżały konwulsyjnie, ale nie wiedzieć czemu Brunetti uznał szczerość jej żalu, dopiero gdy odsunęła dłonie od twarzy i zobaczył jej łzy. Niczym niewierny Tomasz przekonał się wówczas, że naprawdę opłakuje syna, lecz to, jak okazywała swój żal, wciąż nie dawało mu spokoju, miał wrażenie, że jej powściągliwe oczy nakazały pulchnemu ciału zachowywać się w przekonujący sposób.

Kiedy przestała płakać i zacisnęła chusteczkę w lewej dłoni, Brunetti zapytał:

— Czy to, że pani syn nie wrócił wieczorem do domu, było rzeczą normalną?

Spojrzała na niego z urazą. Czyż jej łzy nie wykluczały niemożności udzielenia odpowiedzi na takie pytania?

— Nigdy nie wiedziałam, kiedy wracał do domu, *signo-*

re — odparła, zapomniawszy o randze Brunettiego albo postanowiwszy ją zignorować. — Proszę pamiętać, że miał pięćdziesiąt dwa lata. Miał swoich przyjaciół, a ja starałam się nie ingerować w jego życie.

Griffoni wypowiedziała pod nosem jakąś pochwałę pełnego cierpień macierzyństwa, a Vianello pokiwał głową z aprobatą dla matczynego poświęcenia signory Fontany.

— Rozumiem — rzekł komisarz, po czym zapytał: — Czy widywaliście się zazwyczaj rano, zanim wychodził do pracy?

— Oczywiście — odparła z naciskiem. — Nie pozwoliłabym mojemu chłopcu wyjść rano z domu bez caffè latte i chleba z dżemem.

— A dziś rano, *signora*? — zapytał Vianello.

— Pierwsze, co usłyszałam, było łomotanie do drzwi signora Marsano, który krzyczał, że stało się coś złego. Byłam jeszcze w koszuli nocnej, więc nie mogłam wyjść, ale zanim się ubrałam, była tu już policja i nie pozwolili mi zejść na dół. — Spojrzała na krąg otaczających ją współczujących twarzy i dodała: — Nie dopuścili matki do jej jedynego syna.

Brunetti znowu miał wrażenie, że wszystko to jest aranżowane w celu, którego nie rozumiał.

Gdy wydawało się, że signora Fontana trochę się uspokoiła, Griffoni zapytała:

— Czy wczoraj wieczorem powiedział pani, dokąd się wybiera?

Kobieta zignorowała pytanie i skierowała swoje słowa do Brunettiego.

— Chodzę spać wcześnie, *signore*. Gdy się kładłam, Araldo był tutaj. Zjedliśmy razem kolację.

— Słyszała pani, jak wychodził? — zapytała Griffoni.

Signora Fontana wyglądała na dotkniętą.

— Czemu wypytujecie mnie o to wszystko? Powiedziałam już: Araldo miał swoje życie. Nie wiem, co robił. Co jeszcze mam wam powiedzieć? — Jej głos zaczął wskazywać na znany Brunettiemu, może całej policyjnej trójce, stan, w którym przesłuchiwana osoba zaczyna postrzegać siebie jako ofiarę prześladowań. Stąd był jedynie krok do wybuchu gniewu, a od gniewu do agresywnej odmowy odpowiedzi na następne pytania.

Zwracając się do Griffoni, komisarz — z wyraźną reprymendą — stwierdził:

— Myślę, że *signora* odpowiedziała na wystarczająco dużo pytań, *commissario*. To chwila nieznośnego smutku i chyba należy oszczędzić jej dalszych cierpień.

Griffoni, mająca dość oleju w głowie, spuściła wzrok i wyraziła skruchę.

Potem, szybko, zanim signora Fontana zdążyła zareagować, Brunetti zwrócił się wprost do niej, mówiąc:

— Jeżeli życzyłaby sobie pani obecności kogoś z rodziny, proszę nam powiedzieć, a zrobimy co w naszej mocy, żeby się z tą osobą skontaktować.

Signora Fontana pokręciła głową, a jej loki znowu nie drgnęły.

— Nikogo — odparła, jakby ledwie mogła wydusić to z siebie. — Nie. Chyba chcę być sama.

Brunetti wstał szybko, a Vianello i Griffoni poszli w jego ślady.

— Jeżeli możemy służyć pani pomocą, wystarczy zadzwonić do komendy. A od siebie dodam, że razem z panią pokładam nadzieję w modlitwie, że *il Signore* pomoże pani jakoś przetrwać te okropne chwile — powiedział, po czym wyprowadził pozostałych dwoje policjantów, którzy mieli na tyle zdrowego rozsądku, by milczeć, z pokoju na korytarz.

Rozdział 16

— Niewiele brakowało — zauważył Vianello, gdy szli po schodach.

Brunetti był zadowolony, że inspektor postanowił skomentować sytuację. Gdyby zrobił to sam, Griffoni mogłaby odnieść wrażenie, że jego wyrzuty pod jej adresem były szczere.

— Świetnie, Claudio, że zrobiłaś taką skruszoną minę — dodał *ispettore.*

— Myślę, że w tej pracy wykształciłam w sobie umiejętność przetrwania.

Gdy wyszli na dziedziniec, ponowny kontakt ze słońcem mimo słabnącego pod wieczór upału podniósł Brunettiego na duchu.

— Jak zrozumiałaś jej słowa?

Sformułowanie odpowiedzi na to pytanie zabrało jej trochę czasu.

— Myślę, że ona strasznie cierpi. Ale myślę też, że wie o jego śmierci więcej, niż chce nam powiedzieć.

— Lub niż sama chce wiedzieć — ciągnął Vianello.

— Co chcesz przez to zasugerować? — zapytał komisarz, pamiętając, że przed ich przybyciem inspektor spędził z matką Fontany pewien czas.

— Myślę, że bez wątpienia kochała syna — odparł inspektor. — Ale powiedziałbym również, że wie coś, czego nam nie mówi, i czuje się z tego powodu winna.

— Nie na tyle jednak, by nam o tym powiedzieć?

— Wręcz przeciwnie — odparł błyskawicznie Vianello. — Mam wrażenie, że wie o nim coś, co by nas zainteresowało. — *Ispettore* zastanowił się i kontynuował: — Pozwoliłem jej mówić, pytałem, jakim był chłopcem, jak sobie radził w szkole, o tego typu sprawy. Matki zawsze chętnie mówią o swoich dzieciach.

Brunetti, który sam dość często tak robił, pomyślał, że zapewne dotyczy to wszystkich rodziców, nie tylko matek.

— Ilekroć odchodziłem od tematu lub pytałem, co robił w ostatnich latach, czy miał sukcesy w pracy, zawsze udawało się jej sprowadzić rozmowę z powrotem na przeszłość i opowiadać o czasach, gdy był małym chłopcem lub studentem.

— Z pewnością nie chciała rozmawiać o wczorajszej nocy — zauważyła Griffoni.

Vianello wysunął z kieszeni koszuli białą kopertę. Wyjął z niej małe zdjęcie portretowe w rodzaju tych, których używano do paszportu lub *carta d'identità*. Spoglądał z niego poważny mężczyzna w średnim wieku. Rzednące włosy, na lewym policzku kilka starczych plam — niczym niewyróżniające się oblicze, którego widok natychmiast skłaniał do przypuszczeń, że sfotografowany jest urzędnikiem państwowym z długim stażem pracy na tym samym stanowisku. Jego twarz była bez wyrazu, jakby się zmęczył czekaniem na zrobienie zdjęcia i zapomniał o uśmiechu.

— Jakiż smutny człowiek — zauważyła Griffoni z prawdziwym współczuciem. — Być tak smutnym, a potem umrzeć w taki sposób. Boże, to nie do zniesienia. — To ostatnie zdanie wypowiedziała z autentycznym współczuciem.

— Nie wiemy, czy był smutny — podkreślił Brunetti.

Griffoni dotknęła zdjęcia czubkiem palca i powiedziała:

— Spójrz tylko na niego. Na te oczy. I mieszkał z tą kobietą przez pięćdziesiąt dwa lata. — Wykonała ruch będący ni to wzruszeniem ramion, ni to drżeniem. — Biedaczyna.

Komisarz przypomniał sobie, co mówiła o nim signorina Elettra: „Biedak". Czyżby miał do czynienia z przykładem kobiecej intuicji i był zbyt tępy, żeby zrozumieć?

— Powiedziała coś, co musimy sprawdzić — rzekł Brunetti.

— Co? — zapytała Griffoni.

— Rodzina. Pamiętacie, jak powiedziała, że rodzina z jej strony nie przekazałaby zdjęć prasie?

Oboje skinęli głowami.

— Chciałbym się czegoś dowiedzieć o rodzinie jej męża, kto do niej należy i co mają do powiedzenia o Araldzie i jego matce. Odnalezienie ich nie powinno być trudne — wywnioskował Brunetti.

— Zobaczę, co da się zrobić — obiecał Vianello.

— Zucchero! — zawołał komisarz.

— Tak, *commissario*? — powiedział młody policjant, podchodząc.

— Jak długo jeszcze tu będziesz?

— Do ósmej, do zakończenia mojej zmiany, panie komisarzu.

— Nie ma powodu, byś tutaj sterczał — zdecydował Brunetti. — Chciałbym za to, żebyś sprawdził czy ktoś z mieszkających w pobliżu słyszał coś wczoraj w nocy, po dwudziestej czwartej. Potem, gdy wrócisz do komendy, spróbuj odszukać Alvisego. Dowiedz się, czy mają nazwiska osób, które tu były, gdy przyjechali.

Młody mężczyzna skinął głową.

— Ale nie daj mu poznać, że to właśnie chcesz wiedzieć. Rozumiesz?

Tym razem Zucchero skinął głową i się uśmiechnął.

— Zatem znasz Alvisego? — mimo woli zapytał komisarz.

— Należał do zespołu, który mnie wprowadzał, *commissario* — odparł obojętnie młody funkcjonariusz.

— Rozumiem — rzekł Brunetti tym samym tonem, po czym odwrócił się do Griffoni i Vianella, mówiąc: — Kupmy coś do jedzenia.

Weszli do pierwszego napotkanego baru i poprosili o talerz *tramezzini*. Gdy Vianello napoczął pierwszą kanapkę, zerknął na zegarek i rzekł:

— Nadia zaczyna właśnie wyjmować krewetki ze skorupek. — Pozostali byli zajęci jedzeniem, więc ciągnął dalej: — Kupiliśmy je na plaży dzisiaj rano, gdy przypłynęły kutry rybackie. Dwa kilo. Za dziesięć euro, a niektóre jeszcze żyły.

— Dokładnie tak jak w prospektach dla turystów — zauważyła Griffoni i pociągnęła spory łyk wody mineral-

171

nej. — Odbywają się tam tradycyjne tańce w strojach ludowych?

Vianello roześmiał się i odparł:

— Prawie. Trzy kilometry dalej jest wioska turystyczna, gdzie mają to wszystko.

— Ale nie tam, gdzie mieszkacie?

— Nie — odparł zaskakująco szorstko.

— Gdzie się zatrzymaliście? — zapytała Griffoni ze szczerym zainteresowaniem.

— Och, w małym miasteczku na północ od Splitu.

— Jak tam trafiliście?

— Przez znajomego. — Vianello wstał i podszedł do baru, by kupić trzy następne szklanki wody.

Brunetti skorzystał ze sposobności, by wyjaśnić ściszonym głosem:

— Z tego, co mówił, domyślam się, że domek należy do krewnego kogoś, kto... dostarcza mu informacji. Tamten ożenił się z Chorwatką i wynajmują go znajomym.

Gdy Vianello dołączył do nich z powrotem, powiedział z nagłą powagą:

— Nikt nie pamięta o mojej ciotce.

Brunetti już miał zaprotestować, że przecież trzeba było zająć się morderstwem, musiał jednak przyznać, że Vianello ma rację: zapomnieli o jego ciotce, zanim jeszcze wyruszyli na wakacje. Można było złożyć to na karb braków kadrowych lub trudności w obserwacji domu Goriniego, czy nawet wątpliwej legalności tego, co robili, Brunetti zdawał sobie jednak sprawę, że to tylko wymówki.

— Co twój kuzyn zamierzał zrobić podczas twojego urlopu? — zapytał.

— Zabiera swoją matkę do Lignano na dwa tygodnie — odparł Vianello.

— W porządku. Mamy zatem dwa tygodnie, by spróbować dowiedzieć się czegoś o metodach działania Stefana Goriniego.

— Mimo toczącego się śledztwa? — zapytał Vianello niemal ze skruchą, wskazując ręką w stronę *palazzo*, z którego właśnie wyszli.

— Owszem. Ale potrzebna nam będzie kobieta.

— Słucham? — przerwała im Griffoni, odkładając niedojedzoną kanapkę.

— Żeby poszła do niego na konsultację — dodał Brunetti — czy jak to się tam nazywa.

— Bo jesteśmy bardziej łatwowierne? — zapytała obojętnym tonem.

— Nie zaczynaj, Claudio — zaryzykował Brunetti, mając nadzieję, że jej nie obrazi.

Nie obraził.

— Przepraszam. Czasami zapominam, z kim mam przyjemność — powiedziała z uśmiechem.

— Wobec kobiety będzie mniej podejrzliwy.

— Prowokacja? — zasugerował Vianello, ostrzegając przed możliwością pojawienia się takiego zarzutu i wpływem, jaki może on mieć w sprawie, która w końcu mogłaby zostać wniesiona przeciwko Goriniemu.

— W takim razie potrzebujemy kobiety, która nie jest formalnie związana z policją — stwierdził Brunetti.

— Starszej kobiety — dodał inspektor.

— Z pewnością — zgodziła się Griffoni.

— Masz jakieś pomysły? — zapytał Vianello.

Gdyby na niebie były jakieś chmury, zapewne rozstąpiłyby się, aby aureola olśnienia otoczyła skroń komisarza, gdy mówił:

— Moja teściowa.

Rozdział 17

— Och, Guido, to kompletnie niedorzeczne. Chyba naprawdę upał dał ci się we znaki. — Najwyraźniej teściowa Brunettiego nie chciała się dać zwerbować. Późnym popołudniem tego samego dnia siedziała naprzeciw niego w białej lnianej koszuli wypuszczonej na spodnie z czarnego jedwabiu. Niedawno ostrzygła się po męsku i Brunetti nie potrafił wyzbyć się myśli, że z tyłu wyglądała jak siwowłosy wyrostek. Jej ruchy nadal były szybkie i stanowcze, zdecydowanie przypominały gestykulację znacznie młodszej osoby. To, że podczas spacerów po mieście często z trudem za nią nadążał, przypisywał jej drobnej figurze — sprawiała, że hrabina łatwiej przechodziła przez zatłoczone ulice, a innych w Wenecji już nie było.

Siedział przy niskim stoliku, mając przed sobą swojego drugiego *spritza*, i obserwował odbicie zachodzącego słońca w oknach kamienicy usytuowanej vis à vis Palazzo Falier. Po raz pierwszy w tym dniu Brunetti się rozluźnił. Tłumaczył to wpływem alkoholu i chłodem, który panował w wysokich pokojach niezależnie od temperatury na zewnątrz. Siedział, przyglądał się trzepoczącym zasłonom

175

i myślał, jak mógłby tę kobietę przekonać do wizyty u signora Goriniego.

— To by pomogło inspektorowi — powiedział, mimo że jego teściowa spotkała Vianella tylko raz, i to na ulicy, a ich kontakt trwał raptem dwie minuty.

Spojrzała na zięcia, ale nie raczyła odpowiedzieć. Pochyliła się, wypiła łyk swojego pierwszego *spritza* i odstawiła kieliszek. Wokół oczu miała promieniste zmarszczki, ale skóra na kościach policzkowych i podbródku była napięta. Wiedział od Paoli, że Donatella Falier zawdzięcza to genom, nie zabiegom chirurgów plastycznych.

— To mogłoby też pomóc tej staruszce — dodał.

— Jedna staruszka pomagająca drugiej? — stwierdziła lekko.

Brunetti roześmiał się, wiedząc, że wiek nie jest dla niej tematem drażliwym.

— W żadnym razie. Chodzi raczej o pomoc kobiety z klasy wyższej dla pewnej cnotliwej biedaczki.

— A ja mam wystąpić bez lornionu i diademu.

— Mówię poważnie, Donatello. Nikt inny nie pomoże tej kobiecie. Ktoś nią manipuluje, ale ona nie chce słuchać krewnych, nie są więc w stanie jej pomóc. Ten bankowiec najwyraźniej nie potrafił przemówić jej do rozsądku. A gdyby wiedziała, że sprawdzamy Goriniego... co jest działaniem całkowicie wbrew zasadom, a więc nielegalnym... na pewno zerwałaby stosunki z Vianellem. Wiem, że to by go strasznie zraniło.

— Zatem ratowanie członka niższych warstw społecznych staje się obowiązkiem arystokracji? — zapytała hrabina, biorąc niższe warstwy społeczne w ironiczny cudzysłów.

176

— Coś w tym rodzaju — odparł Brunetti i wypił kolejny łyk alkoholu.

— Macie dowód, że ten Gorini jest szarlatanem?

— Od dawna słynie z nieuczciwości.

— Podobnie jak nasi drodzy liderzy — powiedziała szeptem.

Brunetti puścił to mimo uszu.

— Masz ochotę na jeszcze jednego drinka? — zapytała, widząc, jak niewiele zostało w jego szklance.

— Nie. Chcę pojechać do domu i coś zjeść, zadzwonić do Paoli i położyć się spać. Spędziłem dzisiaj wiele godzin w pociągach. — Postanowił nie mówić jej o rozpoczynającym się śledztwie w sprawie morderstwa. Będzie mogła przeczytać o nim jutro.

— Myślisz, że ów signor Gorini jest złym człowiekiem?

Komisarz spojrzał w okna naprzeciw i odetchnął z ulgą, ujrzawszy, że światło słońca jeszcze bardziej przygasło.

— Dotychczas nic nie wskazywało na to, by używał przemocy — odparł w końcu. — Nigdy go o to nie oskarżono. Ale owszem, rzeczywiście myślę, że to zły człowiek. Szuka słabych punktów i próbuje je wykorzystywać. W przeszłości okradał państwo, ale wygląda na to, że zdał sobie z tego sprawę: oszukiwanie ludzi jest łatwiejsze. Państwo się obroni, ale nie ma dość czasu na obronę obywateli. — Zamierzał na tym poprzestać, ale zmienił zdanie i dodał: — A tym bardziej nie ma w tym interesu.

— I mówi to urzędnik państwowy — zauważyła hrabina.

Gdyby nie zmęczenie, Brunetti bardzo chętnie dalej przekomarzałby się z nią na ten temat, jak często robił to w przeszłości. Spoglądać na świat z szyderstwem nauczył Paolę ojciec. Komisarz był o tym przekonany. Ale to matka przekazała Paoli zmysł ironii, łagodzący ostrość widzenia.

Brunetti położył dłonie na oparciach fotela i już podnosił się z niego, gdy teściowa zaskoczyła go, mówiąc:

— Dobrze.

— Słucham?

— Dobrze. Zrobię to. Porozmawiam z tym człowiekiem i zobaczę, co knuje. Musisz jednak znaleźć usprawiedliwienie mojej wizyty u niego. Nie mogę przecież tak po prostu wejść z ulicy i powiedzieć, że zobaczyłam jego nazwisko przy dzwonku do drzwi i pomyślałam, że mógłby znaleźć astrologiczne rozwiązanie wszystkich moich problemów, prawda?

— Raczej nie — zgodził się komisarz, siadając w fotelu. — Każę signorinie Elettrze sprawdzić, czy jest miejsce, gdzie się ogłasza lub gdzie zainteresowani mogą dowiedzieć się o nim czegoś więcej.

— W komputerze? — zapytała, nie mogąc ukryć zdumienia.

— Żyjemy w nowej epoce, Donatello.

Gdy tylko dotarł do domu, otworzył na oścież wszystkie okna i wyszedł na taras, licząc na to, że gorące powietrze podąży w ślad za nim. Firanka musnęła jego nogę, gdy w pogoni za ulatującym powietrzem uniosła się nad progiem tarasu. Po dziesięciu minutach wrócił do chłodniejszego mieszkania.

Sądząc, że nie będzie ich w domu przez dwa tygodnie, Paola opróżniła lodówkę i zostało w niej tylko parę cebul, dwa pojemniki z jogurtem naturalnym i kawałek pakowanego próżniowo *parmigiano* w dolnej szufladzie. Brunetti otworzył szafkę i znalazł słoiczek z pesto, sześciopak pomidorów w puszce oraz słój czarnych oliwek.

Zadzwonił na komórkę do Paoli. Odebrała i powiedziała bez żadnych wstępów:

— Usmaż cebulę, a potem dodaj pomidory i oliwki. Są wydrylowane. Koniecznie włóż parmezan do nowego woreczka foliowego, tego z suwakiem.

— Też strasznie za tobą tęsknię — rzekł Brunetti.

— Nie zachowuj się arogancko, mój panie, bo ci powiem, że jest czternaście stopni, a ja chodzę po domu w swetrze.

Komisarz zaczął się bronić, lecz Paola dodała:

— A w kuchence jest ogień.

— Znam wielu prawników, którzy zajmują się rozwodami.

— Dziś po południu poszliśmy na spacer. Trzy godziny w pełnym słońcu, a Ortler jest nadal pokryty śniegiem...

— Dobrze już, dobrze. Zmuszę Pattę do przyznania się i jutro przyjadę.

— Powiedz mi o tym porannym telefonie. Kto został zabity? — zapytała poważnym tonem.

— Pracownik sądu. To mógł być tragiczny w skutkach bandycki napad.

Paola była żoną tego mężczyzny od ponad dwudziestu lat, więc zapytała:

— „Mógł być"? Czy to znaczy, że przypuszczalnie był to napad rabunkowy, czy że Patta próbuje udawać, że on zginął przypadkiem?

179

— Mógł być. Zginął na dziedzińcu swojego domu i znaleziono go dopiero dziś rano. Jeszcze nie wiem, co zrobi Patta.

— Masz jakieś pomysły?

— Tylko luźne — odparł.

Ponieważ Paola zapytała o sprawę morderstwa, Brunetti nie czuł potrzeby, by mówić żonie, że zwerbował jej własną matkę do pomocy w policyjnym badaniu czegoś, co mogło być kolejnym przestępstwem. Żeby uniknąć tego tematu, zapytał:

— Jak tam dzieci?

— Zmęczone. Nakarmiłam je i teraz próbują nie zasnąć przed dziesiątą. Chyba wciąż sądzą, że tylko maluchy kładą się spać wcześniej.

— Och, żeby tak być małym dzieckiem! — krzyknął Brunetti.

— Dobra. Zrób sos i zjedz. Potem idź spać. Wtedy będzie już grubo po dziesiątej.

— Dzięki. Mam nadzieję, że u was nadal będzie słonecznie i na tyle chłodno, byś musiała cały czas nosić sweter.

— Jak jest u ciebie?

— Gorąco.

— Idź zjeść, Guido.

— Dobrze — odparł, pożegnał się i odłożył słuchawkę.

Rozdział 18

Jeżeli następny dzień czymś się odznaczał, to tylko jeszcze większym skwarem, i Brunetti obudził się tuż po szóstej w wilgotnej pościeli i z niejasnym poczuciem, że w nocy często się budził. Pod nieobecność przedstawicieli domowej policji wodnej pozwolił sobie na luksus długiej kąpieli pod prysznicem, najpierw gorącym, następnie zimnym, a potem znowu gorącym. Co gorsza, w akcie antyekologicznej przesady, który ściągnąłby na niego głośne potępienie obojga jego dzieci, pozwolił sobie na golenie pod prysznicem.

Nie zawracał sobie głowy parzeniem kawy, tylko wstąpił do pierwszego mijanego po drodze baru, później do *pasticcerii* Ballarin, na cappuccino i brioszkę. Wcześniej kupił gazety w *edicola* pod swoim domem i położył „Il Gazzettino" na okrągłym stoliku. Popijając cappuccino, spoglądał na nagłówek. „Urzędnik sądowy zamordowany". Cóż, sformułowanie raczej bez zarzutu. Artykuł był zaskakująco jasny: podawał godzinę znalezienia ciała i przypuszczalną przyczynę śmierci.

Dalej jednak autor pisał według modły, którą Brunetti nazywał metodą *il gazzettino*. Współpracownicy zamordowanego mówili o jego wielu zaletach, powadze, oddaniu kwestii sprawiedliwości, o jego biednej matce, wdowie, która teraz musiała zmierzyć się ze śmiercią jedynego syna. Potem zaś, jak zawsze, pojawiła się przebiegła insynuacja — bardzo starannie ubrana w dyskretną szatę niewinnych spekulacji — w kwestii sprawstwa tej strasznej zbrodni. Czyżby ofiara wplątała się w jakiś proceder, który doprowadził do jej śmierci? Czy praca Fontany w Tribunale zapewniła mu dostęp do informacji, które okazały się niebezpieczne? Nic nie zostało stwierdzone, ale wszystko było zrozumiałe samo przez się.

Brunetti złożył gazetę, zapłacił i w potężniejącym skwarze ruszył do pracy. Gdy dotarł tam grubo przed ósmą, sporządził listę rzeczy, które musiał sprawdzić. Najpierw wyniki sekcji zwłok, która powinna była się odbyć poprzedniego dnia. Następnie sprawa krewnych ze strony Fontany: być może Vianello zdołał ich odnaleźć. Musiał także poznać nazwiska osób wplątanych w różne sprawy, w których sędzia Coltellini tak długo odraczała swoje decyzje. I jak to się stało, że Fontana i jego matka płacili Punterze tak śmiesznie niski czynsz?

Podszedł do otwartego okna swojego gabinetu, w którym bezwładnie wisiała firanka, i na fasadzie kościoła San Lorenzo szukał wskazówki, od czego najlepiej zacząć.

Nagle zniecierpliwiony zadzwonił do Ospedale Civile i dowiedział się, że *dottor* Rizzardi będzie tam do południa. Poprosił o powiadomienie lekarza, że się do niego wybiera, i opuścił komendę. Zanim dotarł do Campo ss. Giovanni e Paolo, koszula i marynarka kleiły mu się do grzbietu, a stopy nieprzyjemnie ocierały się o buty. Przemierzenie otwartego *campo* miało podać w wątpliwość jego zdrowy rozsądek i sensowność spaceru.

Poszedł do gabinetu Rizzardiego, ale tam usłyszał, że lekarz nie wrócił jeszcze z kostnicy. Samo to słowo sprawiło, że tylko częściowo rozproszył się upał. Powietrze, które zawirowało, gdy otworzył drzwi, zabrało całą resztę. Koszula i marynarka wciąż kleiły mu się do grzbietu, irytacja ustąpiła miejsca ponuremu przygnębieniu.

Rizzardi stał przy umywalce, myjąc ręce, i komisarz odetchnął z ulgą na ten widok. To, że misy umywalek w tym pokoju były tak głębokie i nisko zawieszone, zawsze przepełniało Brunettiego nieokreślonym niepokojem, nigdy jednak nie chciał o to pytać.

— Pomyślałem, że do ciebie wpadnę — powiedział Brunetti. Rozejrzał się po pokoju: trzy przykryte postaci leżały w rzędzie na lewo od Rizzardiego. — Chciałem cię zapytać o Fontanę.

— No tak — odparł Rizzardi, wycierając ręce w cienki zielony ręcznik. Starannie wytarł każdy palec z osobna jednej dłoni, po czym przełożył ręcznik do drugiej ręki i powtórzył tę czynność. — Zginął od trzech uderzeń w głowę, jeżeli więc ktokolwiek sądzi, że zmarł wskutek upadku, to może o tym zapomnieć: nie upadł trzy razy. — Lekarz skończył wycierać ręce. — Na lewej skroni ma siniec świadczący o tym, że został uderzony, może nawet pięścią.

— Czy to ten posąg? — zapytał Brunetti.

— Był przyczyną śmierci?

Gdy Brunetti skinął głową, lekarz rzekł:

— Bez wątpienia. Były na nim krew i resztki kory

mózgowej, a kształt rany idealnie odpowiadał układowi głowy posągu.

Brunetti powstrzymał się przed pytaniem, gdzie trafił posąg. Rizzardi złożył ręcznik wpół i położył go na brzegu zlewozmywaka.

— Można by założyć, że ktoś go uderzył... to tłumaczyłoby ten siniec... a on upadł na posąg. — Rizzardi pochylił się i przytrzymał dłoń na wysokości około czterdziestu centymetrów od podłogi. — Głowa lwa znajdowała się mniej więcej tu, musiałby więc upaść na nią z pewną siłą. — Wstał, dodając: — Wtedy wystarczyłoby unieść jego głowę i uderzyć nią o posąg. Byłoby to dość łatwe.

— Jak długo konał? — zapytał Brunetti.

— Z tego, co widziałem, każdy z tych ciosów mógł być zabójczy, ale wypełnienie mózgu przez krew i blokada funkcji życiowych trochę by trwały.

— Nie miał żadnych szans?

— Na co?

— Gdyby znaleziono go wcześniej?

Rizzardi odwrócił się i oparł o umywalkę, skrzyżował nogi w kostkach, a potem ręce na piersi. Ponieważ pod cieniutkim kitlem nosił tylko lekką bawełnianą koszulę i spodnie, niemal boleśnie świadom zimna Brunetti zastanawiał się, czy stojąc w tej pozycji, próbuje się ogrzać. Obserwował, jak Rizzardi przetwarza jego pytanie, jakby analizował informacje, które miały dostarczyć odpowiedzi.

— Nie — odparł Rizzardi. — Nie po drugim i trzecim uderzeniu. Są ślady... tak naprawdę delikatne siniaki... z obu stron podbródka i szyi, za którą był przytrzymywany. — Żeby to zobrazować, lekarz uniósł dłonie i udał, że coś w nich zgniata. — Sądzę jednak, że zabójca nosił rękawiczki albo osłonił czymś ręce.

— Skąd o tym wiesz?

— Gdyby miał gołe ręce, siniaki byłyby ciemniejsze, gładsze na brzegach, ale nastąpiło coś w rodzaju efektu wyściółki. Gdyby miał gołe ręce, paznokcie, choćby najkrótsze, pociełyby skórę. — Rizzardi uniósł ręce, jakby miał zamiar powtórzyć ten gest, ale pozwolił im opaść.

Ściągnął kitel i powiesił go na brzegu zlewozmywaka równiutko z ręcznikiem.

— Jest coś jeszcze — dodał głosem, który przykuł uwagę Brunettiego. — Sperma. — Mówiąc to, Rizzardi skierował spojrzenie ku trzem przykrytym ciałom, ponieważ jednak po tej samej stronie znajdowały się również drzwi do chłodzonego pomieszczenia, w którym trzymano zwłoki, komisarz zignorował ten gest.

Czytał kiedyś historyczne relacje o spontanicznej ejakulacji wisielców. Być może zachodził tu podobny przypadek. A może zanim Fontana wrócił do domu, był z jakąś kobietą. Zważywszy na charakter jego matki, to, że ten biedak robił takie rzeczy poza domem, było zrozumiałe.

Milczenie Brunettiego trwało na tyle długo, że Rizzardi wyjaśnił:

— Była w jego odbycie.

— *Oddio!* — wykrzyknął komisarz, gdy elementy rzeczywistości przemieszały się w jego umyśle i układały w zupełnie nowy obraz.

— Wystarczająco dużo, by zidentyfikować tego mężczyznę?

— Jeżeli go znajdziesz — odparł Rizzardi.

— Czy próbka powie nam coś o nim?

Co znaczy wzruszenie ramion i czy znaczy to samo, gdy w tle słychać szum lodówki? Bez względu na odpowiedź, Brunetti uznał, że właśnie ją usłyszał, gdy lekarz uniósł i opuścił ramiona.

— Wskażę grupę krwi, ale żeby powiedzieć cokolwiek więcej, trzeba mieć próbkę od tego drugiego mężczyzny.

— Ile potrwa określenie grupy krwi?

— Nie powinno trwać długo — zaczął Rizzardi. — Ale...

— Ale mamy sierpień — skończył za niego Brunetti.

— Właśnie. Może więc potrwać tydzień.

— Lub dłużej?

— Niewykluczone.

— Możesz ich ponaglić?

— Jestem pewien, że w tej chwili każdy policjant w tym kraju zadaje to samo pytanie każdemu *medico legale*, a ten zadaje je laborantom.

— Zakładam, że nie możesz?

Rizzardi zrobił kilka kroków od umywalki i zatrzymał się przy głowie jednej z zakrytych postaci. Spoconymi plecami Brunettiego wstrząsnął dreszcz.

— Kiedyś wysłałem do laboratorium próbki DNA — odparł lekarz. — Chodziło o sprawę w Mestre... i wyniki przyszły po dwóch tygodniach.

— Rozumiem — rzekł Brunetti. Obrócił się nieznacznie, sprawiając, że ten gest wydał się całkiem swobodny, i postąpił kilka kroków w stronę drzwi na korytarz. Wydał z siebie krótkie kaszlnięcie, które mogło być spowodowane przeziębieniem, i powiedział: — Ettore, chcę cię o coś zapytać i chcę, żebyś wierzył, że mam ku temu uzasadniony powód.

Rizzardi posłał mu spokojne spojrzenie.

— O co? Albo o kogo?

— O signorinę Montini. Elvirę Montini.

Komisarz czekał. Rizzardi w zamyśleniu wyciągnął rękę ku zakrytej tkaniną postaci i Brunetti poczuł ucisk w piersi, lecz lekarz tylko wygładził zmarszczkę na materiale. Nie odwracając wzroku od zakrytych zwłok, Rizzardi rzekł:

— To nasz najlepszy pracownik. Przez lata, ponad dekadę, wyświadczyła mi wiele przysług.

— Podziwiam twoją lojalność, ale ona może być związana z kimś, z kim nie powinna się wiązać.

— Z kim?

Brunetti pokręcił głową.

— Nie jestem jeszcze pewien.

— Ale będziesz?

— Tak myślę.

— Obiecasz mi coś? — zapytał lekarz, wreszcie patrząc na komisarza. Przez te wszystkie lata Rizzardi nigdy nie prosił go o przysługę.

— Jeśli będę mógł.

— Ostrzeżesz ją, jeśli będzie na to czas?

Brunetti nie miał pojęcia, co to może oznaczać — jakie lawirowanie w przepisach prawa, jakie sprzeniewierzenie się zasadom.

— Jeżeli będzie na to czas. Tak.

— W porządku — rzekł Rizzardi, a jego twarz złagodniała, ale tylko trochę. — Minął rok, odkąd jej koledzy zaczęli zauważać, że coś nie gra, a przynajmniej tyle czasu, że powiedzieli mi o tym. Jest markotna, niezadowolona lub czasem nadmiernie zadowolona, ale ten nastrój nigdy nie trwa dłużej niż kilka dni. W przeszłości jej praca była zawsze perfekcyjna: stanowiła wzorzec, do tego poziomu starali się dostosować inni pracownicy laboratorium.

— A teraz?

Rizzardi odwrócił się od zakrytej postaci i zaczął iść w stronę drzwi. Tuż przed nimi zatrzymał się i zawrócił, by napotkać spojrzenie komisarza.

— Teraz przychodzi spóźniona lub w ogóle nie przychodzi. I popełnia błędy, miesza próbki, upuszcza różne rzeczy. Nie zrobiła nic na tyle poważnego, by zaszkodziło to jakiemuś pacjentowi, ale ludzie zaczynają podejrzewać, że do tego dojdzie. Jeden z jej współpracowników powiedział mi, że ma wrażenie, iż ona nie ma odwagi zrezygnować i chce, żeby ją zwolniono.

Rizzardi przerwał.

— Jaka ona jest?

— To dobra kobieta. Zamknięta w sobie, samotna, niezbyt atrakcyjna. Ale dobra. Przynajmniej ja tak bym ją określił. Ale nikt nie jest wszechwiedzący.

— Rzeczywiście — potwierdził Brunetti. — Dzięki, że mi powiedziałeś. — Po czym, czując się w obowiązku dotrzymać obietnicy, której nie rozumiał, dodał: — Zrobię, co będę mógł.

— Dobrze — rzekł Rizzardi. Wyszedł, nie zamykając drzwi, a komisarz pośpieszył na korytarz, gdzie było cieplej.

Idąc powoli w stronę wyjścia, Brunetti minął bar pełen ludzi w piżamach lub w ubraniach codziennych. Kiedy dotarł na trawiasty dziedziniec dawnego klasztoru, usiadł na niskim murku. Niczym nurek wynurzający się na powierzchnię, musiał przystosować się do wyższej temperatury, zanim znów wyjdzie na słońce. Gdy tak siedział, pomyślał o zmarłym Fontanie, widząc wszystko w nowej perspektywie. Nigdy nie pozna uczuć tego człowieka do matki — one nigdy nie są proste u żadnego mężczyzny. Lecz miłe gesty Fontany wobec pani sędzi Coltellini trzeba było teraz analizować pod innym kątem. Nie była to nieszczęśliwa miłość ani przypadek odtrąconych uczuć. Co takiego powiedziała signorina Elettra? Że wyglądało, iż jest jej wdzięczny, jak zanoszący modły do Madonny jest wdzięczny za wysłuchanie modlitwy. Gdyby jednak jego wysłuchana modlitwa nie miała nic wspólnego z magią romansu, to z czym? Przypomniał sobie słowa Bruski: jeżeli wyeliminujesz seks, zostają pieniądze, tylko pieniądze.

Szary kot przeszedł po trawniku i wskoczył na murek obok komisarza, który wysunął dłoń i kot wtulił w nią głowę. Brunetti podrapał go za uszami i kot położył się przy jego udzie. Przez kilka minut komisarz głaskał go po łepku, aż ku jego zaskoczeniu puszysty czworonóg zasnął. Przesunął go delikatnie, mówiąc: „Mówiłem ci, żebyś nie nosił futra", i ruszył z powrotem do komendy.

Wydawało się, że signorina Elettra poczuła radość, gdy go zobaczyła, ale się nie uśmiechnęła.

— Przykro mi, że pańskie wakacje zostały skrócone, *commissario* — powiedziała, gdy wszedł.

— Mnie też. Żona i dzieci chodzą w swetrach, a wieczorem palą w kominku.

— Pojechaliście do Górnej Adygi, prawda?

— Owszem, ale ja dotarłem tylko do Bolzano.

Pokręciła głową zniesmaczona sytuacją, po czym zapytała:

— Co mogę dla pana zrobić?

— Znalazła pani nazwiska osób zamieszanych w sprawy wyszczególnione w tamtych dokumentach?

— Niestety, dopiero dziś rano — odparła, wskazując papiery leżące na biurku. Brunetti rozpoznał dokumenty sądowe, które mu wcześniej przysłano. — Miałam zamiar przynieść je na górę.

Brunetti zerknął na zegarek i zobaczył, że jeszcze nie ma jedenastej.

— W takim razie dobrze, że tu przyszedłem.

Sekretarka Patty podsunęła mu dokumenty.

— Dwie z tych spraw dotyczą signora Puntery — powiedziała, wskazując na te, które zakreślił ołówkiem i czerwonym długopisem.

— Signor Puntera — stwierdził komisarz. — Bardzo ciekawe. — Skinieniem głowy dał jej znak, żeby mówiła dalej.

— Pierwsza to roszczenie odszkodowawcze ze strony rodziny pewnego młodego mężczyzny, który doznał obrażeń w jednym z magazynów Puntery.

— Tutaj?

— Tak. Puntera nadal ma dwa magazyny w pobliżu Ghetta. Składują w nim materiały dla jednej z jego firm prowadzącej renowację budynków.

— Co się stało?

— Ten młody człowiek... to był dopiero trzeci dzień pracy tego biedaka... nosił worki z cementem do łodzi

190

w kanale za magazynem. Drugi pracownik był na łodzi, układał je w sterty. Gdy pierwszy przez jakiś czas nie wracał, poszedł go szukać i znalazł tamtego, to znaczy zobaczył jego stopy na posadzce. Leżał przysypany workami z cementem.

— Co się stało?

— A któż to wie? — zapytała retorycznie Elettra. — Nikt nic nie widział. Obrońcy twierdzą, że pewnie wysunął jeden worek z dołu sterty lub że wcześniej nie ułożył wszystkich prawidłowo. W magazynie znajdował się mały ciągnik do załadunku palet z workami piasku i adwokat powoda twierdzi, że kierowca ciągnika musiał coś obruszyć z drugiej strony sterty. Kierowca zaprzecza temu i zapewnia, że cały ranek spędził w drugim końcu magazynu.

— Co stało się tamtemu?

— Upadł na twarz i został przysypany workami. Niektóre pękły i cement wysypał się na niego. Złamał nogę i rękę, ale znacznie groźniejszy w skutkach był brak tlenu.

— Jak poważny jest jego stan?

— Adwokat twierdzi, że zachowuje się jak małe dziecko.

— *Maria Vergine* — wyszeptał Brunetti, wyobrażając sobie zaskoczenie chłopaka, jego przerażenie, potworne uczucie, że został pogrzebany żywcem. — Adwokat... — powtórzył. — Kto wniósł sprawę?

— Rodzice chłopaka. Będzie potrzebował opieki do końca życia, a oni nie chcą, żeby był w państwowym szpitalu.

Komisarz skinął głową: żaden rodzic nie chciałby tego dla swojego dziecka. Ani dla siebie. Ani dla sąsiadów.

— Co jeszcze?

— Jego adwokat powiedział mi, że na wstępie Puntera złożył rodzinie własną ofertę rekompensaty, uzależnioną od wycofania pozwu. Odmówili, więc sprawa trafiła do sądu, ale od samego początku wszystko szło jak po grudzie. Były opóźnienia i odroczenia.

— Rozumiem — rzekł komisarz. Spojrzał na dokument i spostrzegł, że wypadek miał miejsce ponad cztery lata temu. — A do czasu rozstrzygnięcia sprawy w sądzie, gdzie jest ten chłopak?

— W szpitalu w Mestre, ale rodzice zabierają go na weekendy do domu.

— I co dalej? — zapytał Brunetti, choć nie było powodu, by signorina Elettra znała odpowiedź.

Wzruszyła ramionami.

— Prędzej czy później przyjmą ofertę Puntery. Kiedy zapadnie wyrok, nie wiadomo... sprawy cywilne i tak grzęzną w sądach na osiem lat... więc w końcu dadzą za wygraną. Tacy ludzie nie mogą płacić adwokatom przez lata.

— A ten chłopak?

— Adwokat twierdzi, że jego śmierć będzie wybawieniem dla nich wszystkich, również dla niego.

Brunetti milczał przez jakiś czas, po czym zapytał:

— A druga sprawa?

— Znowu te magazyny. Puntera nie jest ich właścicielem, tylko je wynajmuje. No, a właściciel chce się go pozbyć i je odzyskać, a potem przerobić na mieszkania.

— Niech ktoś szybko — zaczął błagać Brunetti — opowie mi o czymś, o czym jeszcze nie słyszałem w Wenecji.

Nie zważając na jego słowa, Elettra mówiła dalej:

— Im dłużej więc ta sprawa jest odraczana, tym dłużej może korzystać z magazynów.

— Ile trwa ta sprawa?

— Trzy lata. W pewnym momencie kazał swoim pracownikom protestować przeciwko eksmisji przed Cà Farsetti, tuż przed wejściem, z którego na ogół korzysta burmistrz.

— A pan burmistrz? Jaką zastosował wobec nich taktykę?

— Chodzi panu o to, jak uspokoił robotników, dając jasno do zrozumienia, że jego sympatia jest całkowicie po stronie ich pracodawców?

Komisarz uniósł z podziwem ręce, jakby przemówiła sama Sybilla Kumańska.

— Jeszcze nigdy nie słyszałem tak trafnej wykładni politycznej filozofii tego człowieka.

— Tym razem nasz drogi burmistrz uniknął problemu — wyjaśniła signorina Elettra. — Ktoś musiał mu powiedzieć, że pod ratuszem stoi tylko pięciu robotników, rzecz niewarta jego fatygi.

— Co zrobił?

— Skorzystał z bocznego wejścia.

— Kolejny dowód jego geniuszu — zauważył Brunetti. — A sprawa?

— Wygląda na to, że Puntera znalazł większe lokum w Margherze i przeniesie tam wszystko w przyszłym roku.

— A do tego czasu?

— Sprawa przypuszczalnie będzie się wlec w sądach — odparła, jakby to było najnaturalniejszą rzeczą w świecie.

— W tych dokumentach wyszczególniono też inne sprawy. Dowiedziała się pani czegoś? — zapytał z czystej ciekawości.

— Nie, *dottore*. Nie miałam czasu.

— Zostawmy je na razie — postanowił Brunetti. — Jeżeli znowu będzie pani rozmawiać ze swoim znajomym z sądu, spróbuje się pani dowiedzieć, czy wie coś o życiu intymnym Fontany?

— Sądząc z tego, co widziałam przedwczoraj w barze — odparła poważnym głosem — byłabym zaskoczona, gdyby je w ogóle miał.

— Może „tajemne" to lepsze słowo niż „intymne" — zauważył komisarz. Elettra podniosła wzrok, ale nie powiedziała ani słowa, ciągnął więc dalej: — Rizzardi znalazł dowody wskazujące na to, że był gejem.

Patrzył, jak na jej twarzy odmalowuje się zaskoczenie, a potem obserwował, jak wracając pamięcią do swojego krótkiego spotkania z Fontaną, signorina Elettra dokonuje takiego samego przewartościowania, jakiego on wcześniej dokonał.

— Och, oczy mają, a nie ujrzą — powiedziała, skrywając twarz w dłoniach i kręcąc pochyloną głową. — No jasne, no jasne.

Brunetti milczał, pozwalając jej przeanalizować wszystkie możliwości. Gdy podniosła głowę, zapytał:

— Czym w takim razie tłumaczy pani jego uwielbienie dla sędzi Coltellini?

Zamiast odpowiedzieć, oparła brodę na dłoni, dotykając palcami dolnej wargi jak zwykle, gdy chciała odpłynąć myślami. Zostawił ją samą sobie i podszedł do okna, ale i tam było duszno.

— Albo coś o nim wiedziała i nikomu nie mówiła, albo wyświadczyła mu przysługę i chciał jej jakoś odpłacić — usłyszał, jak Elettra dywaguje za jego plecami. Milczał w nadziei, że to nie koniec. — Wyglądało mi to na przesadną formę wdzięczności — dodała.

— Czy ta wdzięczność mogła wiązać się z tym, że Coltellini jest sędzią?

— Być może. Sprawiał wrażenie człowieka niskiego stanu. Może więc przyjaźń... choć nie jestem pewna, czy to właściwe słowo... z sędzią była rodzajem społecznego awansu lub dowodem jego pozycji. — Po chwili wahania dodała: — Czymś, co spodobałoby się jego matce.

— Ludzie wciąż myślą w ten sposób? — zapytał, odwracając się ku niej.

— Sądzę, że wielu ludzi myśli prawie wyłącznie o tym — padła szybka odpowiedź.

Brunetti pamiętał, że musi jeszcze zapytać Vianella, czy udało mu się znaleźć krewnych nieboszczyka ze strony ojca Fontany. Zanim jednak opuścił sekretariat, rzekł:

— Chciałbym, żeby pani sprawdziła, czy istnieją jakieś powiązania między sędzią Coltellini a Punterą.

Signorina Elettra spojrzała na niego niemal z podziwem.

— A tak, powinnam była o tym pomyśleć. Ten czynsz. Oczywiście.

Komisarz odwrócił się do drzwi, ale przypomniał sobie, że musi znaleźć sposób, by jego teściowa nawiązała kontakt z Gorinim.

— Chciałbym też, żeby przede wszystkim zorientowała się pani, jak ludzie się dowiadują o usługach signora Goriniego... niezależnie od ich ewentualnego charakteru.

Wykonała zgrabny zamaszysty gest, który zakończył się wskazaniem obiema rękami ekranu komputera, jakby tam kryła się odpowiedź.

Brunetti nie był pewien, na ile ta sugestia przyda się jego teściowej. Podziękował jednak Elettrze i wrócił do swojego gabinetu.

Rozdział 19

Wydawało się, że komputerowe wróżby zyskują na popularności: Brunetti zastał Vianella przed monitorem w sali odpraw, oglądającego, jak jakiś mężczyzna układa karty na stoliku przed sobą. Krzesło inspektora było odsunięte od biurka, ręce miał skrzyżowane, stopy oparte na wysuniętej szufladzie. Trochę dalej za nim stał Zucchero z podobnie skrzyżowanymi rękami, także ze wzrokiem wbitym w ekran. Komisarz wszedł po cichu i stanął obok Vianella.

Mężczyzna na ekranie monitora dalej wpatrywał się w leżące na stole karty; widać było tylko czubek jego głowy, szerokie ramiona i okrągły korpus kamery. Wróżbita pocierał brodę niczym farmer przyglądający się barometrowi, niepewny, jak rozumieć jego wskazania.

— Mówi pani, że ten człowiek zapewniał, że się z panią ożeni? — zapytał nagle, nie odrywając wzroku od kart.

— Tak. Wiele razy — powiedział kobiecy głos dobiegający gdzieś z tyłu, z góry lub z dołu.

— Ale nigdy nie podał daty? — Głos mężczyzny nie mógł być bardziej obojętny.

— Nie — odparła kobieta po długim wahaniu.

Mężczyzna podniósł lewą dłoń i delikatnym ruchem palca przesunął jedną z kart nieco w lewo. Uniósł głowę i Brunetti po raz pierwszy zobaczył jego twarz. Była niemal idealnie okrągła, jakby na piłce namalowano oczy, nos i usta, a potem doklejono włosy, żeby upodobnić ją do głowy człowieka. Okrągła była nie tylko twarz, ale i oczy zwieńczone grubymi brwiami, które same stanowiły idealne półokręgi; w sumie dawało to efekt nieulakierowanej niewinności, jak gdyby ten człowiek dopiero co się urodził, być może w momencie wejścia do studia telewizyjnego, i jedyną rzeczą, na której znał się w życiu, było odwracanie kart i spoglądanie na widzów, by spróbować znaleźć pomoc w zrozumieniu tego, co w tych kartach wyczytał.

Zwracając się teraz bezpośrednio do kobiety, która oglądała go i słuchała z uwagą, zapytał:

— Czy kiedykolwiek mówił konkretnie o tym, kiedy zamierza się z panią ożenić?

Tym razem na jej odpowiedź trzeba było czekać jeszcze dłużej, a zaczęła się przeciągłym stęknięciem. Potem wyjaśniła:

— Musi najpierw zająć się paroma sprawami.

Brunetti słuchał wykrętów ludzi, których aresztował, zetknął się z rozmyślnymi próbami uchylania się od odpowiedzi, słuchał takich słów z ust prawdziwych mistrzów. Ta kobieta była amatorką, stosowała taktykę tak oczywistą, że mogłoby to budzić śmiech, gdyby nie fakt, że mówiła tak zbolałym głosem, jakby wiedziała, że nikt jej nie uwierzy, ale i tak nie potrafiła się powstrzymać od prób ukrycia tego, co oczywiste.

— Co to za sprawy? — zapytał wróżbita, patrząc prosto w obiektyw kamery i, takie można było odnieść wrażenie, prosto w kłamiące usta kobiety i w serce okłamującego ją mężczyzny.

— Jego separacja — odparła, mówiąc coraz wolniej i ciszej z każdą wypowiadaną sylabą.

— Jego separacja — powtórzył wróżbita, a każda sylaba była powolnym, ociężałym krokiem ku prawdzie.

— To nie jest ostateczna decyzja — zastrzegła. Starała się, by zabrzmiało to jak deklaracja, ale mogła tylko błagać.

Ich dialog odbywał się w tak powolnym tempie, że błyskawiczna szybkość, z jaką mężczyzna zapytał „Czy w ogóle wystąpił o separację?", zaskoczyła Brunettiego i wywołała gwałtowne westchnienie kobiety.

— Co mówią karty? — oddychając głośno, nieomal jęknęła.

Dotychczas mężczyzna siedział tak spokojnie, że gdy uniósł rękę, pokazując kamerzyście i kobiecie karty, które zostały w jego dłoni, ten gest zaskoczył komisarza.

— Naprawdę chce pani wiedzieć, co karty mają pani do przekazania, *signora*? — zapytał głosem, który teraz zabrzmiał zdecydowanie mniej życzliwie.

— Tak... tak — odparła w końcu. — Muszę wiedzieć. — Po tych słowach znowu usłyszeli jej zbolały oddech.

— W porządku, *signora*, ale proszę pamiętać, że pytałem. — W jego głosie pobrzmiewała powaga lekarza pytającego pacjentkę, czy chce poznać wyniki badań laboratoryjnych.

— Tak... tak — powtórzyła, niemalże błagając.

199

— *Va bene* — rzekł i złożył dłonie. Prawą ręką chwycił górną kartę i wysunął ją z talii. Kamera okrążyła go, uniosła się i pokazywała teraz nie jego okrągłą twarz, lecz karty w ujęciu z góry i zza pleców wróżbity. Przesunął kartę w prawo, trzymał ją nieruchomo przez kilka sekund, a potem z wolna odwrócił. Dżoker.

— Oszust, *signora* — zawyrokował wróżbita. Jego głos był zupełnie spokojny, wyprany z emocji, nieosądzający. Bezlitosny.

Nogi Vianella opadły z szuflady biurka na podłogę z takim hukiem, że Brunetti się przestraszył.

— Boże, ale z niego spryciarz — powiedział inspektor, sięgając ręką do wyłącznika monitora.

I właśnie nagłość poczynań Vianella uświadomiła komisarzowi, jak — dosłownie — zauroczony był rozmową tych dwojga ludzi. Słabe, samooszukujące się kobiece serce zostało obnażone z kliniczną bezstronnością przez człowieka, który równocześnie zaprezentował się jako ekspert zgłębiający tajemnice serca. Nieskłonny do refleksji widz z pewnością doszedłby do wniosku, że to człowiek, w którego rękach leżały odpowiedzi na pytania, które sam ledwie śmiał sobie zadać.

Cóż jednak w rzeczywistości zrobił wróżbita? Wsłuchał się w wyraźne wahanie i niepewność w głosie tej kobiety, w stosowane przez nią wybiegi i usprawiedliwienia. Żeby wykryć oszusta, równie dobrze jak z kart do tarota mógł czytać z kapsli od butelek.

— Oszust — powiedział na głos komisarz.

Vianello zarechotał głośno w odpowiedzi:

— Moja matka mogłaby powiedzieć to samo, gdyby

200

stała za nią w kolejce do kasy supermarketu i słuchała, jak ona opowiada komuś swoją historię.

Zucchero już otwierał usta, żeby coś powiedzieć, ale zawahał się. Brunetti skinął ręką i młody mężczyzna rzekł:

— Ale te karty pomagają, *ispettore*. Dzięki nim wydaje się, że źródłem odpowiedzi jest jakieś inne, mistyczne miejsce, a nie zdrowy rozsądek.

Brunetti miał trochę czasu na analizę wszelkich skojarzeń, więc rezygnując z porównania do kapsli od butelek, zauważył:

— To właśnie robili augurowie: rozpruwali jakieś zwierzę i czytali w jego trzewiach, ale zawsze dbali o to, by nie wypowiadać się jednoznacznie. Kiedy więc wydarzyło się to, co się miało wydarzyć, mogli dokonać czegoś w rodzaju retrospektywnej interpretacji, w której świetle wydawało się, że mieli rację.

— Oszust — powtórzył równie pogardliwie Vianello. — A ta biedna kobieta płaci euro za minutę, żeby go słuchać. — Spojrzał na zegarek i dodał: — Oglądaliśmy to przez prawie osiem minut. — Przycisnął kilka klawiszy i ekran znowu ożył. — Zobaczymy, czy nadal ma ją w swoich szponach.

Ale wróżbita z twarzą jak księżyc w pełni dobrał się do innej zwierzyny, tym razem bowiem głos, który usłyszeli, gdy wróżbita znowu pojawił się na ekranie, należał do jakiegoś mężczyzny.

— ...myślę, że to rozsądne, ale on jest moim szwagrem i moja żona chce, żebym to zrobił.

— Czy możesz jakoś wyłączyć dźwięk? — zapytał Brunetti.

Vianello błyskawicznie odwrócił głowę.

— Słucham?!

— Wyłączyć dźwięk — powtórzył komisarz.

Vianello pochylił się i ściszył, a następnie zupełnie wyłączył dźwięk, pozostawiając im obserwację okrągłej twarzy wróżbity, gdy ten z kolei zajęty był kartami i kamerą. Dopiero po kilku minutach milczenia Brunetti wyjaśnił:

— Robię to zawsze w samolotach, gdy puszczają film. Nie zakładam słuchawek; jeżeli ich nie założysz, widzisz, jak zaplanowane są gesty i reakcje aktorów. W filmach nigdy nie zachowują się tak, jak ludzie przy sąsiednim stoliku w restauracji. Albo jak ludzie idący ulicą. To nigdy nie jest naturalne.

Trzej policjanci nadal wpatrywali się w ekran. Spostrzeżenie komisarza można było z łatwością uznać za prorocze, ponieważ gesty mężczyzny o twarzy jak księżyc w pełni wydawały się teraz wystudiowane. Uwaga, z jaką odwracał karty, nigdy nie słabła; skupienie, z jakim wpatrywał się w obiektyw kamery, gdy — zapewne — słuchał swojego rozmówcy, nie słabło ani przez chwilę; jego spojrzenie było tak intensywne, jakby się przyglądał publicznej egzekucji.

Na ich oczach przesunął obie ręce i wyciągnął z talii kolejną kartę, a kamery powędrowały w górę i za jego plecy, jak ostatnim razem. W powolnym tempie, które miało omamić widza, odwrócił kartę i położył ją obok dwóch innych. Trzej mężczyźni oglądający jego występ nie potrafili z niej nic wyczytać, ale Brunetti zobaczył już wystarczająco dużo, by zaryzykować stwierdzenie:

— Gdy kamery pokażą jego twarz, będzie wyglądał jak Edyp rozpoznający swoją matkę.

202

Tak też było. Kamera przeniosła się na twarz mężczyzny, na której niczym na płótnie pokrytym akrylowymi farbami odmalowało się zdumienie. Ręka Vianella przesunęła się w stronę myszki, lecz Brunetti powstrzymał go, kładąc mu dłoń na ramieniu:

— Nie, dajmy mu jeszcze minutę.

Tak też zrobili, a w tym czasie szok malujący się na okrągłej twarzy wróżbity zmienił się w cierpienie. Powiedział kilka słów, pokręcił nieznacznie głową, po czym na dłuższy czas zamknął oczy.

— Umywa ręce od decyzji tego człowieka — zauważył Zucchero.

Vianello nie mógł dłużej wytrzymać i podkręcił dźwięk.

— ...w niczym nie mogę pomóc. Mogę jedynie pokazać panu, co mówią karty. Co pan w rezultacie postanowi zrobić, to pański wybór, a ja mogę tylko poradzić, by się pan nad tym dobrze zastanowił. — Wróżbita pochylił głowę niczym ksiądz, który ma właśnie skropić trumnę święconą wodą. Cisza, a następnie odgłos odkładanej słuchawki.

— Ten ostatni akcent był naprawdę dobry — rzekł Vianello z nieskrywanym podziwem. Obraz na ekranie zmienił się w wykaz numerów telefonicznych, a kobiecy głos wyjaśnił, że fachowi doradcy gotowi są odbierać telefony przez okrągłą dobę. Byli wśród nich eksperci z wieloletnim doświadczeniem we wróżeniu z kart, badaniu horoskopów i w objaśnianiu snów. Na czerwonym polu u dołu ekranu pokazały się ceny różnych połączeń telefonicznych.

— Jest jakiś sposób, żeby ich powstrzymać? — spytał

Zucchero, a zgorszenie młodego policjanta dodało Brunettiemu otuchy.

— Guardia di Finanza ma na nich oko. Ale dopóki nie łamią żadnych przepisów, nic nie można im zrobić — wyjaśnił.

— A Vanna Marchi? — zapytał młodzieniec, wymieniając z nazwiska słynną telewizyjną celebrytkę, która niedawno została aresztowana i skazana.

— Ona posunęła się za daleko — odparł Vianello, po czym wskazując dłonią monitor, dodał: — Z tego, co widzę, ten gość mówi rozsądnie. — Zanim Brunetti zdążył zaprotestować, inspektor wyjaśnił: — Oglądałem go kilka razy i nie robi nic poza tym, że mówi ludziom to, co powiedziałby im każdy trzeźwo myślący człowiek.

— Biorąc euro za minutę? — zapytał Brunetti.

— To i tak taniej niż u psychiatry — zauważył Zucchero.

— Ach, psychiatrzy — powiedział Vianello jak ktoś rozwalający domek z kart.

Komisarzowi przyszło na myśl, że to samo można by powiedzieć o człowieku, z którym prawdopodobnie związała się jego ciotka, ale wiedział, że mówiąc to, naraziłby się tylko na kłopoty. Zamiast tego zwrócił się do Zucchera:

— Rozmawiałeś z ludźmi z sąsiedztwa?

— Tak, panie komisarzu.

— No i?

— Mężczyzna, który mieszka kilka domów dalej, powiedział, że coś słyszał. Sądzi, że mogło to być trochę po jedenastej, ale nie jest pewien. Siedział na dziedzińcu swojego domu, żeby uciec przed upałem, i słyszał jakiś hałas...

Twierdził, że to mogły być krzyki pełne gniewu... ale tak naprawdę nie zwrócił na nie zbytniej uwagi.

— Skąd dobiegały?

— Nie wie, panie komisarzu. Wyjaśnił, że po drugiej stronie kanału są bary, i myślał, że hałas może dochodzić stamtąd. Albo z czyjegoś telewizora.

— Miał pewność co do godziny?

— Tak twierdził. Powiedział, że wcześniej wyłączył telewizor i zszedł na dziedziniec.

— A Alvise? Dał ci ten wykaz?

— Tak, panie komisarzu — odparł młody policjant, odwracając się na pięcie i podchodząc do biurka, które dzielił z innym funkcjonariuszem. Przyniósł kartkę i wręczył ją Brunettiemu. — To lista osób, które tam mieszkają, panie komisarzu. Alvise myślał, że będzie lepiej, jeżeli porucznik porozmawia z lokatorami, i gdy ktoś z obecnych na dziedzińcu powiedział, że tam nie mieszka, nie raczył zapytać o jego nazwisko. Wygląda na to, że wchodząc na dziedziniec, Alvise nie zamknął za sobą drzwi — wyjaśnił Zucchero w odpowiedzi na spojrzenie Brunettiego. Jego głos był beznamiętny.

Brunetti pozwolił sobie na ciche westchnienie.

— Myślę zatem, że powinniśmy pójść i porozmawiać z mieszkańcami domu — powiedział do Vianella. Gdy inspektor zwlekał z odpowiedzią, komisarz dodał ze śmiechem: — Chyba że chcesz zaczekać, żeby zadzwonić i poznać swój horoskop.

Vianello zgasił monitor i wstał z krzesła.

Rozdział 20

Brunetti mógł zadzwonić do innych lokatorów *palazzo*, w którym mieszkał Fontana, z informacją, że policja musi z nimi porozmawiać, ale wiedział, że zaskoczenie daje przesłuchującemu przewagę. Nie miał pojęcia, co ci ludzie będą chcieli ujawnić policji — lub przed nią ukryć — ale wolał, by obaj z Vianellem zjawili się bez zapowiedzi.

Upał sprawił, że spacer do Misericordii był nie do pomyślenia, a dotarcie tam *vaporetto* nastręczało sporo trudności, Brunetti kazał więc Foi zawieźć się policyjną motorówką. Zostali na pokładzie — nawet po otwarciu okien w kabinie płynącej powoli łodzi panował nieznośny skwar. Foa rozciągnął nad rumplem tent, ale przed słońcem chronił on tylko w niewielkim stopniu. Na świeżym powietrzu i przy lekkim wietrze było odrobinę chłodniej, być może pomagała też bliskość wody, ale i tak było na tyle gorąco, że żaden z nich nie mógł nawet znieść wzmianki o upale. Jedyną ulgę przynosił sporadyczny kontakt z napotykanymi falami chłodnego powietrza — fenomen, którego Brunetti nigdy nie mógł pojąć — być może wypływało ono z *porte d'acque* mijanych po drodze *palazzi*, a może przy pewnym układzie prądów powietrznych tu i ówdzie w kanałach tworzyły się strefy chłodniejszego powietrza.

Gdy zatrzymali się niedaleko *palazzo*, Brunetti, pamiętając o porannym pływaniu Patty, kazał pilotowi wracać do komendy. Powiedział, że zadzwoni, gdy skończą, a gdyby rozmowy się przeciągnęły, pójdą gdzieś z Vianellem na obiad i wrócą na własną rękę.

Na górnym dzwonku na panelu obok *portone* widniał napis „Fulgoni". Brunetti przycisnął guzik.

— Kto tam? — zapytał kobiecy głos.

— *Polizia, signora* — odparł komisarz. — Chcielibyśmy z panią porozmawiać.

— W porządku — powiedziała po chwili wahania i otworzyła drzwi.

Spodziewali się, że powietrze na dziedzińcu będzie chłodniejsze, nie odczuli więc ulgi jak wcześniej w strefie niespodziewanego chłodu w kanałach. Gdy mijali miejsce, gdzie zginął Fontana, Brunetti zauważył, że czerwono-biała taśma pozostała, choć chodnik wytarto do czysta. Posągu nadal nie było.

Weszli na najwyższe piętro. Drzwi mieszkania były uchylone i stała w nich wysoka pięćdziesięcioparoletnia kobieta o szerokich ramionach. Zobaczywszy jej włosy, Brunetti przypomniał sobie, że widział ją na ulicy. Były kruczoczarne, zaczesane do tyłu w dwóch gładkich falach, unieruchomionych zapewne jakąś substancją znaną tylko kobietom i fryzjerom, co nadawało jej głowie kształt hełmu. Z włosami kontrastowała twarz tak blada, że wyglądała, jakby oprószono ją mąką. Jedyny makijaż stanowiła jasnoróżowa szminka na ustach. Kobieta miała na sobie ciemnozieloną bluzkę z falbankami, niezbyt odpowiednią dla osoby jej postury. Kolor także był nieodpowiedni i gryzł się z błękitem spódnicy. Brunetti wiedział, że jej garderoba sporo kosztowała i mogłaby się nieźle prezentować na osobie o innej karnacji, lecz w tym wypadku ani bluzka, ani spódnica nie były dobrze dobrane.

— Signora Fulgoni? — zapytał, wyciągając dłoń.

Zignorowała to powitanie i cofnęła się, żeby wpuścić gości do środka. Poprowadziła ich w milczeniu korytarzem do niewielkiego salonu, w którym stała mała kanapa i jeden głęboki fotel, a podłoga wyłożona była parkietem. Z niskiego stolika spoglądały radośnie jaskrawe okładki kolorowych czasopism; jedną ścianę zajmowały półki z książkami, które wyglądały na przeczytane. W przeciwieństwie do mrocznego mieszkania Fontanów piętro niżej, tutaj przez trzy duże okna z rozsuniętymi zasłonami z prążkowanego lnu wpływało światło. Ściany pomalowano w najjaśniejszym odcieniu kości słoniowej; na jednej z nich wisiała seria rycin przypominających prace Otto Dixa — wszystkie wyszły chyba spod ręki jednego malarza. Były to małe abstrakcje, w których użyto tylko trzech kolorów: czerwonego, żółtego i białego, i które wydawały się namalowane szpachlą. Brunetti uznał, że są pełne pasji i spokojne zarazem, ale nie miał pojęcia, jak artyście udało się osiągnąć taki efekt.

— Mój mąż maluje — powiedziała ze staranną obojętnością, unosząc rękę, by wskazać obrazy i, tym samym gestem, miejsce na kanapie.

Brunettiego zaciekawiło jej sformułowanie — nie fakt, że mąż był malarzem — i czekał na wyjaśnienie. Doczekał się:

— Jest bankowcem i maluje, gdy ma na to czas — powiedziała to z wyraźną dumą w głosie, który był spokojny, wyrazisty i miał przyjemny niski tembr.

— Rozumiem — rzekł komisarz, sadowiąc się obok Vianella, który wyjął notes z wewnętrznej kieszeni marynarki i szykował się do zapisywania. Podziękowawszy, że zgodziła się z nimi porozmawiać, Brunetti oświadczył: — Chcielibyśmy potwierdzić czas państwa powrotu do domu przedwczoraj wieczorem.

— Musicie o to pytać jeszcze raz? — Sprawiała wrażenie raczej speszonej niż zirytowanej. — Wyjaśniliśmy już to tamtym policjantom.

— W tym, co zapamiętali z państwa wypowiedzi porucznik i jeden z funkcjonariuszy, pojawiła się półgodzinna rozbieżność, *signora*. Stąd ta konieczność — skłamał Brunetti bez zająknienia, z uśmiechem na ustach.

Kobieta zastanawiała się przez chwilę nad odpowiedzią.

— Musiało być pięć lub dziesięć minut po północy. Gdy skręcaliśmy ze Strada Nuova, usłyszeliśmy bijące o dwunastej dzwony La Madonna dell'Orto, więc minęło dokładnie tyle czasu, ile wymagał spacer stamtąd.

— I gdy dotarliście tutaj, nie zauważyliście nic niezwykłego.

— Nie.

— Może mi pani powiedzieć, gdzie państwo byliście? — zapytał łagodnie.

Signora Fulgoni była zaskoczona pytaniem, co świadczyło o tym, że Alvise nie raczył go zadać. Uśmiechnęła się blado i odparła:

— Po kolacji próbowaliśmy obejrzeć telewizję, ale było zbyt gorąco, wszystko, co w niej puszczali, było koszmarnie głupie, postanowiliśmy więc pójść na spacer. Poza tym — dodała, ściszając głos — to tak naprawdę jedyna pora, gdy człowiek nie musi kluczyć wśród turystów.

Kątem oka komisarz zobaczył, jak Vianello przytakuje, kiwając głową.

— Rzeczywiście — przyznał z uśmiechem współwinowajcy. Potoczył wzrokiem po wysokim salonie, po suficie i lnianych zasłonach, zaskoczony nagle jego urokiem.

— Może mi pani powiedzieć, od jak dawna tu państwo mieszkacie?

— Pięć lat — odparła z uśmiechem, nieobojętna na uznanie kryjące się w jego spojrzeniu.

— Jak państwo znaleźliście tak piękne lokum?

— Mąż znał kogoś, kto mu powiedział o tym mieszkaniu — jej głos stał się bardziej oziębły.

— Rozumiem. Dziękuję pani — rzekł komisarz i zapytał: — A jak długo mieszkali tu signora Fontana i jej syn?

Gospodyni spojrzała najpierw na jeden z obrazów, który wyróżniał się grubością żółtego pasa biegnącego poziomo przez środek płótna, a potem na Brunettiego i odparła:

— Ze trzy lub cztery lata. — Nie uśmiechnęła się, lecz jej twarz złagodniała albo dlatego, że nabrała sympatii do komisarza, albo — co równie prawdopodobne — dlatego, że nie drążył kwestii, w jaki sposób znaleźli swoje mieszkanie.

— Dobrze pani ich znała?

— Och nie, nie bardziej niż zna się sąsiadów. Spotykaliśmy się na schodach lub na dziedzińcu.

— Czy odwiedziła pani kiedyś kogoś z nich w mieszkaniu?

— Boże broń! — odparła wyraźnie zaszokowana samą możliwością takiej wizyty. — Mój mąż jest przecież dyrektorem banku.

Brunetti skinął głową, zupełnie jakby podobne odpowiedzi na takie pytanie były normą.

— Czy ktoś w tym budynku, może ktoś z sąsiedztwa, rozmawiał kiedyś z panią o nich?

— O signorze Fontanie i jej synu? — zapytała, jakby dotąd rozmawiali o kimś innym.

— Owszem.

Rzuciła okiem na kolejny obraz, ten z dwoma pionowymi szramami czerwieni biegnącymi przez białe pole, i powiedziała:

— Nie, nie przypominam sobie. — Wykonała nieznaczny ruch wargami, który chyba miał udawać uśmiech lub może był skutkiem patrzenia na obraz.

— Rozumiem — rzekł Brunetti, uznając, że dalsza rozmowa nic nie wniesie. — Dziękuję, że poświęciła nam pani swój czas — powiedział na zakończenie.

Gospodyni podniosła się jednym zgrabnym ruchem, podczas gdy on i wyraźnie zaskoczony Vianello, żeby wstać z kanapy, musieli się wesprzeć na poręczach.

Przy wyjściu z mieszkania uprzejmości ograniczyły się do minimum, a gdy ruszyli w dół schodów, usłyszeli odgłos zamykających się drzwi. Dopiero wtedy Vianello powiedział głosem wyrażającym szok i dezaprobatę:

— Boże broń! Mój mąż jest przecież dyrektorem banku.

— Dyrektorem banku odznaczającym się wielkim

smakiem, jeśli chodzi o wyposażenie wnętrz — zaznaczył Brunetti.

— Słucham? — zdziwił się Vianello.

— Ktoś, kto nosi takie bluzki, nie mógł wybrać tych zasłon — odparł komisarz, potęgując dezorientację inspektora.

Na pierwszym piętrze przystanął przy drzwiach i nacisnął dzwonek przy tabliczce z nazwiskiem „Marsano". Po długim czasie kobiecy głos zapytał od wewnątrz:

— Kto tam?

— *Polizia* — odparł Brunetti. Wydawało mu się, że usłyszał kroki oddalające się od drzwi, a w końcu zadane dziecięcym głosem pytanie: — Kto tam? — Zza drzwi rozległo się szczekanie psa.

— Policja — rzekł komisarz najuprzejmiej, jak potrafił. — Powiedziałem to twojej mamie.

— To nie była moja mama, to Zinka.

— A jak ty masz na imię?

— Lucia.

— Możesz otworzyć drzwi i wpuścić nas do środka?

— Mama mówi, żeby nikogo nie wpuszczać do mieszkania — odparła dziewczynka.

— I bardzo dobrze, że tak mówi — przyznał komisarz — ale z policją jest inaczej. Mama nie wspominała o tym?

Dziewczynka odpowiedziała dopiero po dłuższej chwili, zaskakując go pytaniem:

— Czy to z powodu tego, co się stało z signorem Araldo?

— Owszem.

— I nie chodzi o Zinkę? — W głosie dziewczynki zabrzmiała nuta niemal dorosłej troski.

— Nie, ja nawet nie wiem, kto to taki — odparł komisarz zgodnie z prawdą.

W końcu usłyszał, jak klucz obraca się w zamku, i drzwi się otworzyły. Stała przed nim ośmio-, może dziewięcioletnia dziewczynka. Miała na sobie niebieskie dżinsy i sweter z białej bawełny, była bosa. Cofnęła się nieco od drzwi i spojrzała na nich z nieskrywanym zaciekawieniem. Była małą ślicznotką.

— Nie macie mundurów — zauważyła na wstępie.

Obaj mężczyźni roześmiali się, co chyba przekonało ją przynajmniej co do kwestii ich dobrej woli.

Brunetti zauważył jakieś poruszenie w drugim końcu korytarza. Z jednego z pokoi wyszła kobieta w niebieskim fartuchu. Miała krępe ciało charakterystyczne dla kobiet z Europy Wschodniej, krągłą twarz oraz rzadkie spłowiałe włosy. Zrozumiał w okamgnieniu: była nielegalną imigrantką, zatrudnioną tu w charakterze pokojówki lub opiekunki do dziecka, ale nawet strach przed policją nie mógł jej powstrzymać przed upewnieniem się, czy mała jest bezpieczna.

Brunetti wyciągnął portfel i wyjął z niego legitymację policyjną. Pokazał ją kobiecie i powiedział:

— Signora Zinka. Nazywam się Brunetti, jestem komisarzem policji i przyszedłem tu zapytać o pana Fontanę i jego matkę. — Obserwował ją, by sprawdzić, ile rozumie. Skinęła głową, ale się nie poruszyła. — Nic innego mnie nie interesuje, *signora*. Rozumie pani? — Wydawało się, że przyjęła bardziej swobodną pozę, więc odsunął się, nie przekraczając progu mieszkania, i wskazał na inspektora, który stał obok niego, także dbając o to, by pozostać w korytarzu. — Mojego zastępcę, ispettore Vianello, też nie.

Zrobiła w milczeniu kilka niepewnych kroków w ich stronę. Dziewczynka odwróciła się do niej i powiedziała:

— Chodź, Zinka. Chodź i porozmawiaj z nimi. Oni nie zrobią nam krzywdy, to policjanci.

To słowo zatrzymało kobietę w ruchu naprzód, a wyraz, jaki przybrała nagle jej twarz, świadczył, że życie nauczyło ją wyciągać inne wnioski co do zachowania policji.

— Jeżeli nie życzy sobie pani, żebyśmy weszli — zaczął powoli Brunetti — możemy wrócić po południu lub wtedy, gdy mama Lucii będzie w domu.

Kobieta zbliżyła się jeszcze o krok do dziewczynki, choć komisarz nie wiedział, czy szuka ochrony, czy ją zapewnia.

Spojrzał na Lucię.

— Do której chodzisz szkoły?

— Foscarini.

— Ach, to wspaniale. Moja córka też tam chodziła — skłamał komisarz.

— Ma pan córkę? — zapytała ze zdziwieniem dziewczynka, jakby u policjantów było to niespotykane. Po czym, na wszelki wypadek, zapytała: — Jak ma na imię?

— Chiara.

— Moja najlepsza przyjaciółka też się tak nazywa — zauważyła Lucia, uśmiechając się szeroko, i cofnęła się od drzwi. Po czym zadziwiająco oficjalnym tonem dodała: — Proszę wejść.

— *Permesso* — powiedzieli obaj, gdy wchodzili do

214

środka. To wtedy Brunetti poczuł klimatyzowane powietrze, które owionęło go nagłym chłodem.

— Możemy pójść do gabinetu mojego taty. Właśnie tam zabiera gości, gdy są to mężczyźni — wyjaśniła, otwierając drzwi z prawej strony. — Chodźcie — zachęciła ich.

Vianello zamknął drzwi mieszkania i obaj ruszyli za dziewczynką chłodnym korytarzem. U wejścia do gabinetu Brunetti powiedział do kobiety:

— Pomogłaby nam także rozmowa z panią, jeżeli tylko wyrazi pani zgodę. Chcemy jedynie dowiedzieć się czegoś o signorze Fontanie i jej synu.

Kobieta zrobiła kolejny mały krok w ich stronę i powiedziała:

— Dobry człowiek.

— Signor Fontana?

Skinęła głową.

— Znała go pani?

Znowu skinęła głową.

Dziewczynka weszła do pokoju i powiedziała, przeciągając tym razem ostatnie słowo:

— Chodź, głuptasie. — Przeszła przez gabinet, zawahała się przy dużym biurku, po czym odsunęła stojący za nim fotel i usiadła; ramionami ledwie sięgała blatu i Brunetti nie mógł powstrzymać uśmiechu.

Kobieta spostrzegła, że się uśmiechnął, spojrzała najpierw na dziewczynkę, a potem znowu na komisarza, który obserwował, jak ocenia tę scenę i jego reakcję.

— Ja naprawdę mam córkę, *signora* — powiedział i podszedł do jednego z foteli przed biurkiem. Vianello zajął drugi.

Kobieta weszła wprawdzie do pokoju, ale nadal stała w połowie odległości dzielącej biurko od otwartych drzwi gabinetu, w miejscu, które zapewniało jej szansę pochwycenia dziecka, gdyby trzeba było uchronić je przed niebezpieczeństwem.

— Gdzie jest twoja mama? — zapytał Vianello.

— Pracuje. Właśnie dlatego mamy Zinkę. Zostaje wtedy ze mną. Miałyśmy pojechać dzisiaj na plażę... mamy swoją kabinę w Exelsiorze... ale *mamma* twierdzi, że dziś jest za gorąco, więc zostałyśmy w domu. Zinka miała pozwolić mi pomóc jej w przygotowaniu obiadu.

— To świetnie — pochwalił Vianello. — Co zamierzacie zrobić?

— *Minestra di verdura*. Zinka mówi, że jeżeli potrafię, mogę obrać ziemniaki.

Brunetti skierował wzrok ku kobiecie, która chyba nie miała trudności ze zrozumieniem ich rozmowy.

— *Signora* — rzekł naprawdę serdecznie. — Gdyby nie to, że obiecałem pytać tylko o signorę Fontanę, poprosiłbym, żeby mnie pani nauczyła, jak przekonać moją córkę, że mogę p o z w o l i ć, by posprzątała swój pokój. — Uśmiechnął się, by pokazać, że żartuje. Twarz Zinki złagodniała, a potem kobieta odwzajemniła uśmiech.

Nagle owładnęła nim myśl o bezprawności jego poczynań, ale jeszcze bardziej ciążyła mu świadomość ich ohydy. Lucia była jeszcze dzieckiem, na litość boską — jak bardzo chciał zdobyć informacje, skoro zniżał się do tego?

Odwrócił się do opiekunki.

— Myślę, że nie powinniśmy zadawać Lucii więcej pytań. Może więc należałoby pozwolić wam wrócić do go-

216

towania zupy. — Vianello posłał mu zdziwione spojrzenie, ale Brunetti zignorował go i powiedział do małej: — Mam nadzieję, że jutro ochłodzi się na tyle, byś mogła wybrać się na plażę.

— Dziękuję, *signore* — odparła z wyuczoną grzecznością i dodała: — Może to dobrze, że nie możemy pojechać. Zinka nie znosi plaży. — Po czym, zwracając się do opiekunki, zapytała: — Prawda?

Na twarzy kobiety znowu pojawił się uśmiech, teraz już bardziej wylewny.

— Plaża też mnie nie znosi, kochanie.

Brunetti i Vianello wstali.

— Mogłaby mi pani powiedzieć, kiedy zastanę państwa Marsano w domu? Wtedy przyjdziemy.

Zinka popatrzyła na małą i powiedziała:

— Idź do kuchnia zobaczyć, czy zostawiłam tam moje okulary, dobrze?

Z radością wywiązując się z polecenia, dziewczynka zeskoczyła z fotela i wyszła z gabinetu.

— Signor Marsano nic panu nie powiedzieć. Pani też.

— Czego mi nie powie, *signora*? — zapytał Brunetti.

— Fontana był dobry człowiek. Walczyć z signor Marsano, walczyć z ludzie z góry.

Ponieważ powiedziała o walce, komisarz zapytał:

— Walczyć na słowa czy pięści, *signora*?

— Słowa, tylko słowa — odparła, jakby druga ewentualność ją przerażała.

— Co się stało?

— Obrzucać się wyzwiskami: signor Fontana mówić signor Marsano nieuczciwy, to samo z człowiek z góry.

Potem signor Marsano mówić, że jest zły człowiek, chodzi z mężczyźni.

— Ale pani uważa, że był dobrym człowiekiem?

— Ja w i e m — powiedziała z nagłą siłą. — Znalazł mi prawnik. Dobry człowiek w Tribunale. Pomagać mi z dokumenty, na pobyt.

— Na pobyt we Włoszech?

— Tam ich nie ma! — krzyknęła dziewczynka z końca korytarza, a gdy podeszła do drzwi gabinetu, zapytała głosem zniecierpliwionego dziecka, przeciągając słowa: — Możemy już wrócić do pracy?

Gdy dziewczynka pojawiła się w drzwiach, Zinka uśmiechnęła się i powiedziała:

— Jedna minuta, a potem znowu pracować.

— Może mi pani podać nazwisko tego prawnika? — zapytał Brunetti.

— Penzo. Renato Penzo. Przyjaciel signor Fontana. On też być dobry człowiek.

— A signora Fontana — rzekł komisarz, świadomy zniecierpliwienia dziewczynki i rosnącego niepokoju kobiety — jest też dobra?

Opiekunka spojrzała najpierw na niego, a potem na małą.

— Nasi goście iść teraz, Lucia. Ty otworzyć im drzwi, dobrze?

Wietrząc szansę powrotu do obierania ziemniaków, dziewczynka niemal pobiegła do drzwi mieszkania. Otworzyła je i wyszła na podest schodów, gdzie pochyliła się nad poręczą, by spojrzeć w dół klatki schodowej. Brunetti zauważył, jak kobieta denerwuje się, widząc ją tam, i ruszył ku drzwiom.

Zatrzymał się w progu.

— A signora Fontana? — zapytał.

Opiekunka pokręciła głową, spostrzegła, że komisarz pogodził się z jej niechęcią do dalszej rozmowy, i powiedziała:

— Nie jak syn.

Brunetti skinął w podziękowaniu głową, pożegnał się z Lucią i ruszył w dół schodów. Vianello podążył za komisarzem.

Rozdział 21

Pamiętając o upale, który czekał na nich na nabrzeżu, Brunetti zwlekał z opuszczeniem dziedzińca i zapytał inspektora:

— Słyszałeś kiedyś o tym Penzo?

Vianello skinął głową.

— Słyszałem jego nazwisko kilka razy. Często pracuje *pro publico bono*. Pochodzi z porządnej rodziny. No wiesz, służba publiczna i wszystkie te sprawy.

— Pomaga imigrantom? — zapytał komisarz, przypominając sobie teraz to, co wcześniej słyszał o prawniku.

— Jeżeli pracuje dla tej kobiety na górze, to na to wygląda. Jej z pewnością nie płacą tyle, by mogła sobie pozwolić na adwokata. — Vianello zrobił pauzę i Brunetti niemal słyszał, jak szuka w pamięci. W końcu rzekł: — Nie pamiętam niczego, co konkretnie łączyło go z imigrantami, mam tylko nieokreślone, mgliste wspomnienie, że ludzie dobrze o nim mówią. — Inspektor machnął ręką w powietrzu gestem tłumaczącym meandry pamięci. — Wiesz, jak to jest.

— Yhm — zgodził się komisarz. Popatrzył na zegarek i ze zdziwieniem stwierdził, że dochodzi dopiero wpół do drugiej. — Czy jeżeli zadzwonię do sądu i dowiem się, że on jest tam dzisiaj, to myślisz, że dasz radę dotrzeć tam o własnych siłach?

Vianello zamknął oczy i Brunetti zastanawiał się, czy ma przygotować się na jakieś melodramatyczne przeżycie, choć Vianello nigdy dotąd ich nie dostarczał. Inspektor uniósł powieki i zaproponował:

— Moglibyśmy popłynąć *traghetto* z Santa Sofia. To najkrótsza trasa i tylko na Strada Nuova oraz w gondoli bylibyśmy na słońcu.

Brunetti zadzwonił pod numer centrali w gmachu sądu, przełączono go do sekretariatu i tam dowiedział się, że *avvocato* Penzo miał tego dnia pojawić się w sądzie z jakimś klientem. Sprawę przewidziano na jedenastą w sali 17D, ale wszystko szło bardzo powoli, więc *udienza* zaczęła się pewnie dopiero o pierwszej, żeby jednak wiedzieć z całą pewnością, należało wejść na salę rozpraw. Brunetti podziękował sekretarce i przerwał połączenie.

— Mają dzisiaj opóźnienie w sądzie — poinformował inspektora.

Vianelli otworzył *portone*, wyjrzał na zewnątrz, odwrócił się do komisarza i rzekł:

— Słońce wciąż jest na niebie.

Dwadzieścia minut później weszli do sądu nieproszeni o pokazanie jakichkolwiek dokumentów tożsamości. Wspięli się na drugie piętro, a potem skierowali korytarzem do sali rozpraw. Z okien po lewej stronie widzieli okna biur wychodzące na *palazzi* na drugim brzegu Canal Grande.

Powietrze tkwiło nieruchomo, podobnie jak ludzie, którzy stali, opierając się o ściany, lub siedzieli w korytarzu.

Wszystkie krzesła były zajęte; niektórzy wykorzystali swoje teczki jako siedziska lub poduszeczki, a jeden z mężczyzn przysiadł na stosie związanych sznurkiem akt. Drzwi biur pootwierano, by umożliwić cyrkulację powietrza. Od czasu do czasu wyłaniali się z nich jacyś ludzie i rozpoczynali powolną wędrówkę zatłoczonym korytarzem, pokonując nogi siedzących najwprawniej, jak tylko umieli.

Salę 17D znaleźli na drugim końcu korytarza. Jej drzwi też stały otworem i ludzie wchodzili i wychodzili z niej bez przeszkód. Brunetti zatrzymał znajomego kancelistę i zapytał, gdzie jest *avvocato* Penzo. Ten odparł, że sprawa, w której występuje, jest właśnie rozpatrywana, po czym dodał, iż „jego przeciwnikiem jest Manfredi", prawnik znany komisarzowi. Weszli do środka i w tej samej sekundzie zdjęli marynarki. W przeciwnym razie ryzykowaliby własne zdrowie.

W drugim końcu sali, na umieszczonym na podwyższeniu podium siedział sędzia w birecie i todze. Brunetti nie mógł się nadziwić, że jest w stanie w nich wytrzymać. Kiedyś słyszał, że latem niektórzy sędziowie noszą pod togami samą bieliznę — dzisiaj w to uwierzył. Okna wychodzące na kanał były otwarte i nieliczni obecni na sali siedzieli na krzesłach ustawionych najbliżej nich — wszyscy z wyjątkiem adwokatów, którzy stali lub siedzieli naprzeciw sędziego; oni też byli odziani w czarne togi. Jedna prawniczka siedziała na końcu rzędu krzeseł maksymalnie oddalonego od okien z głową na oparciu. Nawet z daleka komisarz widział, że jej włosy wyglądają tak, jakby właśnie wyszła spod prysznica. Oczy miała zamknięte, usta otwarte; mogła być równie dobrze nieprzytomna jak senna, równie dobrze sparaliżowana upałem jak martwa.

Niczym opiłki żelaza przyciągane przez magnes obaj z Vianellem ruszyli ku oknom i znaleźli dwa puste krzesła. W sali był zainstalowany jakiś system nagłaśniający, a przed sędzią i na stołach adwokatów stały mikrofony, szwankowało jednak podłączenie, bo zniekształconych zakłóceniami głosów, które wydobywały się z dwóch głośników zamocowanych wysoko na ścianach, nie dało się zrozumieć. Stenotypistka siedziała tuż poniżej podium; albo rozumiała słowa mimo trzasków, albo znajdowała się dostatecznie blisko, żeby dobrze je słyszeć. Pisała zapamiętale na swojej maszynie, jakby była na jakiejś innej, chłodniejszej planecie.

Brunetti przyglądał się temu obeznany z sądową sceną i występującymi w niej aktorami. Pomyślał, że jest w samolocie i ma do czynienia z kolejnym filmem oglądanym bez słuchawek. Obserwował teatralne odgarnianie rękawa togi, zamaszysty ruch ręką, gdy mówca przygważdżał oponenta ostatecznym argumentem albo odganiał natrętną muchę. Drugi prawnik zrobił zdumioną minę; pierwszy wyrzucił w górę ręce, jakby nie mógł lepiej wyrazić niedowierzania. Brunetti zaczął się zastanawiać, czy sędziowie wyciszali dźwięk i tylko obserwowali gesty, czy nauczyli się dostrzegać prawdę lub fałsz w tym, co mówiono, z gestów, które towarzyszyły puszczanym mimo uszu słowom. Ponadto w tak małym mieście każdy z tych prawników miał reputację, według której można było ocenić jego uczciwość, może więc wystarczyło, by doświadczony sędzia poznał nazwiska oskarżycieli i obrońców, żeby wiedzieć, gdzie leży prawda.

Przecież znaczną część tego, co mówiono, stanowiły kłamstwa lub przynajmniej wybiegi i interpretacje. Zadaniem prawa i tak nie było odkrycie prawdy, lecz narzucenie władzy państwa jego obywatelom.

Brunetti powrócił spojrzeniem ku prawniczce, która nadal tkwiła nieruchomo, po czym przegrawszy z upałem, zamknął oczy. Szturchnięcie w lewy bok wyrwało go z letargu. Popatrzył na Vianella, który skierował wzrok w stronę stołu sędziowskiego.

Dwie postaci w togach podeszły do sędziego, a ten pochylił się i powiedział kilka słów, które nawet w zniekształconej postaci nie popłynęły z głośników. Jakby dla potwierdzenia koncepcji Brunettiego, że to wszystko jest pantomimą, sędzia postukał w szkiełko swojego zegarka. Dwaj prawnicy przemówili równocześnie. Sędzia pokręcił głową. Sięgnął w lewo i zebrał parę kartek, wstał i wyszedł z sali rozpraw, pozostawiając adwokatów przed podium.

Oni zaś odwrócili się do siebie twarzami i zamienili parę słów. Jeden otworzył teczkę z aktami sprawy i pokazał drugiemu jakiś dokument. Drugi prawnik wziął go do ręki i przeczytał; żadnemu z nich nie przeszkadzał odgłos odsuwanych krzeseł, gdy obecni wstali i gęsiego zaczęli wychodzić na korytarz. Brunetti i Vianello też wstali, by przepuścić wychodzących, po czym znowu usiedli, gdy ich rząd opustoszał.

Drugi prawnik zwilżył wargi, po czym uniósł brwi na znak niechętnej akceptacji. Wrócił z dokumentem do stołu, przy którym siedział jego klient, położył go przed mężczyzną i wskazał na zapisy. Ten zaś przytknął palec do kartki i wodził nim po tekście, jakby liczył na to, że palec przekaże mu jego treść. W pewnym momencie dał za wygraną i dłoń opadła mu płasko na dokument, zakrywając —

przypadkiem lub celowo — tekst, który przed chwilą czytał.

Spojrzał na adwokata i pokręcił głową. Adwokat odezwał się do niego, a on odwrócił wzrok. Mijał czas. Chwytając dokument, prawnik powiedział coś jeszcze i odniósł go swojemu koledze po fachu. Wręczył mu zmiętą teraz kartkę i obaj odwrócili się i wyszli z sali, pozostawiając klienta drugiego adwokata samego przy stole.

Brunetti i Vianello wstali i ruszyli w stronę drzwi.

— Przegranym był Manfredi — rzekł komisarz — co oznacza, że Penzo wygrał.

— Ciekaw jestem, co było na tej kartce.

— Bardziej szemranych prawników niż Manfredi chyba już nie ma — zauważył ponuro Brunetti pod wpływem licznych doświadczeń — przypuszczalnie więc był tam dowód, że on lub jego klient kłamią.

— I Penzo może tego dowieść.

— Chciałoby się w to wierzyć — odparł komisarz, nie chcąc dać wiary w uczciwość adwokata, dopóki nie zetknął się z nim bezpośrednio. — Pogadajmy z mecenasem.

Odnaleźli adwokata w głębi korytarza, gdzie stał, wyglądając przez okno. Togę cisnął na parapet, a ręce odsunął od tułowia w daremnej próbie znalezienia ulgi od skwaru. Widząc mecenasa Penzo od tyłu, Brunetti zdumiał się szczupłością jego ciała: chłopięco wąskie biodra, wilgotna koszula wydęta od ramion do pasa.

— *Avvocato* Penzo? — zagaił.

Penzo odwrócił się z lekko pytającą miną. Jego twarz, podobnie jak cała sylwetka, była szczupła. Wrażenie to sprawiały zapadnięte policzki, przy których całkiem normalny nos wydawał się nieproporcjonalnie duży. Oczy miały kolor mlecznej czekolady i były otoczone drobnymi zmarszczkami, które powstają po latach patrzenia w słońce spod przymrużonych powiek.

— Si? — powiedział, przenosząc wzrok z Brunettiego na Vianella, potem z powrotem na komisarza i natychmiast rozpoznając w nich policjantów. — O co chodzi? — zapytał grzecznie i Brunettiemu spodobało się, że nie zażartował sobie z ich fachu, jak zrobiłoby wiele osób.

— Commissario Guido Brunetti — przedstawił się, jakby nie zauważył miny adwokata — a to ispettore Lorenzo Vianello.

Penzo odwrócił się, zdjął togę z parapetu i przewiesił ją sobie przez ramię.

— W czym mogę pomóc?

— Chcielibyśmy z panem pomówić o jednej z pańskich klientek.

— Proszę bardzo. Gdzie możemy porozmawiać? — zapytał Penzo, rozglądając się po korytarzu, który teraz, w porze obiadu, nie był już zatłoczony, wciąż jednak od czasu do czasu przechodzili jacyś ludzie.

— Moglibyśmy pójść do Do Mori i napić się czegoś — zaproponował Brunetti. Vianello wydał z siebie głośne westchnienie ulgi, a Penzo uśmiechnął się na znak zgody.

— Dacie mi pięć minut na pozbycie się tego? — zapytał adwokat, unosząc rękę, na której wisiała toga. — Spotkamy się przy wyjściu.

Brunetti i Vianello zgodzili się i ruszyli w stronę schodów.

Gdy po nich schodzili, komisarz zapytał:

— Jak myślisz, do kogo dzwoni?

— Pewnie do żony, aby uprzedzić, że spóźni się na obiad — odparł inspektor, opowiadając się po stronie adwokata.

Żaden z nich nie wypowiedział słowa, dopóki nie znaleźli się na zewnątrz. Słońce usunęło z Campo San Giacometto wszelkie ślady życia. Kwiaciarnia i dwa stragany, na których zawsze sprzedawano suszone owoce, były zamknięte; nawet woda lejąca się powoli z fontanny sprawiała wrażenie pokonanej przez upał. Otwarty był jedynie kram schowany pod długą arkadą.

Policjanci weszli w jej cień i czekali. Penzo przyszedł szybko z teczką w ręku.

— Co pan pokazał swojemu koledze, *avvocato*? — zapytał Vianello, po czym przeprosił za wścibstwo.

Penzo roześmiał się na głos, zaraźliwie.

— Jego klient żądał odszkodowania za uraz kręgosłupa szyjnego, którego, jak twierdzi, doznał w wypadku drogowym. Mój klient kierował drugim samochodem. Klient mojego kolegi twierdził, że przez wiele miesięcy był niesprawny i nie mógł pracować, a przez to stracił szansę awansu.

Zaciekawiony komisarz zapytał:

— Ile żądał?

— Szesnaście tysięcy euro.

— Jak długo nie pracował?

— Cztery miesiące.

— Czym się zajmował? — wtrącił inspektor.

— Słucham? — odparł Penzo.

— Kim był z zawodu?

— Kucharzem.

227

— Cztery tysiące na miesiąc — rzekł Vianello z uznaniem. — Nieźle.

Ruszyli we trójkę w stronę Do Mori, machinalnie skręcając w prawo, w lewo i znowu w prawo. Przed barem Penzo się zatrzymał, jakby chciał zakończyć tę część rozmowy, zanim wejdą do środka, i rzekł:

— Ale związek, do którego należy, zadbał o to, by w tym czasie otrzymywał pieniądze. To było odszkodowanie za ból i cierpienie.

— Rozumiem — rzekł Brunetti. Cotygodniowa zapłata za ból i cierpienie. To o niebo lepsze niż praca. — Co mu pan pokazał?

— Oświadczenie dwóch kucharzy pracujących w restauracji w Mirze, którzy napisali, że ten człowiek pracował z nimi przez trzy miesiące z czterech, za które żądał rekompensaty.

— Jak się pan tego dowiedział? — zapytał odruchowo Vianello, chociaż wiedział, że adwokaci zawsze niechętnie zdradzają takie tajemnice.

— Od jego żony — odparł Penzo, raz jeszcze wybuchając głośnym śmiechem. — Wówczas byli w separacji... teraz są rozwiedzeni... i gość zaczął się spóźniać z łożeniem na utrzymanie dziecka. Wykorzystał wypadek jako wymówkę, ale ona znała go na tyle dobrze, by nabrać podejrzeń, kazała więc go śledzić, gdy wyjeżdżał do Miry. Kiedy się dowiedziała, że tam pracuje, powiedziała mi o tym. Pojechałem i po krótkiej rozmowie z pozostałymi kucharzami dostałem od nich to oświadczenie.

— Jeśli mogę zapytać, *avvocato*, jak dawno temu się to stało?

228

— Przed ośmiu laty — odparł Penzo spokojnym głosem i żaden z nich, ludzi dobrze zorientowanych w mechanizmach wymiaru sprawiedliwości, nie uznał tego za choć trochę niezwykłe.

— Więc traci szesnaście tysięcy euro? — zapytał Vianello.

— Niczego nie traci, *ispettore* — poprawił go Penzo. — Po prostu nie dostaje pieniędzy, które mu się nie należą.

— Musi jeszcze zapłacić swojemu adwokatowi — zauważył Brunetti.

— Tak, to miły akcent — pozwolił sobie na komentarz Penzo, po czym załatwiwszy ten temat, gestem dłoni pokazał im wejście przez uchylone dwuskrzydłowe drzwi.

Rozdział 22

Część osób, które wcześniej Brunetti widział na sali rozpraw, stała teraz przed kontuarem z kieliszkiem wina w jednej dłoni i *tramezzino* w drugiej. Z otwartych drzwi po obu końcach wąskiego baru napływał stały strumień względnie chłodnego powietrza; wejście do środka przynosiło ulgę, i to nie tylko za sprawą obfitości cudownych przekąsek w gablocie. Co powstrzymywało Sergia i Bambolę z baru koło komendy przed skopiowaniem tego, co serwowano tutaj? *Tramezzini*, które obaj przyrządzali, wydawały się marną namiastką tutejszych specjałów.

— Dlaczego komenda nie może być bliżej tego baru? — zapytał komisarz, patrząc na Vianella.

— Dlatego że wtedy codziennie jadłbyś *tramezzini* i nigdy nie wracał do domu na obiad — odparł Vianello i zamówił cały półmisek karczochów, smażonych oliwek, krewetek oraz kalmarów, wyjaśniając: — To dla nas wszystkich. — Poprosił również o *tramezzino* z karczochami i szynką, i drugą z krewetkami i pomidorami; Penzo wybrał trzy: z bresaolą i ruccolą, ze speckiem i gorgonzolą oraz ze speckiem i pieczarkami; Brunetti praktykował umiar i po-

230

prosił o kanapkę z bresaolą i karczochami oraz ze speckiem i pieczarkami.

Wszyscy zamówili pinot grigio oraz po dużej szklance wody mineralnej. Zanieśli kieliszki i talerze na małą ladę za sobą i puścili w obieg kanapki. Gdy każdy z nich zjadł swoje pierwsze *tramezzino*, Vianello wzniósł kieliszek. Pozostali dołączyli do niego.

Penzo nabił na wykałaczkę smażoną oliwkę, odgryzł połowę i zapytał:

— O którą klientkę chcecie mnie zapytać?

Zanim Brunetti zdążył odpowiedzieć, przechodzący obok mężczyzna poklepał mecenasa po plecach.

— Karmią cię czy aresztują, Renato? — Powiedział to jednak żartem i jako żart zostało potraktowane, więc adwokat spokojnie zjadł resztę oliwki. Rzucił wykałaczkę na talerz i podniósł kieliszek.

— O Zinkę — odparł Brunetti. Już miał wyjaśnić, dlaczego zainteresował się tą kobietą, gdy powstrzymał go wyraz twarzy adwokata, po której przemknął bolesny skurcz. Penzo zamknął na moment oczy, po czym pociągnął łyk wina.

Odstawił kieliszek, wziął do ręki drugą kanapkę i odwrócił się do Brunettiego.

— O Zinkę? — zapytał lekkim tonem. — Czemu mielibyście się nią interesować?

Komisarz upił trochę wody ze szklanki i sięgnął po kolejne *tramezzino* tak obojętnie, jakby wcześniej nie zauważył reakcji prawnika.

— W rzeczywistości nie ona nas interesuje, ale coś, co od niej usłyszeliśmy.

— Naprawdę? Co takiego? — spytał Penzo głosem, nad którym zapanował i który teraz brzmiał całkiem spokojnie. Uniósł kanapkę do ust, lecz odłożył ją na talerz nietkniętą. Vianello spojrzał na Brunettiego opróżniającego kieliszek wina, zmarszczył brwi i zapytał:

— Ktoś ma ochotę na kolejną turę?

Komisarz skinął głową, Penzo odmówił.

Vianello podszedł do baru, Brunetti odstawił pusty kieliszek i rzekł:

— Wspomniała o kłótni swojego chlebodawcy z jednym z sąsiadów.

Adwokat wbił wzrok w swoją kanapkę i zapytał uprzejmie:

— Naprawdę?

— Z Araldem Fontaną — doprecyzował Brunetti. Penzo powinien już unieść wzrok i spojrzeć na niego, ale dalej przyglądał się kanapce, jakby to z nią rozmawiał. — Dodała jeszcze, że signor Fontana pokłócił się również z mężczyzną z ostatniego piętra. — Odczekał chwilę, po czym zauważył: — Ponieważ parter jest pusty, można by powiedzieć, że signor Fontana kłócił się ze wszystkimi mieszkańcami budynku.

Adwokat milczał.

— Jednakże signora Zinka powiedziała... a wygląda na osobę bardzo rozsądną — dodał Brunetti — że signor Fontana był dobrym człowiekiem. — Spojrzał w stronę kontuaru, przy którym stał odwrócony do nich plecami Vianello i popijał białe wino.

— Bo był — rzekł Penzo tak cicho, że gdyby w barze było tylu klientów co normalnie, jego głos utonąłby w panującym zgiełku.

— Cieszę się, skoro to prawda — odparł komisarz. — Tym gorzej, że poniósł śmierć. Ale tym lepiej, że żył.

Penzo uniósł powoli głowę i spojrzał na Brunettiego.

— Co pan powiedział?

— Że dobroć uczyniła pewnie jego życie lepszym — wyjaśnił komisarz.

— A jego śmierć gorszą?

— Tak. Ale nie to się liczy, prawda? Ważne jest życie, które ją poprzedzało. I to, co zapamiętają ludzie.

— Ludzie zapamiętają jedynie to — rzekł Penzo głosem, który choć cichy prawie jak szept, był przepełniony furią — że był gejem i zginął z rąk jakiegoś klienta, którego sprowadził, żeby się gzić na dziedzińcu.

— Słucham? — rzekł Brunetti, nie mogąc ukryć zdumienia. — Gdzie pan coś takiego słyszał?

— W sądzie, w biurach, na korytarzach. To właśnie mówią ludzie. Że był pedałem, który lubił niebezpieczny seks, i że został zabity przez jednego ze swoich anonimowych klientów.

— To absurd.

— Jasne że absurd — syknął Penzo. — Ale to nie przeszkadza ludziom tak mówić ani w to wierzyć. — W głosie adwokata była wściekłość, lecz wzrok miał znów wbity w talerz, więc Brunetti nie mógł się przyjrzeć jego twarzy.

W innych okolicznościach, słysząc taki ton, komisarz czułby się w obowiązku położyć dłoń na ramieniu rozmówcy, powstrzymał się jednak przed tym podnoszącym na duchu gestem, wyczuwając niejasno, że mógłby zostać zrozumiany opacznie. Zdał sobie nagle sprawę, co to musiało

233

oznaczać. Postanowił oprzeć szansę zdobycia zaufania na jednym ryzykownym słowie i powiedział:

— Musiał go pan bardzo kochać.

Penzo podniósł głowę i spojrzał na Brunettiego jak człowiek, który otrzymał postrzał. Słowa komisarza pozbawiły jego twarz wszelkiego wyrazu. Próbował coś powiedzieć i Brunetti wyczytał w oczach adwokata historię wielu lat negowania faktów, które teraz zachęcały go do pytań o sens słów Brunettiego wbrew nawykowi ostrożności, a ta nauczyła go traktować nazwisko Fontana jak każde inne, a jego samego jak innych kolegów.

— Poznaliśmy się w liceum. Prawie czterdzieści lat temu — rzekł Penzo i podniósł szklankę z wodą. Odchylił głowę i wypił wszystko czterema haustami, po czym, jakby ugaszenie pragnienia przywróciło jego rozmowie z Brunettim charakter bardzo rzeczowy, zapytał: — Czego pan chciał się o nim dowiedzieć, *commissario*?

— Czy pan wie, dlaczego signor Fontana kłócił się z sąsiadami? — zapytał Brunetti, jakby jego poprzednie słowa w ogóle nie padły.

Zamiast odpowiedzieć, adwokat poprosił:

— Mógłby mi pan przynieść jeszcze jedną szklankę wody? — Gdy komisarz ruszył w stronę baru, Penzo dodał: — Może pan przyprowadzić inspektora.

Brunetti zrobił jedno i drugie. Gdy adwokat opróżnił szklankę do połowy, odstawił ją i powiedział:

— Araldo uważał, że lokatorzy tych mieszkań... obu... wynajmowali je w zamian za przysługi wyświadczane właścicielowi budynku.

— Signorowi Punterze? — upewnił się komisarz.

234

— Tak. — Penzo spojrzał w podłogę i dodał: — To bardzo skomplikowane.

Brunetti ruchem głowy dał sygnał inspektorowi i ten wtrącił:

— Nam się nie śpieszy, *avvocato*. Poczekamy, jak długo będzie trzeba.

Penzo skinął głową z zaciśniętymi ustami. Spojrzał na komisarza i powiedział:

— Nie bardzo wiem, od czego zacząć.

— Może od jego matki — zaproponował Brunetti.

— Tak — przytaknął z goryczą prawnik, wzruszając nieznacznie ramionami. — Od jego matki. Jest wdową. Jeżeli kiedykolwiek jakaś kobieta miała zawód, to zawodem matki Aralda było wdowieństwo. Gdy zmarł jej mąż, Araldo miał zaledwie osiemnaście lat, a ponieważ był jedynakiem, uznał, że ma obowiązek zaopiekować się matką. Ojciec Aralda był urzędnikiem. Z początku mieli trochę pieniędzy, ale jego matka szybko je wydała. Po to, żeby zachować pozory zamożności, Araldo miał iść na uniwersytet. Obaj zamierzaliśmy studiować prawo. Kiedy jednak pieniądze się rozeszły, musiał podjąć pracę i jego matka stwierdziła, że najbezpieczniej jest być urzędnikiem państwowym, jak jego ojciec.

— Został więc kancelistą w sądzie? — podpowiedział Brunetti.

— Tak. Pracował, był awansowany i stał się obiektem żartów ze względu na powagę, z jaką traktował swoją pracę. Ale pieniędzy zawsze brakowało, a potem, pięć lat temu, jego matka zachorowała, albo tak jej się wydawało. I wtedy potrzebowali więcej pieniędzy na lekarzy, badania i leki. Trudno więc było mu za to płacić i jeszcze regulować czynsz. Proponowałem mu pomoc, ale jej nie chciał. Wiedziałem, że się nie zgodzi, ale i tak pragnąłem, żeby ją przyjął. Przeprowadzili się zatem z Cannaregio do ciemnego mieszkanka w Castello. A ona była coraz bardziej chora, robiła coraz więcej badań.

— Coś jej dolegało? — wtrącił pytanie inspektor.

Penzo wzruszył dość wymownie ramionami.

— Coś jej dolega, ale badania niczego nie wykazały.

Umilkł na tak długo, że komisarz poczuł w końcu, że musi zapytać:

— Co się stało?

— Poszedł do banku pożyczyć pieniądze na zapłatę rachunków. Znał wystarczająco dużo osób, by dotrzeć do dyrektora, lecz ten powiedział, że pożyczki nie dostanie, bo nie ma gwarancji, by zdołał ją zwrócić.

— Czy tym dyrektorem był signor Fulgoni? — zapytał Brunetti.

— A któżby inny? — zapytał Penzo z gorzkim uśmiechem.

— Rozumiem — rzekł komisarz. — A potem?

— A potem, pewnego dnia, niczym Wenus wyłaniająca się z morza lub opadająca na chmurze, w gabinecie Aralda pojawiła się sędzia Coltellini... myślę, że było to około trzech lat temu... i powiedziała mu, że słyszała, iż szuka nowego mieszkania.

Penzo spojrzał na nich, by sprawdzić, czy zdali sobie sprawę, ile znaczy to nazwisko, po czym ciągnął dalej:

— Araldo odparł, że wcale nie szuka, na co usłyszał, iż to wielka szkoda, ponieważ jakiś jej znajomy ma mieszkanie przy Misericordii, które chce wynająć „porządnym", jak się wyraził, ludziom. Dodała, że wysokość czynszu go nie interesuje, że po prostu chce, by mieszkali w nim ludzie, którzy są rzetelni i dobrzy.

Penzo posłał im spojrzenie, w którym kryło się pytanie, czy kiedykolwiek słyszeli coś podobnego.

— Zanim poruszył ten temat ze mną, popełnił błąd, rozmawiając o tym z matką.

— Chciała się przeprowadzić? — zapytał Brunetti.

— Ich mieszkanie miało pięćdziesiąt metrów: dwa pokoje dla dwóch osób, z których jedna była chorą kobietą. Bojler miał co najmniej czterdzieści lat i Araldo mówił, że nigdy nie byli pewni, kiedy będzie ciepła woda — wyjaśnił Penzo.

— Oglądał je pan kiedyś? — zapytał Vianello.

— Nigdy nie widziałem żadnego z ich mieszkań — odparł Penzo tonem ucinającym wszelką dyskusję na ten temat.

— W mieszkaniu przy Misericordii był niższy czynsz, a dwa lata wcześniej zostało wyremontowane: instalacja grzewcza była nowa, woda i światło wliczone w czynsz. Przedstawiła im to w taki sposób, że wydawało się, że wyświadczą właścicielowi przysługę. I właśnie taką taktykę należało przyjąć w kontaktach z matką Aralda. Ona zawsze uważała się za lepszą od reszty ludzi. — Głos Penza nabrał goryczy, gdy dodał: — Za taką, która może potraktować jakiegoś właściciela protekcjonalnie.

— Więc przyjął propozycję? — upewnił się Brunetti.

— Odkąd powiedział o tym matce — odparł adwokat, kręcąc z rezygnacją głową — nie miał wyboru. Gdyby propozycji nie przyjął, doprowadziłaby go do szaleństwa.

— A gdy już się przeprowadzili?

— Ona się cieszyła, przynajmniej na początku. — Penzo spojrzał na kanapkę, która została na talerzu. — Ale nigdy nie potrafiła cieszyć się długo. — Przytknął palec do sprężystego pieczywa i nacisnął, a potem cofnął dłoń. Na białym chlebie został ślad. Adwokat odsunął talerz i wypił łyk wody.

Inspektor i komisarz czekali.

— Gdy już mieszkali tam około sześciu miesięcy, sędzia Coltellini dała Araldowi po rozprawie akta. Zaniósł je do swojego gabinetu i przejrzał dokumenty, by sprawdzić, czy żadnego nie brakuje. Myślę, że tylko on w Tribunale zawraca... zawracał sobie czymś takim głowę. Nie było jednego, aktu własności jakiegoś domu. Odniósł więc akta i powiedział o tym sędzi, a ona odparła, że nic jej na ten temat nie wiadomo, że gdy czytała akta, nie było w nich tego dokumentu, a w każdym razie nie przypomina sobie, by go widziała.

— Jak zareagował?

— Uwierzył jej, oczywiście. Była przecież sędzią, a jego wychowano w szacunku dla arystokracji i władzy.

— A potem? — zapytał Vianello.

— Kilka miesięcy później Coltellini odroczyła proces, ponieważ akta tej sprawy zaginęły — odparł adwokat i umilkł.

— A gdzie były? — zapytał Brunetti.

— Na jej biurku, schowane pod stertą innych. Araldo znalazł je, gdy wrócił po południu, żeby odzyskać pobrane na rozprawę akta.

— Rozmawiał z nią?

— Owszem. Przepraszała, tłumacząc, że ich nie zauważyła, że pewnie były wetknięte między inne teczki.

— I tym razem? — To pytanie padło z ust inspektora.

— Nadal nie widział w tym nic podejrzanego. Tak w każdym razie mi powiedział.

— A potem? — zapytał Brunetti.

— A potem przestał mi o tym mówić.

— Skąd pan wie, że było o czym?

— Powiedziałem panu, *commissario*. Chodziliśmy razem do liceum. Po czterdziestu latach znajomości człowiek wie, co myśli druga osoba, kiedy coś ją gnębi.

— Pytał pan o to?

— Tak, kilka razy.

— I?

— Powiedział, żebym dał mu spokój, że chodzi o pracę i nie chce o tym rozmawiać. — Penzo znowu skupił uwagę na swojej kanapce. Tym razem zrobił krzyżyk na wciąż widocznym odcisku palca, po czym wrócił do rozmowy z komisarzem. — Nie poruszałem więc tego tematu i próbowaliśmy udawać, że wszystko gra.

— Ale?

Penzo wziął szklankę, wprawił w ruch wirowy pozostałą w niej wodę, po czym wypił do dna.

— Musi pan zrozumieć, że Araldo był uczciwym człowiekiem. Dobrym i uczciwym.

— To znaczy?

— To znaczy, że myśl, że jakiś sędzia go okłamuje lub coś ukrywa, martwiła go. A potem budziła w nim złość.

— Co w tej sprawie zrobił?

— A co mógł zrobić? Dał się zwabić w pułapkę,

239

prawda? Jego matka była tak szczęśliwa, jak tylko mogła być. Miał jej odebrać to szczęście?

— Skąd pewność, że musieliby się wyprowadzić?

Penzo nawet nie raczył odpowiedzieć na to pytanie.

— To mieszkanie było dla niej aż tak ważne?

— Tak — odparł natychmiast adwokat. — Bo miała dokąd zapraszać swoje nieliczne przyjaciółki, żeby mogły zobaczyć, jak dobrze się wiedzie jej i jej synowi, który jest tylko urzędnikiem. A nie adwokatem.

— Więc?

— Więc nie rozmawiał o tym, a ja nie wypytywałem.

— I to wszystko?

Penzo posłał Brunettiemu ponure spojrzenie, jakby się zastanawiał, czy ma się obrazić, czy nie.

— Tak. To wszystko — odparł.

W panującym upale twarze i ręce wszystkich pokrywała cienka warstwa potu, więc komisarz dopiero po chwili zauważył, że po policzkach adwokata płyną łzy. On sam też ich chyba nie zauważył, a z pewnością nie próbował ich otrzeć, więc zaczęły mu wsiąkać w gors białej koszuli.

— Pójdę do grobu, żałując, że czegoś w tej sprawie nie zrobiłem. Że nie skłoniłem go do rozmowy. Że nie zmusiłem, by mi powiedział, co robi. O co ona go prosi — dodał i otarł z roztargnieniem łzy. — Nie chciałem stwarzać kłopotu.

— Widział się pan z nim tamtego dnia? — zapytał komisarz. — Albo rozmawiał?

— Chodzi panu o dzień, w którym zginął?

— Tak.

240

— Nie. Byłem w Belluno, na spotkaniu z klientem, i wróciłem dopiero następnego dnia.

— W którym hotelu? — zapytał delikatnie Vianello.

Twarz prawnika zastygła w bezruchu. Z trudem odwrócił ją w stronę inspektora.

— W Pinecie — odparł zdławionym głosem. Sięgnął w dół po teczkę i wyszedł z baru tak szybko, że ani Brunetti, ani Vianello, gdyby nawet chcieli, nie zdążyliby go zatrzymać.

Rozdział 23

Komisarz podszedł do baru i szybko wrócił z dwoma następnymi kieliszkami białego wina. Wręczył jeden inspektorowi, upił trochę ze swojego i zapytał:

— No i?

Vianello podniósł wykałaczkę, której używał do jedzenia karczocha, i w zamyśleniu zaczął ją łamać na drobne kawałki, układając je na talerzu obok pozostawionej przez Penza kanapki.

— Cóż — rzekł w końcu — wygląda na to, że musimy prześwietlić jego życiorys.

— Fontany czy Penza?

Inspektor poniósł szybko wzrok.

— Tak naprawdę ich obu, ale w przypadku Fontany już zaczęliśmy. Najpierw stwierdziliśmy, że był gejem, a potem otrzymaliśmy płaczliwy opis jego smutnego życia od kogoś, kto może się okazać... o ile trafnie interpretuję wszystkie znaki... jego kochankiem. Może więc należałoby się dowiedzieć, gdzie Penzo spędził tę noc, kiedy zginął Fontana.

— Czy to znaczy, że jego łzawa opowieść nie trafiła ci

do przekonania? — zapytał Brunetti tonem bardziej cynicznym, niż miał w zwyczaju.

— Trafiła i trafia — odparł Vianello, odłamując kolejny kawałek wykałaczki. — To, że kochał Fontanę, jest dość oczywiste.

— Ale?

— Ludzie codziennie zabijają swoich ukochanych.

— Właśnie — potwierdził komisarz.

— Czy to znaczy, że traktujemy go jako podejrzanego?

— To znaczy, że m u s i m y go tak traktować. — Brunetti popatrzył na inspektora i zapytał: — Jak uważasz?

— Powiedziałem ci, że moim zdaniem Penzo go kochał — odparł Vianello, po czym po krótkiej pauzie dodał głosem, w którym pobrzmiewało niemal rozczarowanie: — Ale nie sądzę, by go zabił.

Brunetti zmuszony był zgodzić się z obydwoma wnioskami inspektora, w końcu dał jednak wyraz zaniepokojeniu, które wzbudziła w nim rozmowa z adwokatem.

— Myślisz, że Penzo był jego kochankiem?

— Słyszałeś, jak o nim mówił — upierał się przy swoim Vianello.

— Kochać kogoś przez czterdzieści lat to nie to samo co być jego kochankiem — zauważył komisarz. Dostrzegł w spojrzeniu inspektora zdecydowany opór i zanim ten zdążył coś powiedzieć, zaznaczył: — To nie to samo, przyjacielu. — Zdał sobie sprawę, że oni dwaj darzyli się oczywiście miłością, ale przecież nie mógł czegoś takiego powiedzieć, na pewno nie inspektorowi. Przyznał też sam przed sobą, że nie chciałby tego usłyszeć z jego ust.

— Możesz uważać, że są inni, jeśli chcesz — rzekł Vianello i zabrzmiało to tak, jakby on nie chciał tak uważać. — Jeżeli się okaże, że tamtej nocy nie było go w Belluno, co wtedy zrobimy?

Brunetti mógł jedynie zbyć tę ewentualność wzruszeniem ramion.

Wróciwszy do biura, zmarnowany komisarz stanął przy oknie w nadziei na jakikolwiek powiew wiatru i rozważał nowe powiązania oraz możliwości, jakie mogły one stwarzać. Penzo i Fontana jako serdeczni przyjaciele — cokolwiek to znaczy. Albo jako kochankowie — nie wykluczał tej ewentualności. Fontana i sędzia Coltellini jako przeciwnicy w sporze o ginące dokumenty prawne. Fontana jako strona dwóch słownych *battaglie* ze współlokatorami. A do tego signor Puntera, zamożny przedsiębiorca i właściciel *palazzo*, który maczał palce w różnych sprawach i dlatego z wielu powodów potrzebował przychylnie usposobionych znajomych w sądzie.

Porzucił wszelką nadzieję na wytchnienie od skwaru i zszedł do biura signoriny Elettry. Drzwi sekretariatu były zamknięte. Zapukał, po czym wszedł na wezwanie. I trafił do raju. Było tu chłodno i sucho, a on poczuł mimowolny dreszcz, nie wiedział tylko, czy zimna, czy rozkoszy. Sekretarka Patty siedziała za biurkiem w jasnoniebieskim rozpinanym sweterku, który wyglądał na — czy to możliwe w sierpniu? — kaszmirowy.

Wszedł do środka i szybko zamknął drzwi.

— Jak mu się to udało? — zapytał, po czym, nie mogąc ukryć zaskoczenia, dodał: — Pomogła mu pani?

— *Commissario*, proszę — powiedziała z oburzeniem w głosie. — Zna pan moją opinię o klimatyzacji.

Rzeczywiście znał. Kiedyś omal się o to nie pokłócili. On utrzymywał, że klimatyzacja jest potrzebna pewnym osobom i w pewnych warunkach, do których po cichu zaliczał lipcowy i sierpniowy skwar we własnym domu, natomiast ona twierdziła, że takie marnotrawstwo jest niemoralne.

— Co się stało?

— Porucznik Scarpa — powiedziała z nieskrywaną pogardą — ma znajomego, który naprawia klimatyzatory. Dziś rano kazał mu przynieść jeden tutaj i zainstalować w gabinecie *vice-questore*. — Prostując się w fotelu, dodała: — Powiedziałam mu, że ja nie potrzebuję klimatyzatora; wystarczająco dużo zimnego powietrza napływa tu, ilekroć otwierają się drzwi.

W tym momencie drzwi za biurkiem signoriny Elettry uderzyły z hukiem o ścianę i do sekretariatu zamiast zimnego powietrza wpadł Patta.

— Tu jesteś. Od kilku godzin wydzwaniam do twojego gabinetu. Wchodź. — Nie krzyczał, bo i nie musiał. Siła jego gniewu niemal odwróciła skutki działania klimatyzacji.

Zastępca komendanta odwrócił się i ruszył do gabinetu, ponieważ jednak wcześniej otworzył jego drzwi tak mocno, że same się zamknęły, musiał je znowu otworzyć.

Brunetti zdążył zerknąć na signorinę Elettrę, lecz ona tylko podniosła ręce w bezradnym geście i pokręciła głową. Komisarz wszedł za Pattą do gabinetu i zamknął drzwi.

— Czyś ty zwariował? — zapytał *vice-questore*, gdy

już stanął za biurkiem. Usiadł, ale nie wskazał Brunettiemu krzesła, co znaczyło, że sytuacja jest groźna, a Patta nie żartuje.

Komisarz zbliżył się do biurka, uważając, by nie gestykulować.

— O co chodzi, panie komendancie? — zapytał.

— O co chodzi? — powtórzył Patta, a potem, na wypadek gdyby ktoś ukrywający się za szafą na dokumenty nie usłyszał za pierwszym razem, zapytał ponownie: — O co chodzi? — Następnie, przekonany, że wszyscy słyszeli, dodał: — Chodzi o to, że dziś rano miałem dwa telefony, oba z informacją o twoim niemal przestępczym zachowaniu. Oto, o co chodzi.

— Mogę wiedzieć, kto do pana dzwonił, panie komendancie? — zapytał Brunetti, bojąc się najgorszego.

— Zatelefonował do mnie mąż signory Fulgoni, który powiedział, że jego żona jest bardzo poruszona tym, jak ją przesłuchiwałeś. — Patta uniósł dłoń, by odrzucić wszelkie ewentualne próby wytłumaczenia lub obrony. — Co gorsza, dodał, że miałeś czelność zejść piętro niżej i przesłuchać jakieś dziecko. — Myśl o konsekwencjach tego postępku oderwała Pattę od fotela. Pochylił się nad biurkiem i grzmiącym głosem zagłuszył szum klimatyzatora. — Dziecko, Brunetti. Wiesz, ile kłopotów mogło mi to przysporzyć?

— Od kogo był ten drugi telefon? — zapytał komisarz.

— To właśnie miałem ci powiedzieć. Od pani dyrektor służb socjalnych, która twierdziła, że otrzymała skargę na policję nękającą dziecko, i pytała, co się dzieje.

Brunetti stłumił w sobie chęć dowiedzenia się, kto złożył tę skargę, wiedząc, że Patta i tak mu tego nie powie. *Vice--questore* usiadł w fotelu i spokojniejszym tonem dodał:

— Na szczęście obaj z jej mężem należymy do Lions Club, więc dość dobrze ich znam. Zapewniłem ją, że to było całkowite nieporozumienie, i wydawało się, że mi uwierzyła. W każdym razie nie będzie formalnego dochodzenia. — Jego ulga była wyraźnie wyczuwalna. — Jedno zmartwienie mniej.

Brunetti stał nieruchomo, uznawszy, że najlepiej będzie pozwolić, by fale gniewu Patty rozbijały się o niego, dopóki nie zacznie się odpływ, i wtedy złożyć wyjaśnienia.

— Fulgoni jest dyrektorem banku — oświadczył Patta. — Masz pojęcie, jak ustosunkowany może być taki człowiek? W dodatku to znajomy komendanta. — *Vice--questore* przerwał, by komisarz w pełni uświadomił sobie grozę sytuacji, po czym spokojniejszym głosem dodał: — Myślę jednak, że przekonałem go, aby nie dzwonił ze skargą.

Zamknął oczy i westchnął głęboko, by tym dobitniej zademonstrować Brunettiemu, jak ciężką próbą dla jego wyrozumiałości był ten najnowszy przykład nierozwagi i nieodpowiedzialności jego podwładnego, kolejne świadectwo, jak boleśnie doświadcza niebezpieczeństw swojego urzędu.

— No dobrze — rzekł zmęczonym głosem. — Nie stercz tam. Usiądź i przedstaw mi swoją wersję wydarzeń.

Komisarz uczynił, jak mu kazano, starając się siedzieć prosto, ze złączonymi nogami i rękami na kolanach; żadnego pasywno-agresywnego krzyżowania rąk na piersi.

— Rzeczywiście rozmawiałem z signorą Fulgoni, *vice--questore*. Zgodnie z raportem porucznika Scarpy oboje z mężem określili godzinę, przed którą morderstwo nie mogło mieć miejsca. Byłem ciekaw, czy zauważyli coś niezwykłego lub niewłaściwego. Chciałem się czegoś dowiedzieć o tych czterech składzikach. Ktoś mógł się tam z łatwością ukryć.

— Fulgoni nic mi o tym nie mówił — rzekł Patta z podejrzliwością człowieka nawykłego do kłamstw swoich rozmówców. — Twierdził, że pytałeś o sprawy osobiste.

Brunetti zrobił zdumioną minę, jakby był urażony taką sugestią, choć przecież nie miał do tego prawa.

— Nie, panie komendancie. Gdy tylko odpowiedziała na moje pytanie o godzinę, kiedy ona i jej mąż przyszli do domu, skomplementowałem jedynie jej mieszkanie i zapytałem, czy znają Fontanów. Zaprzeczyła, i wtedy obaj z Vianellem wyszliśmy.

— I zeszliście piętro niżej, żeby przesłuchać to dziecko — rzekł Patta głosem na powrót przepełnionym złością.

Komisarz uniósł ręce, żeby odeprzeć nieuzasadnioną krytykę.

— To albo jakieś nieporozumienie, albo gruba przesada, panie komendancie. Zeszliśmy piętro niżej i zadzwoniliśmy do drzwi. Odezwała się zza nich jakaś dziewczynka i wtedy poprosiłem o rozmowę z jej matką. Gdy nam otworzyła, ujrzałem stojącą w głębi mieszkania kobietę — wyjaśnił, uznając, że opis jej wyglądu nie jest konieczny — i założyłem, że to matka dziecka. Wszedłem więc do środka, li-

248

cząc na to, że z nią porozmawiam. Ale gdy tylko zdałem sobie sprawę, że kobieta nie jest matką małej, wyszliśmy. Natychmiast, panie komendancie. Vianello może to potwierdzić.

— Tego akurat jestem pewien — odparł Patta w jednym z przebłysków trzeźwości umysłu, które przez lata uniemożliwiały Brunettiemu lekceważenie go jako kompletnego głupca. — Jak to przedstawimy? — zapytał *vice-questore*. — Widziałem raport z sekcji zwłok — dodał. — Prasa zdobędzie go zapewne już wkrótce.

— Nie od Rizzardiego — zastrzegł Brunetti z takim żarem, że Patta posłał mu ostrzegawcze spojrzenie.

— Jak pewnie pamiętasz, *dottor* Rizzardi nie jest jedynym pracownikiem laboratorium ani jedyną osobą, która ma dostęp do tego raportu. Z chwilą gdy raport stanie się znany, jak możemy to rozegrać?

Komisarz przyglądał się nogom biurka, myśląc o pani Fontanie i o tym, jak długo nie dopuszczała do siebie wiedzy o pewnych sprawach i jak jej się to udawało. O czym matki marzą dla swoich synów? I na co liczą z ich strony? Na szczęśliwe życie? Na wnuki? Na to, by mieć powody do dumy ze swoich pociech? Brunetti znał kobiety, które pragnęły jedynie, by ich synowie nie zażywali narkotyków i pozostawali na wolności; inne, które chciały, by poślubili piękną kobietę, zbili majątek i zdobyli pozycję społeczną; oraz te bardzo nieliczne, które po prostu pragnęły, żeby byli szczęśliwi. Na jakie pragnienia pozwalała sobie signora Fontana?

— Więc? — głos Patty przywołał błądzącego myślami komisarza do rzeczywistości.

— Rizzardi powiedział, że nieprędko otrzymamy z powrotem wyniki badań laboratoryjnych, panie komendancie.

— No i?

— No i myślę, że powinniśmy poszukać kogoś, kto mógłby chcieć zabić...

Zanim Brunetti zdążył wypowiedzieć nazwisko Fontany, Patta mu przerwał:

— Nie wyglądał mi na człowieka, którego ktoś chciałby zabić. To mogła być zwykła zbrodnia uliczna.

Brunettiego naszła pokusa, by zapytać, kto w takim razie tak brutalnie pozbawił Fontanę życia, lecz z ostrożności powstrzymał się przed tym odruchem i powiedział tylko:

— Na to wygląda, *vice-questore*. Ale ktoś jednak chciał go zabić i ktoś to zrobił. — Znał Pattę dostatecznie dobrze, by wiedzieć, że zaproponuje teraz, żeby policja zakwalifikowała tę zbrodnię jako bandycki napad. Jego zwierzchnik uważał prawdopodobnie, że to podziała uspokajająco na mieszkańców miasta. Uprzedził go więc, dodając: — Mówienie o zwykłej zbrodni ulicznej może być nieroztropne, *vice-questore*. Nikt nie chce przyjeżdżać do miasta, gdzie ludzie giną w bandyckich napadach.

Chociaż Patta był Sycylijczykiem, komisarz wiedział, że zastępca komendanta spędził wystarczająco dużo czasu wśród polityków i ludzi uchodzących za miejscową socjetę, by przyswoić sobie wenecką wiarę w turystykę. Złóżcie w ofierze małe dzieci, spędźcie tubylców i sprzedajcie ich w niewolę, wyrżnijcie wszystkich mężczyzn mających czynne prawo wyborcze, gwałćcie dziewice na ołtarzach bogów: róbcie to wszystko i jeszcze więcej, ale nie ważcie się tknąć turysty ani turystki. Miecz boga wojny był mniej potężny niż ich karty kredytowe; ich szarże przełamywały każdy opór.

— ...słuchasz mnie, Brunetti?

— Oczywiście, *signore*. Starałem się wymyślić, jak moglibyśmy to umieścić w prasie. — Komisarz także nauczył się języka kompromisu.

Patta skrzyżował ręce na piersi i popatrzył na blat biurka tak samo wolny od papierów jak jego umysł od wątpliwości.

— Wyniki sekcji zwłok zostaną upublicznione prędzej czy później, sądzę więc, że musimy oświadczyć, iż śmierć Fontany wiąże się z jego życiem prywatnym.

— Nie mając żadnych dowodów? — zapytał Brunetti, nie przestając myśleć o matce Fontany.

— Przecież są dowody. Sperma drugiego mężczyzny.

— Nie to go zabiło — odpalił nierozważnie komisarz.

Patta wsparł łokcie na biurku i przycisnął wargi do splecionych dłoni, jakby liczył na to, że powstrzyma cisnące się na usta słowa. Obaj siedzieli tak przez pewien czas, po czym *vice-questore* zapytał:

— Chcesz umieścić tę wersję w prasie czy mam poprosić o to Scarpę?

— Sądzę, że byłoby lepiej, gdyby zrobił to porucznik Scarpa — odparł Brunetti maksymalnie powściągliwym, rozsądnym głosem.

— Jesteś pewien, że nie chcesz tego zrobić? Ostatecznie niektórzy z tych reporterów to twoi znajomi.

— Dziękuję, *vice-qustore*, ale gdybym poprosił, żeby to wydrukowali, musiałbym powiedzieć, że w to nie wierzę. Porucznikowi rozmowa z prasą przychodzi o wiele łatwiej. — Komisarz uśmiechnął się i wstał z krzesła. Podszedł do drzwi, otworzył je i zamknął cicho, upewniając się, że są szczelnie zamknięte — nie chciał, by z gabinetu zastępcy komendanta uleciało zbyt dużo zimnego powietrza.

Rozdział 24

Opuszczając gabinet Patty, Brunetti postanowił kierować się rozsądkiem i nie przystanął, by porozmawiać z signoriną Elettrą. Poszedł na górę do swojego biura i zadzwonił do wiejskiego domu, w którym zatrzymała się jego rodzina. Paola odebrała po siódmym dzwonku, przedstawiając się z nazwiska.

— Jest gorąco, parno, a kanały na tyłach domów cuchną — rzekł na powitanie, a potem zapytał: — Czemu nie jesteście na spacerze?

— Cały dzień byliśmy poza domem, Guido. Właśnie czytałam na patio.

— W wiejskich domach patia być nie powinno — zauważył zrzędliwie komisarz.

— Czy byłoby lepiej, gdybym powiedziała, że chodzi o miejsce, gdzie kiedyś szlachtowano świnie, a chodnik opada do rynsztoka, którym spływała ich krew? I że wciąż lekko pachnie świńską krwią, gdy przygrzewa słońce, nie pozwalając mi poświęcić całej mojej biegłości krytycznej zniuansowanym dialogom w *Europejczykach*?

— Kłamiesz?

— Jak z nut.

— Po co?

— Żebyś się lepiej poczuł — odparła Paola i zatroszczywszy się o jego dobre samopoczucie, zapytała: — Co u ciebie?

— Jakiś ważniak, którego żonę wypytywałem, poskarżył się Patcie, musiałem więc po południu wysłuchiwać przez kwadrans jego paranoicznych wynurzeń.

— Czego się obawia?

— Bóg jeden wie. Wygląda na to, że braku zaproszenia na bal w Lions Club. Jeżeli urządzają takie bale. Nie rozumiem go: zachowuje się tak, jakby nadal żył na dworze Burbonów, a największym osiągnięciem, jakie mógłby sobie wymarzyć, to zostać rozpoznanym przez księcia. Gdyby kiedyś zjadł obiad z twoim ojcem, przypuszczalnie wyzionąłby ducha z radości.

— Mój ojciec nie jest księciem — zauważyła Paola.

— Cóż, hrabiowie należą do tej samej kategorii.

— Monarchia została zniesiona w tysiąc dziewięćset czterdziestym szóstym roku — powiedziała surowym tonem historyka.

— Nigdy byś się tego nie domyśliła, obserwując płaszczących się osobników, których widziałem w swoim życiu — odparł komisarz.

— Co się dzieje? — zapytała niezainteresowana jego spostrzeżeniami na temat wyższych warstw społecznych.

— Mężczyzna, który zginął, został określony przez dwoje wiarygodnych świadków mianem dobrego człowieka. Kłócił się z sąsiadami, miał problem z pewną sędzią i prawdopodobnie był gejem.

— Choć te informacje są bogate i sugestywne, nie jes-

254

tem pewna, czy wystarczą, bym z ich pomocą wskazała zabójcę, jeżeli po to dzwonisz.

— To słaba podstawa do dalszej pracy, prawda? — zgodził się Brunetti. — Tak naprawdę dzwonię, żeby ci powiedzieć, że z całego serca tęsknię za tobą i dziećmi i żałuję, że mnie tam nie ma.

— Załatw tę sprawę i przyjedź. Zawsze możemy zostać tydzień dłużej.

— I rozpuścić dzieci? — zapytał z udawaną trwogą.

— I mieć wakacje — poprawiła go. Wymienili kolejne uprzejmości i Brunetti odłożył słuchawkę, czując się odświeżony.

Zaczął analizować swoją rozmowę z signorą Fulgoni. Poprosił ją o potwierdzenie pory, kiedy oboje z mężem wrócili do domu, i podała mu godzinę określoną przez bicie dzwonu o północy: trudno było o większą precyzję. Jej zachowanie zmieniło się dopiero wtedy, gdy zapytał, jak się dowiedzieli o ofercie wynajmu swojego mieszkania.

— Cóż, dowiedzmy się tego, dobrze? — powiedział na głos.

Vianello, którego Brunetti zastał w sali odpraw, zapewnił go, że znalezienie informacji o umowie najmu będzie względnie proste, nauczył się bowiem niedawno uzyskiwać dostęp — posługując się tym eufemizmem, zdradził, że jego nauczycielem była signorina Elettra — do akt ratusza. Spełniając obietnicę, wstukał nazwiska Puntera i Fulgoni i już po kilku minutach miał datę zawarcia umowy oraz numer akt w Ufficio di Registri, gdzie znajdowała się ich kopia.

— Musimy tam jechać, żeby się dowiedzieć, jak wysoki płacą czynsz? — zapytał komisarz.

Vianello otworzył usta, zawahał się, zrobił zakłopotaną minę i odparł:

— Nie, niezupełnie.

— Zakładam, że tutaj nie ma kwoty czynszu — rzekł Brunetti, stukając palcem w ekran monitora.

— Nie — potwierdził inspektor, po czym natychmiast poprawił się i powiedział: — To znaczy tak.

— Czyli jak, Lorenzo?

— Kwota jest oczywiście w umowie, ale w komputerowych aktach Ufficio di Registri jej nie będzie.

— Gdzie w takim razie ją znajdziemy?

— W zeznaniach podatkowych Fulgoniego.

— One też tam są? — zapytał komisarz z przyjaznym skinieniem głowy w stronę komputera, czyniąc z niego metonimię dla samych informacji.

— Owszem.

— Więc? — rzekł Brunetti, wskazując niecierpliwym machnięciem dłoni na ekran.

— Nie wiem, jak się do nich dostać — przyznał Vianello.

Komisarz westchnął tylko i wrócił do gabinetu. Wobec tego, że Patta prawdopodobnie wciąż siedział w swoim biurze, zadzwonił do signoriny Elettry i zapytał, czy może sprawdzić deklaracje podatkowe Puntery i zobaczyć, jaki czynsz otrzymywał za trzy mieszkania w *palazzo* przy Misericordia.

— Bułka z masłem, *commissario* — odparła, a Brunetti rozłączył się, usiłując nie dopuścić do tego, by beztroska, z jaką zareagowała, umniejszyła jego szacunek dla umiejętności Vianella.

Przez pewien czas patrzył w ścianę, a potem znowu zatelefonował do Elettry. Gdy odebrała, zapytał:

— Czy sprawdzając te informacje, mogłaby pani zobaczyć, czy jest wśród nich wykaz jego wydatków na obsługę prawną i nazwiska adwokatów, którym płacił w ostatnich kilku latach? Oraz grzywien, jakie ewentualnie zapłacił w imieniu którejś ze swoich firm. Lub odszkodowań w jakiejś sprawie sądowej. A tak naprawdę chodzi o wszystko, co łączy go z prawnikami bądź sądami.

— Oczywiście, *signore* — odparła i Brunetti podziękował w milczeniu, że niebiosa obdarzyły go tym nowoczesnym Hermesem, który z taką łatwością przenosił wiadomości między nim i miejscem, które od lat zaczął nazywać w myślach Cyberolimpem. Jako człowiek w zaawansowanym wieku, hołdujący przesądom typowym dla osób wychowanych na słowie drukowanym, niepokoił się myślą, że każdy, kto potrafi znaleźć właściwą drogę, ma elektroniczny dostęp do tylu osobistych i poufnych informacji. Oczywiście z ogromną chęcią korzystał z owoców tej grabieży, nie przeszkadzało mu to jednak tak właśnie oceniać poczynania signoriny Elettry: to była grabież.

Nagle poczuł się bliski wyczerpania. Spowodowanego upałem, samotnością, w której żył, koniecznością ustępowania Patcie, żeby mógł robić to, co uważał za słuszne, a także wspomnieniem plamy krwi na bruku dziedzińca, krwi tego dobrego człowieka Fontany.

Wyszedł z komendy, nie mówiąc o tym nikomu, popłynął „jedynką" do San Silvestro, gdzie wstąpił do Antico Pontificio i zamówił na wynos pizzę z pikantną kiełbasą, ruccolą, ostrą papryką, cebulą i karczochami. Potem wrócił do domu, usiadł na tarasie i zjadł ją, popijając dwoma piwami i czytając Tacyta, którego posępna wizja polityki była jedynym, co mógł znieść w obecnym stanie ducha. Później poszedł spać i spał głębokim zdrowym snem.

Gdy nazajutrz rano przybył do komendy, oficer dyżurny powiedział, że chce z nim rozmawiać ispettore Vianello. W sali odpraw inspektor rozmawiał z Zucchero, ale młody policjant odsunął się, ujrzawszy wchodzącego komisarza.

— O co chodzi? — zapytał Brunetti, gdy dotarł do biurka Vianella.

— Dzwoniłem do figurujących w książce telefonicznej pod nazwiskiem Fontana i jeden z nich, Giorgio, powiedział, że nieboszczyk był jego kuzynem. Gdy zapytałem, czy moglibyśmy przyjechać do niego i porozmawiać, stwierdził, że wolałby zjawić się tutaj.

— Czy wyglądało na to, że ma nam coś ważnego do powiedzenia?

Vianello rozłożył ręce w geście niepewności.

— Usłyszałem tylko, że przyjedzie teraz i z nami porozmawia.

— Co mu powiedziałeś?

— Że będziesz tu przed dziewiątą.

— Dobrze. Chodź ze mną na górę. — Rozległ się dzwonek telefonu i na skinienie głową Brunettiego inspektor odebrał, podając swoje nazwisko. Przez chwilę słuchał, po czym rzekł:

— W porządku. Proszę mu wskazać drogę do gabinetu komisarza Brunettiego. — Odłożył słuchawkę i wyjaśnił: — Jest już tutaj.

Udali się szybko na górę. Brunetti pootwierał okna, ale to niewiele zmieniło; w pokoju nadal było duszno od uwięzionego w nim skwaru i stęchłego powietrza. Kilka minut później Zucchero zapukał, po czym rzekł:

— Ma pan gościa, *commissario*. Signor Fontana.

Aralda Fontanę opisywano jako drobnego, niepozornego mężczyznę, jakby był drugorzędną postacią w nudnej powieści. Brunetti miał szansę zobaczyć prawdziwego Fontanę dzień wcześniej, lecz tchórzostwo — nie dało się tego trafniej nazwać — powstrzymało go przed poproszeniem Rizzardiego, by pokazał mu nieboszczyka.

Mężczyzna, który wszedł do jego gabinetu, wyglądał jak postać, która próbowała, lecz nie zdołała uwolnić się z kart tej samej powieści. Był średniego wzrostu, średniej budowy, a włosów, ni to jasno-, ni to ciemnobrązowych, miał niewiele. Zatrzymał się w drzwiach, odsunął się od nich szybko, gdy Zucchero zamknął je za nim, i zapytał:

— Commissario Brunetti?

Komisarz podszedł, by uścisnąć mu rękę.

— Giorgio Fontana — przedstawił się mężczyzna. Uścisk jego dłoni był delikatny i krótki. Spojrzał na Vianella, po czym podszedł i wyciągnął do niego rękę. Inspektor uścisnął ją, mówiąc:

— Rozmawialiśmy wcześniej. Nazywam się Vianello, jestem zastępcą komisarza.

Inspektor wskazał mu krzesło, po czym czekał, aż usiądzie, zanim zajął swoje, stojące obok.

— Bardzo się cieszę, że przyjechał pan z nami porozmawiać, signor Fontana — zagaił Brunetti. — Zaczęliśmy szukać krewnych pańskiego kuzyna i jest pan pierwszym, z którym udało się nam skontaktować. — Komisarz mówił tak, jakby chciał zasugerować, że policja zna już ich personalia, co nie było prawdą. Rozciągnął usta w uśmiechu, który — miał taką nadzieję — wyrażał wdzięczność, a zarazem był przyjemny, i dodał: — Przyjeżdżając do nas, oszczędził nam pan czasu.

Fontana poruszył ustami w grymasie, który można było uznać za uśmiech.

— Niestety jestem jedynym — powiedział. Widząc ich spojrzenia, ciągnął dalej: — Mój ojciec był jedynym bratem Aralda, a ja jestem jego jedynym dzieckiem. Nie musicie więc szukać innych członków rodziny — zakończył z anemicznie bladym uśmiechem.

— Rozumiem — rzekł Brunetti. — Dziękuję za informację. Będziemy wdzięczni za wszelką pomoc, jakiej może nam pan udzielić.

— Jakiego rodzaju? — zapytał Fontana niemal takim tonem, jakby się bał, że poproszą go o pieniądze.

— Informacje o pańskim kuzynie, jego życiu, pracy, jakichś znajomych. O wszystkim, co pana zdaniem powinniśmy wiedzieć.

Fontana znowu uśmiechnął się nerwowo, spojrzał na nich obu, na swoje buty, a potem, nie podnosząc wzroku, spytał:

— Czy to się ukaże w gazetach?

Brunetti i Vianello wymienili szybkie spojrzenia. Inspektor zacisnął usta w półgrymasie, jakim zwykle przyjmuje się odkrycie czegoś, co może się okazać interesujące.

— Wszystko, co nam pan powie — wyjaśnił Brunetti bardzo oficjalnym tonem, jakiego używał, gdy potwierdzenie czegoś, co nie było prawdą, służyło jego interesom — zostanie zachowane w najgłębszej tajemnicy.

Jego zapewnienia nie wywołały żadnych oznak rozluźnienia u Fontany i komisarz zaczął podejrzewać, że mają do czynienia z człowiekiem, który nie wie, jak się odprężyć, a jeśli nawet wie, nie byłby w stanie tego zrobić w obecności innej osoby.

Fontana odetchnął, ale nic nie powiedział.

— Rozmawiałem z pańską ciotką, lecz w tym bolesnym momencie prośba, by opowiedziała o swoim synu, wydawała się niestosowna. — Komisarz bez wysiłku przemienił w rzeczywistość te rzeczy, których zrobienia zaniedbał, i dodał: — Dziś po południu jesteśmy umówieni z niektórymi z jego przyjaciół.

— Przyjaciół? — zapytał Fontana, jakby nie był pewien znaczenia tego słowa.

— Ludzi, którzy z nim pracowali — wyjaśnił Brunetti.

— Och — mruknął Fontana, odwracając oczy.

— Myśli pan, że kolegów byłoby trafniejszym określeniem? — wtrącił Vianello.

— Chyba tak — rzekł w końcu Fontana.

— Czy mówił o osobach, z którymi pracował? — zapytał komisarz, a gdy Fontana nie odpowiedział, dodał: — Niestety nie wiem, jak bliski był panu kuzyn.

— Dość bliski. — To wszystko, co usłyszał w odpowiedzi.

— Rozmawiał z panem o swojej pracy, *signore*?

— Nie, rzadko.

— Mogę zapytać — zaczął Brunetti ze swobodnym uśmiechem — o czym w takim razie rozmawialiście?

261

— Och, o wszystkim, o sprawach rodziny — skąpo dawkował informacje Fontana.

— Jego rodziny czy pańskiej? — zapytał cicho inspektor.

— To jedna i ta sama rodzina — zauważył dość szorstko Fontana.

Vianello pochylił się do przodu i uśmiechnął do niego.

— Oczywiście, oczywiście. Chodziło mi o to, czy rozmawialiście o rodzinie z jego, czy z pańskiej strony?

— Z obu.

— Mówił o pana ciotce, swojej matce? — zapytał Brunetti, zaintrygowany tym, że mogli poświęcać tyle czasu rozmowom o tak niewielkiej rodzinie.

— Rzadko — odparł Fontana. Wędrował wzrokiem między nimi i zawsze patrzył na tego, kto zadawał mu pytanie, uprzedzająco grzeczny, jakby nauczono go tego w dzieciństwie i nie znał innego sposobu zachowania.

— Czy kiedykolwiek mówił o sobie? — zapytał Brunetti głosem, którego starał się nie podnosić, nadając mu ton ciepłego zainteresowania.

Fontana patrzył na niego długo, jakby szukał w tym pytaniu nieuniknionej pułapki lub sztuczki.

— Czasami — odparł w końcu.

Komisarz zdał sobie sprawę, że jeżeli dalej będą rozmawiać w ten sposób, to zejdzie im tak do pierwszych śniegów, a Fontana nadal będzie wędrował wzrokiem między nimi.

— Byliście w bliskich stosunkach? — zapytał wreszcie.

— Bliskich? — powtórzył Fontana, jakby już zapomniał, że zadano mu to pytanie.

— W sensie przyjaźni — wyjaśnił Brunetti, nie tracąc cierpliwości. — Mogliście otwarcie rozmawiać ze sobą?

Początkowo Fontana spojrzał na niego tak, jakby zadziwił go ten osobliwy sposób komunikowania się dwóch mężczyzn. Jednak po namyśle potwierdził cichszym głosem:

— Tak.

— Czy rozmawiał z panem o swoim życiu intymnym? — zapytał komisarz, naśladując głos księdza, który wiele lat temu wysłuchał jego pierwszej spowiedzi. Spostrzegł, że Fontana rozluźnił się nieznacznie i dodał: — Signor Fontana, chcemy znaleźć tego, kto to zrobił. — Fontana pokiwał kilka razy głową i Brunetti powtórzył: — Czy mówił o swoim życiu?

Kuzyn nieboszczyka przeniósł spojrzenie z komisarza na inspektora, a potem spuścił wzrok.

— Tak — odparł ledwie słyszalnym głosem.

— Czy dlatego właśnie przyszedł pan z nami porozmawiać? — zapytał Brunetti, żałując, że nie zrobił tego wcześniej.

— Tak — potwierdził mężczyzna, nie podnosząc wzroku.

Komisarz nie miał pojęcia, która część życia Aralda Fontany, osobista czy zawodowa, mogła się przyczynić do jego śmierci, ale w głosie Brunettiego nie było cienia tej niepewności, gdy rzekł:

— Dobrze. Myślę, że tam może kryć się przyczyna jego śmierci.

To wystarczyło, by Fontana oderwał wzrok od swoich kolan. Spojrzał na Brunettiego, którego uderzył smutek w jego oczach.

— Ja też.

— Mógłby nam pan w takim razie o nim opowiedzieć?

— Był dobrym człowiekiem — zaczął Fontana, zaskakując komisarza użyciem tych samych słów, których użyła signora Zinka. — Mój wuj był dobrym człowiekiem i na takiego wychował Aralda. — Jeżeli Brunetti uznał za dziwne, że Fontana nie wspomniał o matce swojego kuzyna, zachował to dla siebie. — W dzieciństwie zawsze byliśmy blisko, później nasze kontakty trochę się rozluźniły, ale to chyba normalne. — Fontana powiedział to w trybie twierdzącym, ale komisarz wyczuł, że w rzeczywistości było to pytanie. Mężczyzna westchnął i ciągnął dalej: — Potem jednak ożeniłem się i zostałem ojcem. I sytuacja uległa zmianie. — Brunetti uśmiechnął się na te słowa i nie spojrzał w stronę inspektora. — Miałem więc dla Aralda mniej czasu.

— Nadal się widywaliście?

— Ależ oczywiście. Został ojcem chrzestnym obojga moich dzieci i potraktował to poważnie. — Fontana zrobił pauzę i odwrócił wzrok, spoglądając przez okno na dach usytuowanego na drugim brzegu kanału Casa di Cura. Komisarz odniósł wrażenie, że wzmianka o dzieciach dodała sił Fontanie; z pewnością zaś wzmocniła jego głos. Nie próbował przyciągnąć z powrotem uwagi Fontany.

Czekali i po jakimś czasie Fontana rzekł:

— On, Araldo, był homoseksualistą.

Brunetti skinął głową i tym skinieniem potwierdził przyjęcie jego uwagi do wiadomości i zaświadczył, że policja już o tym wie.

Fontana sięgnął do kieszeni i wyjął z niej bawełnianą chusteczkę. Otarł nią twarz i schował z powrotem.

— Powiedział mi o tym wiele lat temu, może piętnaście, może więcej.

— Był pan zaskoczony? — zapytał komisarz.

— Chyba nie — odparł Fontana. W zamyśleniu zerknął na kolana, chwycił za kant swoich spodni i przejechał po nich palcami tam i z powrotem, chociaż ów gest w tak wilgotnym powietrzu niczego nie zmienił. — Nie, nie byłem. Wcale — poprawił się. — Podejrzewałem to od lat. Nie żeby to miało dla mnie znaczenie.

— Czy myśli pan, że liczyło się dla jego rodziców? — zapytał Vianello. — Byli tym zaskoczeni?

— Gdy mi o tym powiedział, jego ojciec już nie żył.

— A matka?

— Nie wiem. Jest zdecydowanie bardziej inteligentna, niż się wydaje. Pewnie wiedziała. Albo podejrzewała.

— Czy miałaby coś przeciwko temu?

Fontana wzruszył ramionami, chciał coś powiedzieć, ale się powstrzymał, a potem szybko wyjaśnił:

— Dopóki nikt nie wiedział, a on płacił czynsz, niespecjalnie ją to obchodziło.

— To niezwykłe mówić tak o czyjejś matce — wtrącił uwagę Brunetti.

— Bo to niezwykła kobieta — odparł Fontana, posyłając mu ostre spojrzenie.

Zapadło milczenie. Choć dyskusja o signorze Fontanie mogła być interesująca, komisarz uznał, że niewiele da. Nadeszła pora, by wrócić do sprawy śmierci Fontany, zapytał więc:

— Czy pański kuzyn mówił coś kiedyś o swoim życiu intymnym?

— Ma pan na myśli seks?

— Owszem.

Fontana znowu próbował wyrównać kant swoich spodni, lecz wilgoć i tym razem wzięła górę.

— Powiedział mi... — zaczął i przerwał, by kilka razy odchrząknąć. — Powiedział raz, że mi zazdrości — rzekł i umilkł.

Brunetti w końcu zmuszony był zapytać:

— Zazdrości czego, signor Fontana?

— Tego, że kocham swoją żonę. — To powiedziawszy, mężczyzna odwrócił wzrok.

— Co było powodem tej zazdrości?

Fontana znowu odchrząknął, zakasłał kilka razy i nie patrząc na komisarza, odparł:

— To że... tak właśnie powiedział... nigdy nie udało mu się kochać z kimś, kogo naprawdę kochał.

Rozdział 25

Brunetti znowu skinął głową, sugerując, że już wcześniej się tego dowiedział.

— Musiał mieć przez to ciężkie życie — zauważył pełnym współczucia głosem.

Fontana zamarkował wzruszenie ramion i odparł:

— W pewnym sensie, ale niezupełnie.

— Niestety, nie rozumiem — rzekł Brunetti, choć myśląc o matce Fontany, chyba zrozumiał.

— Dzięki temu mógł oddzielić swoje życie emocjonalne od seksualnego. Kochał mnie, swoją matkę i swojego przyjaciela Renato, ale my byliśmy... jak by to właściwie określić?... seksualnie nieosiągalni. — Zawahał się, jakby rozmyślając o słowach, które właśnie padły z jego ust, po czym ciągnął dalej: — Cóż, przypuszczam, że Renato jest osiągalny. Myślę jednak, że Araldo nie mógł znieść jakiegokolwiek zamętu w swoim życiu. Unikał go więc, rozdzielając te dwie sfery. Albo tak mu się wydawało. — I znowu to ledwie dostrzegalne wzruszenie ramion oraz uwaga: — Nie wiem, jak to wytłumaczyć, ale ja to rozumiem. Bo go znam. To znaczy wiem, jaki jest. Był.

— Przed chwilą przyznał pan, że mogło to mieć jakiś związek z jego śmiercią — przypomniał komisarz. — Mógłby pan nam to wyjaśnić?

Fontana splótł sztywno dłonie na kolanach i zwracając się do Brunettiego, rzekł:

— Rozdzielając to wszystko, mógł swobodnie... jeśli to odpowiednie słowo... uprawiać seks z nieznajomymi. Gdy byliśmy młodzi... w czymś takim nie było nic złego, jak sądzę. A potem, no cóż, zmieniłem się. Ale on nie.

Gdy milczenie się przeciągało, komisarz zapytał:

— Powiedział to panu?

Fontana przechylił głowę na bok.

— Tak jakby.

— Wybaczy pan, ale nie bardzo rozumiem — rzekł Brunetti. Chyba rozumiał, ale chciał usłyszeć od Fontany, co jego kuzyn miał na myśli.

— Mówił mi różne rzeczy, odpowiadał na pytania, dawał do zrozumienia — odparł Fontana, wstając raptownie po to tylko, by odkleić od ud nogawki spodni i zrobić kilka kroków w miejscu, żeby mogły swobodnie opaść. Po czym znowu usiadł i dodał: — Wiedziałem, co chce powiedzieć, nawet jeśli tego nie mówił.

— Wspomniał panu, gdzie to się odbywało? — zapytał komisarz.

— W różnych miejscach. W domach innych ludzi.

— W jego domu nie?

Fontana posłał Brunettiemu surowe spojrzenie i zapytał:

— Poznał pan jego matkę?

— Oczywiście — odparł komisarz, zerkając na blat biurka, a potem z powrotem na Fontanę.

Jakby tytułem przeprosin za ostrość ostatniej uwagi, Fontana powiedział:

— Kiedyś, gdy poszedłem do nich z wizytą, domofon i zasuwa na drzwiach były zepsute, musiałem więc zadzwonić do Aralda ze swojego *telefonino*, a on zszedł mnie wpuścić. Gdy szliśmy przez dziedziniec, przystanął i rozejrzał się. A potem powiedział, że to jego gniazdko miłosne.

— Jak pan zareagował? — wtrącił pytanie Vianello.

— Byłem zażenowany, zignorowałem go więc i udałem, że nic nie słyszałem. — Po chwili dodał: — Nie wiedziałem, co powiedzieć. W dzieciństwie byliśmy sobie tacy bliscy, a on wygadywał takie rzeczy. Nie rozumiałem tego.

— Może też był zażenowany — zasugerował Brunetti, po czym, bardziej na temat, zapytał: — Czy kiedykolwiek wspomniał kogoś z nazwiska lub uczynił uwagę, która pozwoliłaby panu określić tożsamość któregoś z jego... — komisarz usiłował znaleźć odpowiednie słowo: „kochanków" wydawało się zbyt niewłaściwe, zważywszy na to, co mówił mu Fontana — ...partnerów?

Fontana pokręcił głową.

— Nie. Ani słowem. Pewnie uważał, że to niestosowne. — Fontana czekał na kolejne pytania, a gdy nie padły, ciągnął dalej: — Nie miał nic przeciwko rozmowom o swoim życiu, ale nigdy nic nie mówił o innych: żadnych nazwisk, nawet informacji o ich wieku. Nic.

— Tylko to, że nie może ich kochać? — zapytał ze smutkiem Vianello.

Fontana skinął głową, po czym odparł szeptem:

— Lub nie powinien.

Następne informacje, których dostarczył, nie wnosiły nic nowego: jego kuzyn nigdy nie zapoznał go z nikim, kto nie był znajomym ze szkoły lub kolegą z pracy, nigdy też nie mówił ze szczególną sympatią o nikim oprócz Renata Penza, którego wychwalał jako przyjaciela. Na wakacje zawsze jeździł z matką i raz zażartował, że bardziej się wtedy napracował, niż gdy chodził do pracy.

W ostatnich miesiącach sprawiał wrażenie nerwowego i zatroskanego, a gdy Giorgio zwrócił na to uwagę, jego kuzyn powiedział tylko, że ma kłopoty w pracy i w domu.

— Od wielu osób, z którymi rozmawiałem — zaczął Brunetti — usłyszałem, że był dobrym człowiekiem. Sam pan użył tego określenia. Mógłby mi pan wyjaśnić, co pan przez to rozumie?

Na twarzy Fontany odmalował się wyraz prawdziwego zmieszania.

— Przecież wszyscy wiedzą, co to znaczy. — Spojrzał na Vianella, licząc na potwierdzenie, ale inspektor milczał.

W końcu Brunetti pozwolił sobie na szczerość.

— Jest wielu ludzi, którzy pomyśleliby o nim inaczej, gdyby się dowiedzieli, że jest homoseksualistą.

— Ale to niedorzeczne — odburknął Fontana. — Powiedziałem panu: on był dobrym człowiekiem. Przez ostatni rok zbierał ubrania dla tej kobiety... tej służącej... jak ona ma na imię?

— Zinki? — podpowiedział Brunetti.

— Tak. Zbierał ubrania dla jej rodziny w Rumunii i wysyłał je tam. Wiem też, że jego przyjaciel Penzo stara się uzyskać dla niej *permesso di soggiorno*. No i Araldo miał świętą cierpliwość do swojej matki. Zrobiłby wszystko, by była zadowolona. I naprawdę był niezdolny do nieuczciwości. Jakiejkolwiek nieuczciwości — zapewnił Fontana, po czym, jakby wróciła mu pamięć, dodał: — Ach, byłbym zapomniał. Około dwóch miesięcy temu powiedział mi, że myśli o przeprowadzce, ale nie mógł znieść świadomości, jak bardzo zdenerwuje to jego matkę.

— Wyjaśnił dlaczego?

Fontana pokręcił głową.

— Nie powiedział nic, co mógłbym zrozumieć. Coś o pracy i o tym, że nie powinien mieszkać w tym *palazzo*. Ale tak naprawdę tego nie wyjaśnił.

— Myśli pan, że przeprowadziłby się?

Fontana uniósł brwi i zamknął oczy. Gdy je otworzył, napotkał spojrzenie komisarza i rzekł:

— Gdyby to oznaczało zmartwienie dla jego matki... — Potem odebrało mu mowę.

— Naprawdę sądzi pan, że to mieszkanie jest dla niej takie ważne? — Brunetti nie potrafił ukryć zaskoczenia.

— Rozmawiał pan z moją ciotką?

— Tak.

— Widział pan jej drobne zaróżowione policzki i eleganckie uczesanie?

— Tak.

Fontana tak szybko pochylił się na krześle, że Vianello odsunął się od niego w pośpiechu.

— Moja ciotka to harpia — oświadczył z gwałtownością, która zdumiała Brunettiego i sprawiła, że Vianello rozdziawił usta. — Jeżeli nie dostaje tego, na co ma ochotę, inni muszą za to płacić, a ona pragnie mieć to mieszkanie. Niczego w swoim życiu nie pragnęła bardziej.

Przez jakiś czas nikt w gabinecie nie znalazł odpowiednich słów komentarza, dopóki komisarz nie zapytał:

— I to wystarczyło, by powstrzymać pańskiego kuzyna przed tym, co chciał zrobić?

— Nie wiem, ale gdy teraz o tym myślę, wydaje mi się, że właśnie to wprawiło go w takie zdenerwowanie, gdy ostatnio się widzieliśmy lub rozmawialiśmy kilka razy.

— Czy pański kuzyn wspominał kiedyś o sędzi Coltellini? — zapytał nagle Brunetti.

Fontana nie potrafił ukryć zaskoczenia.

— Owszem, wspominał. Przez ostanie kilka lat może dwukrotnie. Robiła na nim wielkie wrażenie. Zawsze była dla niego bardzo miła, zdawała się doceniać jego pracę. — Fontana zrobił pauzę, a potem dodał: — Araldo od czasu do czasu zadurzał się w kobietach, zwłaszcza tych, które pracowały tam gdzie on, które miały więcej władzy bądź ponosiły większą odpowiedzialność niż on.

— Co się z nimi działo?

— Och, prędzej czy później nużyły go. Albo robiły coś, czego nie aprobował, a wtedy znikały z pola jego zainteresowania i były traktowane jak wszyscy inni.

— Czy tak się stało z sędzią Coltellini? — Zadając to pytanie, Brunetti był świadom, jak bardzo Fontana i ich relacje z nim się zmieniły, odkąd wszedł do jego gabinetu. Po dotychczasowej potulności, podobnie jak po zawstydzeniu, nie było śladu. Zamiast pozorów niepewności Brunetti dostrzegł zarówno inteligencję, jak i wrażliwość. Początkową nerwowość można było przypisać lękowi, jaki każdy kontakt z policją budził w przeciętnym obywatelu.

Brunetti wsłuchał się w odpowiedź Fontany w połowie zdania:

— ...to zmieniło sytuację. Gdy przestał o niej mówić... zauważyłem to, gdyż wcześniej robiła na nim takie wrażenie... zapytałem o nią, a on odparł, że się pomylił w jej ocenie. I tyle. Nie chciał powiedzieć nic więcej.

— Czy po jego śmierci widział się pan ze swoją ciotką?

Fontana pokręcił głową. Siedział przez jakiś czas w milczeniu, a potem rzekł:

— Jutro jest pogrzeb. Zobaczę się z nią na cmentarzu. I mam nadzieję, że już nigdy więcej nie będę musiał jej oglądać.

Policjanci czekali na ciąg dalszy.

— Zniszczyła mu życie. Powinien był zamieszkać z Renatem, gdy miał na to szansę.

— Kiedy to było? — zapytał Brunetti.

Gdy Fontana popatrzył na niego, komisarz spostrzegł, że jego oczy zrobiły się jeszcze smutniejsze.

— To nie ma znaczenia, prawda? Mógł i powinien był to zrobić, ale nie zrobił, a teraz nie żyje.

Fontana wstał, sięgnął przez biurko i uścisnął dłoń najpierw Brunettiemu, a potem inspektorowi. Nie raczył powiedzieć nic więcej. Podszedł tylko do drzwi i opuścił gabinet.

Rozdział 26

Po wyjściu Fontany w pokoju nadal panowała cisza, żaden z nich nie był skłonny jej zakłócić. Po pewnym czasie Brunetti wstał od biurka i podszedł do okna, ale nie znalazł tam wytchnienia od otępiającej atmosfery tego dnia i wagi słów Fontany.

— Moja żona i dzieci sypiają pod puchowymi kołdrami, a my musimy jutro iść na pogrzeb — powiedział, wyglądając przez okno.

— Pod nieobecność Nadii i dzieciaków i tak nie mam nic lepszego do roboty — stwierdził ze smutkiem Vianello. — Wkrótce zacznę chyba mówić do siebie. Albo jadać w McDonaldzie.

— To pierwsze będzie chyba mniej szkodliwe — zauważył komisarz, po czym, już poważniej, dodał: — Ja będę mówił, a ty słuchaj, dobrze?

Inspektor skrzyżował ręce na piersi i osunął się na krześle, wyciągając przed siebie skrzyżowane w kostkach nogi.

Brunetti oparł się o parapet, ułożył na nim dłonie i rzekł:

— Próbka DNA, którą Rizzardi pobrał z ciała Fontany, zda się na nic, jeżeli nie będzie komu jej przypisać. Penzo i Fontana nie byli kochankami, cokolwiek to znaczy. Matka mogła wiedzieć, że Araldo jest gejem, ale wygląda na to, że bardziej obchodziło ją zachowanie mieszkania. Fontana durzył się trochę w sędzi Coltellini, po czym to zadurzenie skończyło się z powodów, których jeszcze nie znamy. Lubił seks z nieznajomymi. Ktoś w sądzie rozpowiada, że lubił niebezpieczny seks. Pokłócił się z oboma sąsiadami; nie wiemy o co. W części spraw rozpatrywanych przez sędzię Coltellini dochodzi do bardzo dużych opóźnień. Fontana nie chciał o niej rozmawiać. Pragnął się wyprowadzić z mieszkania, ale przypuszczalnie zabrakło mu odwagi, żeby to zrobić.

Vianello rozsunął nogi i skrzyżował je ponownie, tym razem na odwrót. Brunetti usiadł z powrotem przy biurku.

— To układanka. Mamy sporo elementów, ale nie wiemy, jak je dopasować.

— Może nie pasują — zauważył inspektor.

— Co?

— Może nie pasują do siebie. Może Fontana kogoś poderwał, przyprowadził go na dziedziniec i sytuacja wymknęła się spod kontroli.

Komisarz wsparł brodę na dłoni.

— Mam nadzieję, że ta sugestia nie wynika z przeświadczenia, że gejowski seks musi być niebezpieczny. — Jego głos był obojętny, ale intencja czytelna.

— Guido — odparł Vianello z rozdrażnieniem — okaż mi trochę zaufania, dobrze? Mamy mnóstwo mało istotnych faktów i jeszcze więcej poszlak, ale mamy również nieboszczyka, którego głową walnięto trzy razy o marmurowy posąg, a coś takiego nie przydarza się dobrym ludziom, chyba że postępują bardzo nierozważnie.

— Albo mają do czynienia z człowiekiem, który nie jest dobry, tylko tak p o s t ę p u j e — dodał pośpiesznie Brunetti.

— Myślę, że... — zaczął mówić Vianello, ale przerwał mu Pucetti, który z impetem wpadł do gabinetu i z rozpędu omal nie zderzył się z krzesłem inspektora.

— Ospedale — zdołał z siebie wyrzucić, po czym pochylił się, by wziąć dwa głębokie oddechy. — Otrzymaliśmy wiadomość telefoniczną — dodał, ale w tym momencie zadzwonił aparat Brunettiego.

— *Commissario* — rozległ się głos, którego Brunetti nie rozpoznał — dzwonili ze szpitala. Coś się dzieje w laboratorium.

— Co?

— Wygląda to na ewidentne wzięcie zakładników, panie komisarzu.

— Słucham?! — Brunetti zastanawiał się, czy wszyscy tam nie naoglądali się przypadkiem za dużo telewizji.

— Wygląda na to, że ktoś zamknął się w laboratorium i rzuca pogróżki.

— Kto do was dzwonił?

— *Portiere*. Powiedział, że ludzie uciekli z laboratorium. Jeden z nich zadzwonił do niego.

— Co to znaczy „uciekli"? — Komisarz zakrył słuchawkę i rzekł do inspektora: — Ściągnij Foę. Potrzebuję motorówki. — Vianello skinął głową i wyszedł razem z Pucettim.

Brunetti powrócił do przerwanej rozmowy w samą porę, by usłyszeć wyjaśnienie.

— *Portiere* powiedział, że usłyszał to od osoby, która telefonowała.

276

— Co jeszcze powiedział ten człowiek?

— Nie wiem, panie komisarzu. *Portiere* zadzwonił na sto dwanaście, ale nikt nie odbierał, więc zatelefonował do nas. To wszystko.

— Zadzwoń do niego i powiedz, że już płyniemy — polecił Brunetti.

Na zewnątrz, gdy przecinał chodnik w drodze do motorówki, zdał sobie sprawę, że w gabinecie zostawił marynarkę, więc i swoje okulary przeciwsłoneczne. Poranne światło oślepiło go i na pokład łodzi zeskakiwał na wpół ociemniały. Vianello chwycił go za rękę, żeby nie stracił równowagi, i zaprowadził do kabiny, by uciec przed słońcem. Chociaż zostawili otwarte drzwi, a inspektor rozsunął okna, upał dawał się im mocno we znaki.

Foa zawrócił, wykonując potrójny manewr, i zabrał ich w stronę Rio di Santa Marina. Włączył syrenę, by ostrzec nadpływające łodzie, że policyjna motorówka płynie pod prąd. Zwolnił, by skręcić w Rio dei Mendicanti i zatrzymał się przy szpitalnym pomoście dla karetek. Brunetti i Vianello wyskoczyli na pirs, komisarz zwrócił się do Foy z poleceniem, żeby na nich czekał, i weszli szybko do szpitala z minami ludzi śpieszących się do pacjenta. Podróż łodzią zajęła im niecałe pięć minut.

Komisarz poprowadził ich wzdłuż muru klasztoru, a potem w lewo i schodami w kierunku laboratorium. Drzwi znajdowały się w końcu korytarza, a przed drzwiami prowadzącymi na korytarz stało pięć osób, z których trzy nosiły białe kitle, a dwie niebieskie mundury straży. Brunetti rozpoznał Comeiego, jednego z asystentów szefa laboratorium.

W wytrzeszczonych błękitnych oczach młodego mężczyzny malowała się trwoga. Wakacje dobiegły końca. Comei dopiero po chwili rozpoznał komisarza i wtedy część napięcia zniknęła z jego opalonej twarzy.

— Ach, *commissario*. — Uchwycił się ręki Brunettiego, jakby tonął i tylko on mógł go wybawić z opresji.

— Co się stało? — zapytał komisarz stonowanym głosem, mając nadzieję, że to uspokoi młodzieńca.

— Byłem tam i nagle ona zaczęła krzyczeć, a potem czymś cisnęła. Później zmiotła wszystko ze swojego biurka, szkło, odczynniki i próbki krwi. Zarzuciła nimi całą podłogę. — Spuścił wzrok, znowu złapał Brunettiego za rękę i rzekł: — *Oddio*. Niech pan popatrzy, niech pan zobaczy, co zrobiła.

Komisarz spojrzał w ślad za jego wskazującym w dół palcem i spostrzegł czerwoną plamę na zielonym plastikowym chodaku laboranta.

— Ona oszalała — dodał Comei, a nagły wrzask, który dobiegł z laboratorium, był tego dowodem.

— Kto taki? — zapytał Brunetti.

— Elvira, laborantka.

— Montini?

Comei skinął głową w roztargnieniu, jakby nazwisko nie miało znaczenia, i pochylił się. Ostrożnie, trzymając materiał na wysokości kolana, uniósł mankiet spodni i odsłonił kostkę oraz podbicie bosej stopy. Ciągnęły się na nim cztery długie plamy rozpryśniętej krwi.

Laborant oparł się całym ciałem o Brunettiego.

— *Oddio, oddio* — wyszeptał, po czym odsunął się od

komisarza i stał nieruchomo, nie odrywając wzroku od śladów krwi.

Brunetti miał już coś powiedzieć, gdy Comei odwrócił się i ruszył szybkim krokiem w kierunku centralnej części szpitala.

Z głębi korytarza dobiegł kolejny odgłos, tym razem zrzucania jakiegoś ciężkiego przedmiotu.

Do komisarza podeszła kobieta w białym żakiecie.

— Jest pan z policji? — zapytała.

Brunetti skinął głową.

— Może nam pani powiedzieć, co się stało?

Kobieta była wysoka i szczupła, sprawiała wrażenie osoby kompetentnej.

— Dottoressa Zeno — przedstawiła się, nie zawracając sobie głowy uściskami dłoni. — Kieruję laboratorium.

Brunetti znowu skinął głową.

— Mniej więcej pół godziny temu zapytałam signorę Montini o próbkę krwi, którą badała w zeszłym tygodniu. Wyniki nie odpowiadały wynikom takich samych badań przeprowadzonych w szpitalu w Mestre przed trzema dniami, a lekarz badanego pacjenta zadzwonił, żeby się dowiedzieć, czy pierwszy test został zrobiony prawidłowo, bo niespodziewana różnica była dla niego zupełnie niezrozumiała. — Zeno zrobiła pauzę, po czym ciągnęła dalej: — Sprawdziłam nasze wykazy i spostrzegłam, że poprzednie badanie robiła signora Montini. — Przeniosła spojrzenie z Brunettiego na Vianella. — Coś takiego zdarzyło się nie pierwszy raz, nie po raz pierwszy też pytałam ją o to.

Komisarz próbował zrobić taką minę, jakby zrozumiał.

279

— Poszłam porozmawiać z nią, ale gdy tylko jej o tym powiedziałam... — Zeno straciła panowanie nad głosem. — Wyszarpnęła mi nowe wyniki i podarła je na strzępy, a potem zrzuciła parę rzeczy ze swojego biurka: fiolki i mikroskopy. Comei pracuje przy sąsiednim biurku.

— A potem, *dottoressa*? — zapytał Brunetti.

— Odepchnęła mnie i zaczęła krzyczeć. — I jakby analizując swoją wypowiedź, dottoressa Zeno szybko się poprawiła: — Właściwie nie odepchnęła, ale po prostu chwyciła mnie za ręce i odwróciła od siebie. Nie wyrządziła mi krzywdy.

— A potem co, *signora*?

— Potem wzięła jeden z noży, którymi otwieramy pudła, i zaczęła nim wymachiwać. Kazała nam się wynieść. Wszystkim. Gdy próbowałam z nią rozmawiać, uniosła nóż.

— Groziła pani?

— Nie, nie — odparła głosem, w którym zabrzmiały bolesne nuty. — Przytknęła go do nadgarstka i powiedziała, że podetnie sobie żyły, jeżeli nie wyjdziemy. — Zeno westchnęła raz, potem drugi. — Wszyscy wyszliśmy. Wezwałam ochronę, a ktoś zszedł na parter, by powiedzieć o tym portierowi. Potem usłyszałam, że jesteście w drodze, więc wszyscy zostaliśmy tutaj. — Komisarz myślał, że to koniec, ale dottoressa Zeno dodała: — Zadzwoniłam do doktora Rizzardiego do domu. Ich współpraca zawsze świetnie się układała.

— Przyjedzie?

— Tak.

Brunetti wymienił spojrzenia z Vianellem, kazał piątce pracowników laboratorium pozostać na miejscu i pchnął drzwi prowadzące na korytarz. Zamknęły się za nimi cicho, więżąc ich obu w lepkim cieple korytarza. Usłyszeli dobiegający z laboratorium cichy odgłos przypominający szum maszyny pracującej w odległym pomieszczeniu.

— Mamy czekać na Rizzardiego? — zapytał inspektor.

Komisarz wskazał na drzwi laboratorium, białą drewnianą płytę z jednym iluminatorem.

— Najpierw chcę zajrzeć do środka, zobaczyć, co ona robi.

Ruszyli jak najciszej korytarzem, lecz gdy zbliżyli się do drzwi, dolatujący zza nich dźwięk zrobił się na tyle głośny, że zagłuszał kroki. Brunetti podszedł powoli do okienka, świadom, że każdy nagły ruch może być dostrzeżony od wewnątrz. Jeden krok, następny i dotarł na miejsce z dobrym widokiem na pomieszczenie.

Zobaczył w nim zwykły uporządkowany nieład: fiolki ustawione pionowo na drewnianych stojakach, ciemne aptekarskie słoje dosunięte do ściany, wagi i komputery na każdym stanowisku pracy, książki i notesy z lewej strony komputerów. Na jednym stole pośrodku pokoju nie było sprzętu. Na podłodze niczym wrak statku leżał monitor, a obok kawałki stłuczonego szkła i jakieś kartki w małych czerwonych kałużach.

Spojrzenie komisarza podążyło w ślad za słuchem w stronę źródła dźwięku. Jakaś kobieta w białym kitlu pochylała się nad głębokim zlewem, stojąc plecami do Brunettiego. Szum i para wydobywały się ze strumienia wody, która pewnie lała się na coś, co kobieta trzymała w rękach. Pomyślał o swoich dzieciach, policji wodnej, i o tym, jak zganiłyby takie marnotrawstwo gorącej wody i energii potrzebnej do jej ogrzania.

Odsunął się i pozwolił, by inspektor zajął jego miejsce przy okienku. Chociaż szum wody pozwalał mówić normalnym głosem, Vianello zapytał szeptem:

— Czemu ona myje ręce?

Postępuje jak szlachetnie urodzeni Rzymianie, pomyślał Brunetti, gdy przecisnął się obok inspektora i otworzył drzwi. Biegnąc koło jednego z biurek, wyrwał słuchawkę z telefonu, a potem wyszarpnął z niej przewód. W chwili gdy dotarł do kobiety, ta osunęła się na brzeg zlewu i zobaczył czerwony — a tak naprawdę różowy — wir spływającej do ścieku wody.

Chwycił kobietę i ułożył ją na podłodze, po czym użył przewodu telefonicznego jako krępulca na jej prawej ręce. Vianello ukląkł przy nim z drugim kawałkiem przewodu i obwiązał lewe ramię.

Twarz kobiety była blada, siwe raczej niż brązowe włosy sięgały jej do ramion. Nie miała makijażu, ale niewiele można byłoby zrobić, by zmniejszyć brzydotę tych topornych rysów i dziobatej twarzy.

— Sprowadź kogoś — polecił komisarz i Vianello wyszedł. Spojrzał na jej nadgarstki: cięcia były głębokie, ale poprzeczne, co dawało pewną nadzieję. Opaski uciskowe zatrzymywały krwawienie, trochę krwi ściekało jednak na podłogę.

Kobieta otworzyła oczy. Jej rzęsy i brwi były rzadkie, oczy miały popielatobrązowy kolor.

— Nie chciałam tego zrobić — powiedziała. Ciągły szum wody sprawiał, że trudno było dosłyszeć jej słowa.

Brunetti skinął głową, jakby zrozumiał.

— Wszyscy robimy rzeczy, których potem żałujemy, *signora.*

— Ale on mnie poprosił — powiedziała i zamknęła oczy na tak długi czas, że komisarz bał się, że skonała. Potem jednak otworzyła je i dodała: — A ja bałam się, że... że mnie zostawi, jeżeli tego nie zrobię.

— Teraz proszę się tym nie martwić, *signora.* Niech pani leży spokojnie. Wkrótce ktoś się tu zjawi. — Byli w szpitalu, czemu to trwało tak długo?

Usłyszał kroki, uniósł wzrok i zobaczył Rizzardiego. Lekarz podszedł i przyklęknął z drugiej strony kobiety. Gdy ujrzał ją na podłodze, westchnął ciężko, niemal jęknął.

— Elviro — rzekł — coś ty zrobiła?

Komisarz zauważył, że Rizzardi zwrócił się do niej po imieniu. Mówił jak rodzic rozczarowany dzieckiem, które go w czymś zawiodło.

— *Dottore* — powiedziała i otworzyła oczy. Uśmiechnęła się. — Nie chciałam sprawiać kłopotów.

Rizzardi pochylił się i położył dłoń na jej ręce.

— Nigdy, nawet przez chwilę, nie sprawiałaś kłopotów, Elviro. Wręcz przeciwnie. Tylko dlatego mam jakieś zaufanie do tego laboratorium, że ty tu pracujesz.

Znowu zamknęła oczy i z ich kącików pociekły łzy. Na ich widok Rizzardi rzekł:

— Nie płacz, Elviro. Nic się nie stanie. Będziesz cała i zdrowa.

— On mnie zostawi — odparła z zamkniętymi oczami, nie mogąc powstrzymać płaczu.

— Nie. Gdy się dowie, co zrobiłaś, będzie ci chciał

pomóc — powiedział lekarz, po czym zerknął na Brunettiego, jakby miał zamiar zapytać, czy wypowiada właściwie kwestie.

— Teraz nie będzie mógł wykorzystywać wyników badań laboratoryjnych — odparła. — Ludzie nie uwierzą, że im pomaga. — Zamknęła na moment oczy, a potem spojrzała na Rizzardiego. — Ale on pomaga, naprawdę pomaga. — Uśmiechnęła się i na ułamek sekundy jej twarz stała się niemal piękna. — Mnie pomógł.

Za nimi zrobił się spory harmider. Brunetti uniósł wzrok i ujrzał trzech sanitariuszy w zielonych marynarkach tarasujących wejście noszami na kółkach. Uderzyli nimi kilka razy we framugę drzwi, aż w końcu jeden przecisnął się do przodu i wprowadził nosze do laboratorium. Dwaj sanitariusze podeszli szybko do kobiety leżącej na podłodze i odepchnęli klęczących obok niej mężczyzn.

Brunetti i Rizzardi wstali. Doprowadzony niemal do szału szumem płynącej wody komisarz podszedł do zlewu i zakręcił kran. Vianello, który wszedł do środka z sanitariuszami, stanął obok Rizzardiego. Trzeci sanitariusz podszedł bliżej, pchając nosze. Poruszył jakąś dźwignią i nosze opadły prawie do ziemi. Potem dołączył do kolegów i wspólnie przenieśli kobietę. Kolejny ruch przełącznika podniósł powoli nosze na wysokość pasa. Pierwszy sanitariusz sięgnął po rurkę biegnącą od butelki z przezroczystym płynem na ramieniu kobiety.

Wtedy Rizzardi postąpił naprzód i ujął palcami przegub jej ręki, trzymał ją przez pewien czas albo żeby zmierzyć laborantce puls, albo dodać jej wszelkiej otuchy.

— Zabierzcie ją na ostry dyżur — polecił.

Jeden z sanitariuszy już otwierał usta w odpowiedzi, ale pierwszy, który najwyraźniej szefował pozostałym, rzekł:

— To lekarz.

Gdy Rizzardi puścił jej rękę, Elvira otworzyła oczy i zapytała:

— Pojedzie pan ze mną, *dottore*?

Rizzardi uśmiechnął się do niej i wtedy komisarz uświadomił sobie, jak rzadko przez wszystkie lata ich znajomości widywał uśmiech na jego twarzy.

— Oczywiście — odparł lekarz i sanitariusze ruszyli ku drzwiom laboratorium.

Rozdział 27

Pierwszą myślą Brunettiego było: nie narażać *contessy*. Nie wiedział dokładnie, jakie Gorini odnosił korzyści z wyników badań laboratoryjnych, które signora Montini mu dostarczała, ale wiedział, że robiła to w jego interesie, z miłości i żeby jej nie zostawił. Skoro Gorini był do tego zdolny, to komisarz wolał trzymać swoją teściową z dala od wróżbity.

— Nie mogę dopuścić do wizyty matki Paoli u niego.

Vianello, który wiedział o wcześniejszej rozmowie komisarza z hrabiną, zrozumiał, o co chodzi. Brunetti wyjął komórkę, odszukał w pamięci aparatu numer do Palazzo Falier i został szybko przełączony do swojej teściowej.

— Guido, jak miło usłyszeć twój głos. Jak tam Paola i dzieci? — zapytała, jakby nie rozmawiała ze swoją córką przynajmniej dwa razy dziennie.

— Świetnie. Ale dzwonię w innej sprawie.

— Och, masz na myśli Goriniego? — zapytała po krótkim wahaniu.

— Tak. Czy próbowałaś się z nim jakoś skontaktować?

— Tylko pośrednio. Jak się okazuje, moja znajoma, Nuria Santo, chodzi do niego od wielu miesięcy i twierdzi, że bardzo chętnie mnie z nim zapozna. Jest przekonana, że uratował jej męża.

— Tak? W jaki sposób? — zapytał Brunetti bardzo łagodnym tonem, usiłując nie zdradzić zaciekawienia.

— Chodziło o podwyższony poziom cholesterolu. Jej zdaniem to zupełnie niezrozumiałe: Piero je tyle co nic, nie jada sera, nie lubi mięsa, ale jego zły cholesterol... chyba są zły i dobry... — Hrabina zrobiła pauzę, po czym dodała: — Czy to nie dziwne, że natura jest taka manichejska? — Brunetti zignorował tę uwagę, uzbroił się w cierpliwość i słuchał, a ona ciągnęła dalej: — Cokolwiek badają w laboratoriach, jego poziom był niebotyczny, a ten dobry w niczym nie pomagał. Nuria powiedziała, że podczas jednej z konsultacji Gorini zalecił Pierowi picie jakiejś herbaty ziołowej... kosztującej fortunę... i gwarantował, że to obniży cholesterol, i tak też się stało, więc teraz jest przekonana, że to jakiś święty i rozgłasza to wśród wszystkich naszych znajomych.

— Jesteś z nim umówiona? — zapytał komisarz tonem swobodnej, taką miał nadzieję, rozmowy.

— W przyszły wtorek — odparła ze śmiechem. — Spryciarz z niego, nieprawdaż? Każe ludziom czekać cały tydzień, zanim z nimi porozmawia.

— Nie chciałbym, żebyś tam szła, Donatello.

— Czy chodzi o coś, o czym powinnam powiedzieć Nurii? — zapytała hrabina, zaalarmowana chyba w równym stopniu zmianą w głosie zięcia co jego słowami.

Jak ostrzec tę drugą kobietę, nie płosząc tropionej zwierzyny?

— Chyba mogłabyś zasugerować, by odwołała twoją wizytę.

Hrabina milczała przez jakiś czas, a potem zapytała:

— Możesz mi o tym opowiedzieć?

— Nie teraz. Ale obiecuję, że to zrobię. — Zdał sobie sprawę, jak szybko wyrzuca z siebie słowa, ponaglając ją do zakończenia rozmowy.

— Dobrze. Powiem jej. Dziękuję ci, Guido — odparła hrabina i odłożyła słuchawkę.

Spojrzawszy na inspektora, Brunetti zapytał:

— Ty nic z tego nie słyszałeś, prawda?

Vianello dopiero po chwili zorientował się, którą rozmowę komisarz ma na myśli, i wtedy odparł:

— Nie, ani słowa. Za późno wszedłem.

— Zrobiła to z miłości — wyjaśnił Brunetti, zdeprymowany smutnym wydźwiękiem tych słów.

— Co zrobiła? — zapytał niecierpliwie inspektor.

— Powiedziała, że on... jestem pewien, że chodziło o Goriniego... wykorzystywał wyniki badań laboratoryjnych... myślę, że tak właśnie należy to rozumieć... do przekonywania ludzi, że może ich uleczyć. Powiedziała, że gdyby nie mógł korzystać z tych wyników, ludzie przestaliby wierzyć, że jest w stanie im pomóc. A wtedy by ją zostawił. — Komisarz uniósł dłoń w niejednoznacznym geście wyrażającym niezrozumienie lub akceptację. — Więc je zmieniała. — Vianello nie słyszał, jak zapewniała Rizzardiego, że nie chciała sprawiać kłopotów, a Brunetti nie wiedział, czy da radę powtórzyć jej słowa.

Inspektor rozejrzał się po laboratorium, popatrzył na fiolki z rozmaitymi płynami nadal stojące na drewnianych

288

półkach, na rozmaite urządzenia, które chyba były zbyt ciężkie, by signora Montini mogła próbować je zniszczyć, oraz na słoje i butelki, których zastosowania mógł domyślić się tylko fachowiec. Komisarz słyszał niemal myśli Vianella. Żeby mu pomóc, Brunetti wyjaśnił:

— Wystarczyło, by przekonał jedną osobę, że dokonał uzdrowienia, a wieść o tym się rozchodziła. — Odczekał chwilę, po czym dodał, klepiąc się po kieszeni, do której włożył swój telefon komórkowy. — Moja teściowa powiedziała mi, że jej znajoma jest przekonana, że uratował jej męża, sprzedając mu jakąś herbatę ziołową, która pozwala obniżyć poziom cholesterolu.

— Gdy ludzie znajdują kogoś, kto ich zdaniem może im pomóc, zaczyna się wyścig, nieprawdaż? — zauważył Vianello.

— Mój lekarz jest lepszy od twojego — potwierdził Brunetti. — Przekonaj tylko kogoś, że go uleczyłeś, a niebawem wszyscy jego znajomi zjawią się u twoich drzwi i będziesz się musiał od nich opędzać.

— Ale te badania? — zastrzegł inspektor. — Skąd mógł mieć pewność, że Montini je zrobi?

Zanim komisarz mógł zacząć snuć domysły na ten temat, ich rozmowę zakłócił jakiś odgłos przy drzwiach. Dottoressa Zeno przestąpiła próg laboratorium i zapytała:

— Możemy wrócić do pracy?

— Tak, tak, oczywiście — odparł Brunetti i ruszył w jej stronę. — Chciałbym z panią porozmawiać.

Wkrótce mieli jasne wyobrażenie, jak signora Montini mogła to robić. Wszyscy w laboratorium pracowali razem od tak dawna, że decyzja o tym, kto zrobi określone badania, często była kwestią ich wyboru. Zazwyczaj osoby, które najwcześniej przychodziły do pracy, wybierały pierwszą dostarczoną do laboratorium próbkę lub te, które chciały zbadać, a inni brali to, co zostało. Ponieważ signora Montini zwykle docierała tam pierwsza, wybór należał do niej.

Dla dottoressy Zeno szybko stało się oczywiste, jaką ewentualność rozważają, i powiedziała, że z łatwością może sprawdzić wszystkie badania wykonane przez Montini, których fatalne wyniki poprawiły się w bardzo krótkim czasie.

Znalezienie wyników w komputerze zabrało jej tylko kilka minut i gdy wydrukowała je dla Brunettiego, okazało się, że wśród pacjentów, których próbki signora Montini zbadała w ostatnich dwóch latach, było ponad trzydzieści osób — wszystkie grubo po sześćdziesiątce — u których poziom cholesterolu podskoczył nagle, po czym mniej więcej po dwóch miesiącach zaczął stopniowo wracać do normy. Taka sama prawidłowość pojawiła się w licznych przypadkach, mogących świadczyć o pojawiającej się w wieku dojrzałym cukrzycy z nagle wzrastającym poziomem glukozy, który obniżał się do normalnego w okresie kilku miesięcy.

— Cwany drań! — wykrzyknął Vianello, gdy ta prawidłowość stała się oczywista. Potem, bardziej sensownie, zapytał: — Czemu nikt tego nie zauważył?

Signora Zeno przycisnęła kilka klawiszy i na ekranie monitora pojawiła się liczba 73 461.

— Co to takiego? — zapytał Vianello.

— Liczba odrębnych badań, jakie zrobiliśmy w ubiegłym miesiącu — odparła ozięble, po czym, żeby go dobić, dodała: — A to tylko próbki od pacjentów z weneckich szpitali, nie te przysłane przez lekarzy, którzy sami je pobierają. — Uśmiechnęła się i zapytała inspektora: — Chciałby pan poznać tę liczbę?

Vianello podniósł ręce niczym człowiek, który zaraz zostanie rozstrzelany.

— Wygrała pani, *dottoressa*. Nie miałem pojęcia.

— Większość ludzi, nawet tych, którzy pracują w szpitalu, go nie ma — odparła łaskawa zwyciężczyni tego starcia.

Brunetti usłyszał jakiś hałas i zauważył, że dwoje laborantów spogląda w stronę drzwi. Odwrócił się i ujrzał Rizzardiego. Nie wiedział, jak to się stało, lecz elegancki zazwyczaj patolog wyglądał marnie i niechlujnie, jakby tej nocy spał w ubraniu. Zrobił kilka kroków w głąb pokoju i obrócił rękę dłonią ku górze, kończąc ten wyrażający nicość gest rozczapierzonymi palcami.

— Zabandażowali jej nadgarstki i rozpoczęli transfuzję, potem jednak pielęgniarkę wezwano do innego pokoju — zaczął, spoglądając na Brunettiego. Wyciągnął chusteczkę, otarł twarz i czoło, a następnie ręce. — Pod jej nieobecność zerwała bandaże i odłączyła kroplówkę. — Pokręcił głową.

Komisarz pobiegł myślami do Marcusa Porciusa Cato, tego najszlachetniejszego ze szlachetnych zwolenników ustroju republikańskiego. Gdy życie okazało się nie do zniesienia, rozciął sobie brzuch, a gdy przyjaciele próbowali go uratować, wyrwał sobie wnętrzności, gdyż śmierć była lepsza niż życie bez honoru.

— Jadę do domu — oświadczył Rizzardi. — Ale tego nie zrobię — dodał, po czym zniknął.

Dottoressa Zeno zostawiła ich i podeszła do laborantów, żeby z nimi porozmawiać.

— Nie zrobi czego? — zapytał Vianello.

— Sekcji zwłok, jak przypuszczam — odparł Brunetti, żałując, że inspektor zadał to pytanie.

Vianella zamurowało.

— To znaczy, że ta sprawa jest... — zaczął komisarz, ale nie potrafił się zdobyć na użycie słowa „martwa" — ...jest zamknięta — dopowiedział. Bez zeznań signoriny Montini — a przecież nie było podstaw, by wierzyć, że by je złożyła — brakowało dowodu przeciwko Goriniemu. Pomyłki się zdarzają, w szpitalach popełniana jest masa różnych błędów, w rezultacie ludzie cierpią i umierają.

— Nie wiemy, czy zmieniała jedynie wyniki badań poziomu cholesterolu.

— Myślisz, że narażałaby ludzi na niebezpieczeństwo?

Brunetti tak nie myślał, ale nie stanowiło to gwarancji dla ludzi, których próbki badała.

— Trzeba będzie powtórzyć wszystkie wykonywane przez nią badania — zauważył świadom tego, że taki nakaz mógłby wydać tylko Patta lub ewentualnie dyrektor szpitala. Jeśli chodziło o podjęcie jakichś kroków przeciwko Goriniemu, było to niemożliwe. Śmierć signory Montini zabezpieczyła go przed jakimkolwiek ryzykiem, bo przypuszczalnie nie prowadziła pisemnej dokumentacji swoich poczynań. Z pewnością nie trzymałaby jej w domu, który dzieliła z Gorinim, ani w pracy, w miejscu, gdzie zaprzedawała swój honor.

— Możemy jedynie zadzwonić na policję w Aversie i Neapolu — rzekł zrezygnowanym tonem — i poinformować, że tu jest.

Rozdział 28

Zgodnie z przewidywaniami i obawami Brunettiego przekonanie vice-questore Patty, że badania laboratoryjne wykonane przez signorę Montini powinny być powtórzone, okazało się niemożliwe. Zwierzchnik komisarza już wcześniej odrzucił pomysł prześwietlenia Goriniego lub jego kontaktów z klientami. Ten człowiek — Patta wiedział o tym z dobrego źródła — bardzo pomógł w leczeniu żony członka rady miejskiej, tak więc myśl, by mu przysporzyć kłopotów, wobec braku jakichkolwiek dowodów, była niewyobrażalna.

Gdy Brunetti nie chciał zarzucić pomysłu ponowienia badań, Patta zapytał:

— Masz pojęcie, ile pieniędzy traci co roku ULSS? — Ponieważ komisarz nie odpowiedział, zastępca komendanta dodał: — I ty chcesz przysporzyć im dodatkowych strat z powodu swojej szalonej teorii, że jakiś uzdrowiciel przekonał tę kobietę do fałszowania świadectw medycznych?

— Uzdrowiciel od dawna notowany w rejestrze karnym, *dottore* — zaznaczył Brunetti.

— Z powodu dawnego oskarżenia o przestępstwo — poprawił go Patta. — Myślę, że akurat tobie, komisarzo-

294

wi, nie trzeba przypominać, że oskarżenie to nie to samo co przestępstwo. — Uśmiechnął się życzliwie, jakby żartował z dobrego znajomego, który nigdy nie pojął tej różnicy.

Brunetti nie chciał nawet o tym słyszeć.

— Skoro ta kobieta fałszowała wyniki badań, *vice-questore*, to te badania muszą być zrobione ponownie.

Patta znowu się uśmiechnął, ale w jego głosie nie było poczucia humoru, gdy powiedział:

— Wobec braku dowodów, że ta kobieta dopuściła się przestępczych zachowań... niezależnie od twoich podejrzeń, Brunetti... szerzenie niepotrzebnego niepokoju wśród osób, których próbki mogła poddawać badaniu, byłoby to chyba nieodpowiedzialnością z twojej strony. — Przerwał w zadumie, po czym dodał: — Podobnie jak osłabianie publicznego zaufania do instytucji rządowych.

Ilekroć zdarzało się, że komisarz miał do czynienia z Pattą, nie mógł nie podziwiać umiejętności, z jaką jego przełożony potrafił przekuć swoje najgorsze wady — w tym wypadku ślepą ambicję i całkowitą niechęć do jakichkolwiek działań, które nie przynosiły mu bezpośrednich korzyści — w pozór nieposzlakowanej uczciwości.

Bez wdawania się w wyjaśnienia i bez przygotowania *vice-questore* na zmianę tematu, Brunetti rzekł:

— Jutro rano wybieram się na pogrzeb Fontany, panie komendancie.

Pokusa okazała się zbyt silna dla Patty, który zapytał:

— W nadziei, że zobaczysz tam mordercę? — Uśmiechnął się, zachęcając komisarza do wspólnych żartów.

— Nie, panie komisarzu — odparł ponuro Brunetti. —

Po to, żeby jego śmierci nie uznano za coś mało znaczącego.

Zdrowy rozsądek i instynkt samozachowawczy powstrzymywały komisarza przed dodaniem słowa „także". Wstał, powiedział coś grzecznie do *vice-questore*, poszedł na górę i odbył dwie rozczarowujące rozmowy ze swoimi kolegami z Aversy i Neapolu. Potem wrócił do domu i resztę popołudnia oraz wieczoru poświęcił lekturze *Rozmyślań* Marka Aureliusza, przyjemności, na którą pozwolił sobie po kilku latach przerwy.

Pogrzeb odbył się w kościele Madonna dell'Orto, w parafii, w której przyszła na świat matka Fontany i która zawsze stanowiła centrum duchowe w jej życiu. Brunetti i Vianello przybyli dziesięć minut przed rozpoczęciem mszy i zajęli miejsca w dwunastym rzędzie. Inspektor miał na sobie ciemnoniebieski garnitur, a Brunetti ciemnopopielaty, z lnu. Cieszył się, że włożył marynarkę, wnętrze kościoła było bowiem pierwszym miejscem, gdzie poczuł chłód, odkąd wyszedł z domu, w którym zobaczył Lucię i Zinkę.

Panujący tego dnia skwar powstrzymał chorobliwie ciekawskich oraz notorycznych bywalców pogrzebów, zjawiło się więc tylko około pięćdziesięciu osób, siedzących z osobna, w smutnym oddaleniu, w ławkach przed nimi. Policzywszy z grubsza obecnych, Brunetti zdał sobie sprawę, że średnio wychodzi zaledwie jedna osoba na każdy rok życia Fontany.

Komisarz i inspektor siedzieli zbyt daleko, żeby widzieć, kto zasiadł w pierwszych rzędach, zarezerwowanych dla rodziny i bliskich przyjaciół, ale niebawem wszyscy mieli ukazać się ich oczom, gdy wychodzili z kościoła za trumną.

Rozbrzmiała muzyka: ponury temat organowy, który pasowałby do windy w domu towarowym usytuowanym w jakiejś porządnej, choć niekoniecznie zamożnej dzielnicy. W dźwięki organów wkradł się jakiś hałas z tyłu. Brunetti i Vianello wstali i odwrócili się w tym kierunku.

Do kościoła wtoczyła się na ruchomym katafalku obwieszona kwiatami trumna, ciągnięta przez czterech mężczyzn w czarnych garniturach, którzy wydawali się nie mieć nic wspólnego z emocjonalną doniosłością rozgrywającej się właśnie sceny. Komisarz zastanawiał się, czy matka zmarłego wynajęłaby do tej roli niemowy, gdyby to było możliwe. Gdy katafalk z trumną zatrzymał się przed ołtarzem, wszyscy usiedli i rozpoczęło się nabożeństwo. Brunetti przysłuchiwał się mu z uwagą przez pierwsze minuty, ale ceremonia była teraz nudniejsza niż wtedy, gdy w dzieciństwie brał udział w pogrzebach swoich dziadków, ciotek i wujów. Słowa wypowiadano po włosku, brakowało mu magicznych łacińskich zaklęć. Uświadomiwszy sobie nagle, że zapadła cisza, zastanawiał się, czy brak bicia dzwonu pogrzebowego podczas mszy, dźwięku, który towarzyszył tylu członkom jego rodziny w drodze na miejsce wiecznego spoczynku, ostatnio zaś jego matce, także był zaplanowany w tym nowoczesnym — i banalnym — obrzędzie.

Wstając i siadając, klękając na chwilę po to tylko, by znowu wstać, niesiony falą wspomnień rozmyślał o tej dziwnej śmierci. Signorina Elettra „dostała się" do archi-

wów Tribunale i zdołała prześledzić dzieje prawnych poty-
czek Puntery. Zarówno spór o magazyn, jak i sprawa po-
szkodowanego robotnika zostały przydzielone sędzi Coltellini i w obu tych procesach długie odroczenia wynikały
z braku lub zagubienia akt i stosownych dokumentów.
Także w innych sprawach, które trafiły do niej na wokandę,
dochodziło do podobnych odroczeń. Jak ustaliła signorina
Elettra, we wszystkich jedna strona sporu wydawała się od-
nosić korzyść z tych opóźnień. Sędzia Coltellini była właś-
cicielką domu, który kupiła przed trzema laty, choć nie od
pana Puntery.

Okazało się, że bank, w którym signor Fulgoni był dyrektorem, przyznał Punterze pożyczkę na bardzo korzystny
procent, a signor Marsano był prawnikiem w pewnej kancelarii, która kiedyś reprezentowała klienta w sprawie wnie-
sionej, bez powodzenia, przeciwko Punterze. W oświad-
czeniu majątkowym Puntera wykazał czynsz, który
otrzymywał za wynajem każdego z ich mieszkań, a także
z mieszkania Fontanów, w wysokości czterystu pięćdziesięciu euro miesięcznie, czyli około jednej piątej czynszu, jakiego mogli się normalnie spodziewać.

Ksiądz okrążył katafalk, zanurzając kropidło raz po raz
w święconej wodzie i skrapiając nią wieko trumny. Brunetti
zrozumiał, jak doskonale rytuały przedchrześcijańskiego
Rzymu — kapłani mamroczący zaklęcia, które zmuszały
złe duchy do ucieczki, szukający wiedzy o przyszłości
w trzewiach złożonych w ofierze zwierząt — łączą się z ry-
tuałami nowych Włoch, złymi duchami powstrzymywa-
nymi magiczną *tisana*, przyszłością ujawnianą w odwróco-
nej karcie. Wieki mijają, a my niczego się nie uczymy.

Puntera też przystosował się do nowego ładu. Nic z tego, co zrobił, nie było pod żadnym względem niezwykłe w obecnych czasach, a prawdopodobieństwo udowodnienia sędzi Coltellini czegokolwiek w sprawie różnych przysług, jakie mu wyświadczyła, było znikome. Brunetti musiał z gorzkim cynizmem przyznać, że rewelacje, które Fontana mógł ewentualnie przekazać na ich temat, nie naraziłyby ich na żadne niebezpieczeństwo. Puntera i Coltellini brali na siebie ryzyko znalezienia się w chwilowo kłopotliwej sytuacji, ale gdyby kłopotliwe sytuacje stanowiły przeszkodę na drodze postępu, nie byłoby rządu ani Kościoła.

Dudniące na nowo organy położyły kres jego rozmyślaniom i zasygnalizowały koniec mszy. Brunetti i Vianello wstali i odwrócili się w stronę przejścia.

Czterej mężczyźni toczyli powoli katafalk ku drzwiom kościoła. Jako pierwsza szła za trumną signora Fontana z twarzą osłoniętą czarną woalką, harmonizującą z czarną suknią z długimi rękawami. Obok kroczył nieznany komisarzowi mężczyzna, na którym wspierała się prawą ręką. Dwa kroki za nimi szedł jej bratanek, który skinął głową Brunettiemu. Komisarz rozpoznał kilka twarzy, ludzi, którzy pracowali w sądzie — ku swemu zaskoczeniu ujrzał wśród nich sędzię Coltellini. Wychodzący rzędem żałobnicy patrzyli prosto przed siebie lub na chodnik pod swoimi stopami.

Jakaś dość młoda para szła pod rękę, a tuż za nią otyła signora Zinka, której było za gorąco w zbyt długiej i zbyt obcisłej czarnej sukni. Twarz miała wilgotną i opuchniętą nie z powodu upału, pomyślał Brunetti. Na wyciągnięcie ręki od niej szedł Penzo, wyglądający tak, jakby był lub chciał być gdzieś indziej.

Widząc kolejną parę, Brunetti zdał sobie sprawę, że mylił się, sądząc, że skwar powstrzyma notorycznych uczestników pogrzebów. Maresciallo Derutti i jego żona słynęli w mieście z obecności na wszystkich pogrzebach. On uparcie przywdziewał na nie mundur galowy *carabinieri*, których szeregi opuścił ponad dwie dekady wcześniej. Na widok przechodzącego obok chorążego komisarz uznał, że pogrzeb dobiegł końca, i wszedł między rzędy ławek. Vianello ruszył tuż za nim.

Spowolnieni dostojeństwem ruchu, które narzucała sytuacja, potrzebowali trochę czasu, by dotrzeć do drzwi świątyni. Brunetti widział, jak toczą katafalk z trumną ku łodzi zacumowanej przy *riva*. Obaj z Vianellem wyszli na zewnątrz — marmurowy chodnik odbił światło słońca prosto w oczy komisarza, oślepiając go na moment. Brunetti odwrócił się w stronę kościoła i pod osłoną własnego cienia szukał w marynarce okularów przeciwsłonecznych. Namacał je w prawej kieszeni, ale zaplątały się w chusteczkę; szarpnął oprawkę, ale nie zdołał ich uwolnić. Rozchylił nieznacznie powieki, żeby zobaczyć, w czym problem, ale zanim zdążył spojrzeć w dół, zauważył, że signora Fulgoni wychodzi z kościoła pod rękę z drugą, jeszcze wyższą od niej kobietą, choć nie tak szczupłą jak ona. Obie miały na sobie spodnium z żakietem z szerokimi ramionami i obie przystanęły, by założyć okulary przeciwsłoneczne.

Brunetti szarpnął jeszcze raz i wydobył okulary z kieszeni. Założył je i znowu spojrzał na signorę Fulgoni, by stwierdzić, że osobą trzymającą ją pod rękę jest w rzeczywistości mężczyzna, który nosił identyczne okulary. Był wyższy, miał jednak taki sam kobiecy wyraz twarzy i starannie przystrzyżone krótkie włosy. Razem zeszli po schodach kościoła i podążyli za pozostałymi żałobnikami do nabrzeża.

— I z oczu opadły mu łuski — powiedział szeptem Brunetti, dziwiąc się równocześnie swojej ciągłej potrzebie mądrzenia się.

— Słucham? — odwrócił się do niego Vianello, żeby to powiedzieć.

— Patta żartował, że morderca zawsze przychodzi na pogrzeb swej ofiary.

Speszony Vianello z oczami ukrytymi bezpiecznie za szkłami okularów przeciwsłonecznych spojrzał w otwartą przestrzeń przed kościołem w stronę osób zgromadzonych koło łodzi, która miała przewieźć trumnę z ciałem Fontany na San Michele. Zobaczył to, co widział Brunetti: matkę zmarłego, wchodzącą teraz na łódź, która miała zabrać jej syna, sztywną postać Penza obok beczkowatej, przysadzistej Zinki, salutującego *maresciallo* z ręką przy czapce oraz dwoje wysokich ludzi stojących na lewo od niego.

Widząc skonsternowaną minę inspektora, Brunetti rzekł tylko:

— Poczekaj, aż tamtych dwoje się odwróci.

Inspektor i komisarz czekali, obaj nagle nieświadomi blasku słońca i upału. Mężczyzna, który towarzyszył signorze Fontanie w drodze ku łodzi, wszedł za nią na pokład i do kabiny. Ktoś na brzegu zrzucił cumę i łódź zaczęła się powoli oddalać. Ludzie na nabrzeżu stali nieruchomo, gdy dźwięk silnika stopniowo słabł, aż ucichł zupełnie. I wtedy, jakby na rozkaz, wszyscy stojący przed kościołem odwrócili się jednocześnie w lewo bądź w prawo i zaczęli opuszczać miejsce żałoby.

Brunetti zauważył, że Penzo poszedł w przeciwną stronę niż signora Zinka, która dołączyła do dwojga młodych ludzi. Tamci ruszyli oboje w kierunku Fondamenta della Misericordia, a ona podążyła za nimi.

Wydawało się, że signora Fulgoni obserwuje tę drugą parę, stała bowiem nieruchomo, trzymając się kurczowo ramienia towarzyszącej jej osoby, dopóki pozostali nie wspięli się na most i nie zniknęli w głębi *calle* na drugim brzegu kanału. Wtedy uniosła głowę i oderwała się od swojego towarzysza. Odwrócili się i zaczęli iść w tym samym kierunku, co tamci dwoje. Kompan signory Fulgoni był najbliżej policjantów, tak więc zobaczyli go z profilu.

Tego samego mężczyznę widzieli u jej boku w kościele. Nie było w tym nic dziwnego. Powiedziała coś, a on przystanął i odwrócił się do niej. Doszło do wymiany słów, najwyraźniej nieuprzejmych, po czym mężczyzna wyszarpnął ramię z jej dłoni i zamachnął się, jakby chciał ją od siebie odpędzić. Czy to ruch jego dłoni, zakończony wygięciem pod ostrym kątem, tak że palce wskazywały chodnik, otworzył oczy inspektorowi? Czy chodziło o nagły, gwałtowny obrót głowy, gest, który stanowił nieświadomą karykaturę gniewu?

— Mój mąż jest dyrektorem banku — powiedział Vianello.

Słońce uderzyło z najwyższego punktu swej wędrówki po niebie, przygważdżając ich do chodnika, i znowu odczuli jego przytłaczającą siłę. Brunetti spojrzał na zegarek w chwili, gdy odgłos bicia dzwonów w jakimś innym kościele przetoczył się nad nimi przez miasto. Spojrzał zdumiony na dzwonnicę La Madonna dell'Orto i zobaczył wiszące tam w śmiertelnym bezruchu dzwony.

— Te dzwony nie biją — rzekł ze zdziwieniem.

Rozdział 29

Zgodnie z przewidywaniami i obawami Brunettiego Patta sprzeciwił się pomysłowi zapytania państwa Fulgonich — każdego z osobna — o to, gdzie przebywali w noc, kiedy poniósł śmierć Fontana. *Vice-questore* zwrócił również uwagę, że nie sposób nikogo zmusić do dostarczenia próbki DNA „w celu eliminacji", ani też w istocie w żadnym innym celu.

Komisarz wciąż krzywił się, wspominając reakcję swojego zwierzchnika na wyjaśnienie, dlaczego chce przesłuchać Fulgonich.

— Chcesz narazić na szwank moją pozycję, bo m y ś- l i s z, że on może być gejem? — Chociaż *vice-questore* nie należał do przyjaciół homoseksualistów, wpadł w taką złość, że aż poderwał się z fotela i pochylił nad biurkiem. — Ten człowiek jest dyrektorem banku. Masz pojęcie, jakich kłopotów mogłoby to przysporzyć?

Z tego wynikał dziwny tok rozumowania Patty. Działanie mechanizmu sterującego dzwonami w kościele Madonna dell'Orto, które przestały bić przed dwoma tygodniami, było nie mniej dziwne. *Parocco* w rozmowie z Brunettim wyjaśnił, że podczas długich wakacji nie dało się znaleźć nikogo, kto przyszedłby to naprawić, bicie dzwonów nie odmierzało więc upływu godzin ani życia.

Chcąc poznać przyczyny kłamstwa jednego z Fulgonich, Brunetti zaczął się zastanawiać nad drugim. Banki to pewnie branża jak każda inna, pomyślał, wyróżniają się tylko tym, że ich produktem są pieniądze, a nie ołówki lub widły ogrodowe. To podobieństwo kazało przypuszczać, że pracownicy plotkują, a reputacja ludzi dzierżących ster banku jest ubarwiona — jeśli nie kształtowana całkowicie — przez plotki. W komendzie było powszechnie wiadomo, że signorina Elettra — z powodów, których nigdy do końca nie wyjaśniła i których nikt nigdy nie pojął — odeszła z pracy w Banca d'Italia, żeby się tutaj zatrudnić, komisarz poprosił ją więc o sprawdzenie wśród znajomych, którzy nadal pracowali w tym sektorze, jakie plotki krążą o dyrektorze Lucio Fulgonim.

Sekretarka Patty przyszła do gabinetu komisarza tego samego popołudnia. Skinieniem głowy wskazał jej krzesło.

— Rozumiem, że coś pani odkryła?

— Niestety niewiele i nic pewnego — odparła, siadając naprzeciwko.

— Co to znaczy?

— Że trochę się o nim mówi.

Brunetti nie przerwał jej, żeby zapytać o rodzaj tych komentarzy. Nawet jeżeli ten człowiek był dyrektorem banku, plotki najprawdopodobniej skupiały się na jego życiu erotycznym.

— Krążą domysły... tak przynajmniej usłyszałam od dwóch osób... dotyczą jego preferencji seksualnych. — Zanim komisarz zdążył to skomentować, dodała: — Obie te osoby słyszały, jak inni twierdzili, iż jest gejem, nikt jednak nie jest chyba w stanie dostarczyć na to żadnych dowodów. — Wzruszyła ramionami, jakby chciała zasugerować, jak bardzo powszechna jest taka sytuacja.

— Czemu więc się o nim mówi?

— Zawsze tak jest — odparła natychmiast. — Wystarczy, że mężczyzna zachowuje się w określony sposób, rzuci jakąś szczególną uwagę, a ktoś zacznie o nim gadać. I gdy to się zacznie, może być tylko gorzej. — Spojrzała na Brunettiego. — Za dowód służy fakt, że w ich związku nie ma dzieci.

Komisarz zamknął na chwilę oczy, po czym zapytał:

— Czy kiedyś zaczepił kogoś w banku?

— Nie. Nigdy, a przynajmniej nikt z moich znajomych o tym nie słyszał. — Signorina Elettra zastanawiała się przez chwilę, po czym dodała: — Gdyby coś się rzeczywiście zdarzyło, wszyscy by o tym wiedzieli. Nie ma pan pojęcia, jak bardzo konserwatywni są bankowcy.

Brunetti złożył dłonie jak do modlitwy i przycisnął je do ust.

— A żona? — zapytał.

— Bogata, ambitna i powszechnie nielubiana.

Komisarz postanowił zachować dla siebie spostrzeżenie, że ten opis pasowałby do żon wielu mężczyzn, z którymi miał do czynienia.

— Słuchając ludzi, człowiek odnosi wrażenie, że to trzecie może być prawdą nawet bez jej bogactwa i ambicji — pozwoliła sobie na komentarz Elettra.

— Poznała ją pani?

Zaprzeczyła gwałtownym ruchem głowy i zauważyła:

306

— Ale pan poznał.

— Owszem — przyznał Brunetti. — I rozumiem, dlaczego ludzie mogą nie darzyć jej sympatią.

Signorina Elettra nie raczyła poprosić o wyjaśnienie.

— Może szukamy informacji o nim u niewłaściwych osób — rzekł w końcu komisarz, ulegając pokusie, której opierał się od czasu rozmowy z Pattą.

— I powinniśmy pytać męskie prostytutki zamiast bankowców?

— Nie. Powinniśmy zapytać Fulgonich wprost. — Mówiąc to, zdał sobie sprawę, że jest już zmęczony kuluarowymi plotkami, zmęczony podsłuchiwaniem i zadawaniem się z informatorami. Zapytać tamtych wprost i skończyć z tą sprawą.

W ramach kary za zignorowanie ostrzeżenia Patty, by nie prześladować Fulgonich, idąc do ich mieszkania, Brunetti stanął pod pręgierzem słońca. Gdy mijał płaskorzeźbę przedstawiającą Maura prowadzącego wielbłąda, korciło go, by poprosić o radę, jak najlepiej potraktować bankiera i jego żonę, ale Maur od wieków pragnął jedynie sprowadzić swoje objuczone zwierzę z muru *palazzo* w Wenecji do swojego domu w Oriencie, więc komisarz oparł się tej nagłej chęci.

Oznajmił swoje przybycie signorze Fulgoni, która bez pytań i protestu wpuściła go na dziedziniec. Zanim ruszył ku schodom, obszedł go łukiem. Zaznaczony kredą kontur ciała Fontany już dawno zmyto z kamiennych płyt. Został jedynie strzępiasty ślad, który biegł ku małym otworom odpływowym pośrodku dziedzińca. Taśma odgradzająca miejsce zbrodni zniknęła, lecz grube łańcuchy wciąż broniły dostępu do składzików.

Podobnie jak ostatnim razem, signora Fulgoni czekała na niego w drzwiach mieszkania i znowu nie uścisnęła jego wyciągniętej ręki. Widząc ją z gładko zaczesanymi włosami, przypominającą jeszcze bardziej niż poprzednio kariatydę z różową szminką na ustach, komisarz zastanawiał się, czy znalazła jakiś sposób, by spędzać po kilka dni w opakowaniu próżniowym. Poszedł za nią korytarzem do tego samego pokoju, który stwarzał identyczne wrażenie pomieszczenia raczej na pokaz niż do codziennego użytku.

— Signora — rzekł, gdy usiedli twarzą w twarz — chciałbym zadać pani kilka dodatkowych pytań o wieczór, kiedy zginął signor Fontana. Nie jestem pewien, czy zrozumieliśmy należycie wszystko, co nam pani wcześniej powiedziała. — Nie uśmiechnął się po tych słowach.

Wyglądała na zaskoczoną, obrażoną nieomal. Jakim cudem jakiś policjant mógł źle zrozumieć to, co powiedziała? I jak ktokolwiek, bez względu na swoją pozycję, mógł kwestionować ścisłość jej wypowiedzi? Nie chciała jednak o to pytać — chciała przeczekać.

— Powiedziała pani, że w chwili gdy oboje z mężem skręciliście ze Strada Nuova, spacerując, by uciec przed skwarem, usłyszeliście, jak dzwony La Madonna dell'Orto wybijają północ, *signora*, a nie na przykład pół godziny czy może nawet godzinę później? — Uśmiech Brunettiego był jeszcze bardziej nijaki niż to pytanie.

Signora Fulgoni patrzyła na komisarza przez wiele sekund niczym właścicielka dworu na chłopa pańszczyźnianego, który zakwestionował jej słowa o łyżeczkach, jakich należy użyć do herbaty.

— Te dzwony biją od pokoleń — odparła z oburzeniem, którego przez grzeczność nie okazała w całej pełni. — Sugeruje pan, że bym ich nie rozpoznała lub nie zrozumiałabym, którą wybijają godzinę?

— Ależ nie, *signora* — odparł ze skromnym uśmiechem. — Może słyszała pani dzwony jakiegoś innego kościoła, które są mniej dokładne?

Fulgoni pozwoliła, by w murze jej anielskiej cierpliwości pojawiły się drobne szczeliny.

— Należę do tej parafii, *commissario*. Pozwoli pan, że sama ocenię, czy rozpoznaję dzwony mojego kościoła.

— Ależ oczywiście — rzekł komisarz obojętnie, zaskakując ją chyba tym, że po jej ostatnich słowach nie spadł z krzesła i nie czołgał się do drzwi jak zbity pies. — Powiedziała pani, że oboje z mężem nie znaliście zmarłego.

— Zgadza się — powiedziała półgębkiem, splatając dłonie na kolanach, żeby wzmocnić wymowę słów.

— Więc jak to możliwe — zaczął, postanawiając zadać cios — że w tym samym miejscu dziedzińca znaleziono ślady obecności zarówno pana Fontany, jak i pani męża?

Gdyby Brunetti naprawdę pchnął ją nożem, nie mógłby wywołać większego szoku. Otworzyła usta i uniosła dłoń, by je zasłonić. Patrzyła na niego tak, jakby widziała go po raz pierwszy i ten widok nie przypadł jej do gustu. Ale w ułamku sekundy odzyskała panowanie nad sobą i ukryła wszelkie oznaki zaskoczenia.

— Nie mam pojęcia, jak to możliwe, *commissario*. — Poświęciła parę chwil analizie tej zagadki, po czym pośpieszyła z wyjaśnieniem: — Oczywiście mąż mógł spotkać signora Fontanę na dziedzińcu i uznać to za nie dość istotne, by mi o tym wspomnieć. Może pomagał mu coś przenieść. Z doświadczeń Brunettiego nie wynikało, by dyrektorzy banku pomagali sąsiadom w przenoszeniu ciężkich przedmiotów, ale puścił jej uwagę mimo uszu z uprzejmym skinieniem głowy sugerującym, że uwierzył w tę bajkę.

— I mąż tamtego wieczoru nie opuszczał mieszkania bez pani? Może wyszedł zaczerpnąć świeżego powietrza? Albo po to, żeby przynieść wino ze składziku?

Wyprostowała się na krześle i zapytała ze ściśniętym gardłem:

— Sugeruje pan, że mój mąż miał coś wspólnego ze śmiercią tego człowieka?

— Oczywiście, że nie, *signora* — odparł spokojnie Brunetti, który to właśnie sugerował. — Mógł jednak widzieć coś niezwykłego lub niestosownego i wspomnieć o tym pani, a potem sam zapomnieć... pamięć to bardzo dziwna rzecz. — Obserwował, jak ta myśl dociera do jej świadomości.

Signora Fulgoni spojrzała na jeden z obrazów wiszących na przeciwległej ścianie, przyglądała mu się wystarczająco długo, by zapamiętać ścisłą horyzontalność jego elementów, po czym znów popatrzyła na komisarza. Zacisnęła usta, spuściła wzrok, a następnie spojrzała na niego z wyrazem pełnego zażenowania zaskoczenia.

— Była jedna rzecz...

— Tak, *signora*?

— Sweter — odparła, jakby oczekiwała, że Brunetti zrozumie, o czym mowa.

— Który sweter?

— Ach — mruknęła, jakby nagle wróciła do pokoju i przypomniała sobie okoliczności rozmowy. — Oczywiście. Jasnozielony sweter. Z dekoltem w szpic, od Jaegera, kupiony przed laty. Mąż kupił go, gdy byliśmy w Londynie na wakacjach. I miał w zwyczaju narzucać go na ramiona, ilekroć wychodziliśmy na spacer — wyjaśniła i zanim komisarz zdążył zapytać, dodała: — Owszem, nawet w taki upał. — Nagle ściszyła głos. — Stał się dla niego, cóż, dla nas obojga, gdy wychodziliśmy wieczorem, rodzajem talizmanu.

— I co się stało z tym swetrem, *signora*?

— Gdy wróciliśmy tu tamtej nocy, mąż uświadomił sobie, że go nie ma. — Gospodyni skrzyżowała ręce, położyła dłonie na ramionach i nie znalazła tam swetra. — Wrócił więc natychmiast na dół, żeby go poszukać. Na ulicy nie było dużo ludzi, jeżeli więc się zsunął, to mógł nadal leżeć tam, gdzie go zgubił.

— Rozumiem. Znalazł go?

— Tak. Tak. Gdy wrócił, powiedział, że leżał na ziemi u stóp Ponte Santa Caterina. Niedaleko Gesuiti.

— Zatem poszedł z powrotem trasą waszego spaceru? — upewnił się Brunetti, obliczywszy odległość między ich domem a mostem.

— Zapewne. Byłam już w łóżku, zapytałam więc tylko, czy znalazł sweter, a gdy potwierdził, niestety od razu zasnęłam.

— Rozumiem, rozumiem. To zaskakujące, że nie wspomniał o tym ani słowem w zeznaniu, które przyjął od niego porucznik Scarpa.

— Jak sam pan powiedział, *commissario*, pamięć to dziwna rzecz — przypomniała signora Fulgoni i zanim sam zdążył to powiedzieć, zauważyła: — Dziwne też jest to, że dopiero teraz sobie o tym przypomniałam. — I jakby dla podkreślenia osobliwości tego wszystkiego, przyłożyła dłoń do czoła i posłała mu roztargnione spojrzenie.

— Jak długo pani zdaniem go nie było?

We właściwy wenecjanom sposób spojrzała w dal, a jej pamięć pokonywała ów dystans.

— Dojście do mostu zajęłoby mu, jak przypuszczam, około piętnastu minut, bo pewnie szedł powoli. Więc dwa razy tyle — oszacowała, po czym, jakby niepewna, czy bez jej pomocy da sobie radę z mnożeniem, podpowiedziała Brunettiemu: — Najwyżej pół godziny.

— Dziękuję pani — rzekł komisarz i wstał.

Zanim komisarz dotarł do banku, marynarka kleiła mu się do pleców, a spodnie marszczyły się nieprzyjemnie między nogami przy każdym kroku. Wkroczył do klimatyzowanego holu i przystanął, by otrzeć chusteczką twarz i szyję. Na szczęście temperatura nie była arktyczna i szybko się z nią oswoił. Przemierzył wyłożony marmurem hol i podszedł do biurka, za którym siedziała młoda kobieta w świeżo wyprasowanym kostiumie. Uniosła wzrok i pewnie ujrzała rozmamłanego mężczyznę w wymiętej niebieskiej marynarce, zapytała bowiem ze źle maskowaną pogardą:

— W czym mogę pomóc, *signore*? — Mówiła po włosku, lecz z wyraźną regionalną intonacją. Brunetti wyjął portfel i pokazał jej policyjną legitymację.

— Chciałbym rozmawiać z signorem Fulgonim — powiedział, uważając, by posługiwać się weneckim dialektem. Po czym, naśladując silny akcent przyjaciół ojca, z którymi ten grywał w karty w *osterie* w czasach młodości Guida, dodał: — Chcę z nim rozmawiać o morderstwie.

Młoda kobieta wstała z szybkością, która — gdyby nie klimatyzacja — sprawiłaby, że pot wystąpiłby jej na czoło. Spojrzała na Brunettiego, następnie w lewo, po czym podniosła słuchawkę i wybrała jakiś numer.

— Jest tu ktoś, kto chciałby rozmawiać z panem dyrektorem — powiedziała, a po chwili słuchania dodała: — To policjant. — Popatrzyła na komisarza z obłaskawiającym uśmiechem, powiedziała dwa razy *sì* i odłożyła słuchawkę.

— Zaprowadzę pana — zaproponowała, uważając, by nie zbliżać się zbyt blisko do komisarza. Odwróciła się i ruszyła w stronę tylnej części budynku.

Brunetti czytał kiedyś artykuł w jakiejś publikacji, której tytułu nie mógł sobie przypomnieć, zawierający analizę rozlokowania różnych pomieszczeń w domu pod kątem atawistycznych wspomnień zagrożenia. Pomieszczenia, w których ludzie byli najbardziej bezbronni, niezmiennie umieszczano — tak w każdym razie twierdzono w artykule — najdalej od wejścia, miejsca, w którym zagrożenie wtargnęłoby do środka. Tak więc sypialnie znajdowały się na drugim piętrze lub z tyłu domu, zmuszając intruza, jak sugerowano, do przedzierania się przez gorzej bronione pozycje z pomocą miecza lub pałki, co zaalarmowałoby właściciela i zapewniło mu sporo czasu na przygotowanie się do ucieczki lub obrony.

Brunetti nie miał wątpliwości, że signora Fulgoni zadzwoniła już do męża, być może licząc na to, że będzie miał dość czasu, by wymknąć się niepostrzeżenie oknem lub naostrzyć brzytwę.

Po obu stronach drzwi w głębi banku stały biurka, wyglądające niczym podpórki jakiegoś rzadkiego inkunabułu. Przed jednym z nich czekała kolejna młoda kobieta, przy drugim nie było nikogo.

Pierwsza kobieta zatrzymała się i wskazując uniesioną ręką Brunettiego, wyjaśniła:

— To ten policjant.

Komisarz stłumił odruchową chęć warknięcia i pogrożenia im pięściami, ale przypomniał sobie, że w krainie, gdzie pieniądz jest bogiem, policjanci nie powinni wkraczać do miejsc kultu. Uśmiechnął się więc uprzejmie do drugiej młódki, która odwróciła się i otworzyła drzwi, nie racząc zapukać. Dottor Fulgoni nie miał być zaskakiwany.

Mężczyzna ruszył już w stronę Brunettiego. Miał na sobie stonowany ciemnoszary garnitur. Jego krawat w drobny wzór był rdzawoczerwony, a z kieszeni na piersi wystawała rdzawoczerwona chusteczka. Gdy się zbliżał, komisarz szukał oznak zniewieścienia, które dostrzegł na pogrzebie, i żadnych nie odkrył.

Kroki bankiera były równe, włosy starannie przystrzyżone, rysy twarzy kształtne, a brwi układały się w ostre łuki nad oczami.

— Przepraszam, *commissario*, nie podali mi pańskiego nazwiska — wyjaśnił Fulgoni uspokajająco głębokim głosem. Uścisnął dłoń Brunettiego i zaprowadził go do kanapy, która stała w kącie gabinetu.

Brunetti przedstawił się, gdy szli przez pokój, i postanowił usiąść w skórzanym fotelu naprzeciw kanapy; na niej zajął miejsce Fulgoni. Miał wyraźnie zarysowane kości policzkowe i długi nos.

— Mogę panu zaproponować coś do picia, *commissario*? — zapytał przyjemnym, bardzo melodyjnym głosem.

Mówił włoszczyzną, z której wymazane zostały wszelkie ślady akcentu i intonacji typowe dla regionu Veneto.

— Dziękuję, *dottore*. Może później.

Fulgoni uśmiechnął się i podziękował młodej kobiecie, która wyszła z gabinetu.

— Żona zadzwoniła do mnie z informacją o pańskiej wizycie. Powiedziała, że doszło do jakiegoś nieporozumienia w kwestii godziny, o której wróciliśmy do domu w dniu śmierci signora Fontany.

— Tak — potwierdził komisarz. — Między innymi.

Bankier nie udawał, że jest tym zaskoczony

— Zakładam, że moja żona wyjaśniła panu, kiedy tam dotarliśmy.

— Owszem. Powiedziała mi też o pańskim swetrze i o tym, że wyszedł pan go szukać.

Fulgoni siedział w milczeniu, przyglądając się twarzy swojego rozmówcy, pozwalając komisarzowi czynić to samo. W końcu rzekł:

— A tak, sweter. — To, jak wymówił ostatnie słowo, uświadomiło Brunettiemu, że sweter ma dla dyrektora ogromne znaczenie, lecz komisarz nie miał pojęcia, co może być tego przyczyną.

— Powiedziała, że gdy wróciliście ze spaceru, zdał pan sobie sprawę, iż zgubił pan zielony sweter. Podkreślała, że

315

ten sweter był dla pana ważny... użyła chyba słowa „talizman"... więc wyszedł pan z domu, żeby go szukać.

— Czy wspominała, że go znalazłem?

— Tak i że powiedział jej pan o tym.

— A potem?

— Potem poszła spać.

— A powiedziała panu przypadkiem, jak długo szukałem tego swetra?

— Nie była pewna, ale chyba około pół godziny.

— Rozumiem. — Fulgoni siadł głębiej na kanapie, jakby nieco wyżej. Ich spojrzenia spotkały się na chwilę, potem jednak bankier odwrócił wzrok i utkwił oczy w przeciwległej ścianie. Brunetti nie przerywał jego rozmyślań. Minęła minuta, zanim bankier dodał: — Żona powiedziała mi, że pan... policja... znalazł na dziedzińcu ślady obecności pana Fontany i mojej. A ściśle mówiąc, w tym samym miejscu na dziedzińcu.

— To prawda.

— Jakie ślady? — zapytał, odchrząknął, a potem dodał: — I gdzie?

Złapany w pułapkę swojego kłamstwa Brunetti odczekał trochę, zanim odpowiedział. Fulgoni spojrzał na niego, lecz potem odwrócił wzrok i komisarz postanowił zaryzykować, mówiąc:

— Myślę, że zna pan odpowiedź na oba pytania, *dottore.*

Tylko człowiek z natury uczciwy lub na tyle naiwny, by dać się zwieść pewnej minie Brunettiego, uznałby te słowa za zadowalającą odpowiedź.

— Ach — wyrwało mu się z ust wraz z przeciągłym oddechem, przypominającym westchnienie pływaka wynurzającego się z wody w basenie po zakończeniu wyścigu. — Zechce mi pan powtórzyć, co powiedziała moja żona? — zapytał, usiłując zachować spokój w głosie.

— Że wyszedł pan z nią na spacer, żeby uciec od skwaru panującego w waszym mieszkaniu, i że gdy wróciliście, uświadomił pan sobie, iż zgubił sweter. I wtedy wyszedł pan na pół godziny i wrócił ze swoją zgubą.

— Rozumiem — rzekł Fulgoni i patrząc komisarzowi w oczy, zapytał: — I myśli pan, że miałbym wystarczająco dużo czasu, by zejść na dziedziniec i zabić Fontanę? By uderzyć jego głową o ten posąg?

— Tak — odparł bez wahania Brunetti i dodał: — Miałby pan wystarczająco dużo czasu.

— Ale to nie znaczy, że to zrobiłem?

— Dopóki nie ma motywu, zabicie go przez pana wydawałoby się bezsensowne.

— Fakt — rzekł Fulgoni. — I, jak mawiają Anglicy, jakże szlachetnie z pańskiej strony, że pan mi to mówi.

Komisarz był bardziej zaskoczony tą opinią niż odniesieniem do Anglików.

— Czy te próbki, które, jak pan twierdzi, znaleźliście, dostarczają motywu? — zapytał bankier.

— Owszem — odparł Brunetti głęboko świadom sformułowania użytego przez dyrektora: „jak pan twierdzi, znaleźliście".

Fulgoni zaskoczył go, wstając nagle z kanapy.

— Chyba nie chcę już siedzieć w banku, *commissario*. Brunetti wstał z fotela, ale zachował milczenie.

— Może w takim razie pojedziemy do mojego domu, by się rozejrzeć? — zaproponował bankier.

— Jeżeli pan sądzi, że to pomoże w wyjaśnieniu sytuacji — odparł komisarz, chociaż sam nie bardzo wiedział, co przez to rozumie.

Fulgoni sięgnął po telefon i poprosił o zamówienie taksówki wodnej.

Stali obok siebie na pokładzie łodzi, gdy ta wiozła ich w górę Canal Grande i pod mostem Rialto. Dzień był słoneczny, lecz dzięki lekkiemu wiatrowi na wodzie nie czuli upału. Brunetti wiedział z doświadczenia, że napięcie na ogół skłaniało ludzi do rozmowy, a napięcie, które przepełniało Fulgoniego, można było bez trudu dostrzec w zbielałych kłykciach dłoni, którymi mocno ściskał reling. Lecz równie często gniew zamykał ludziom usta, gdy zużywali siły na analizę przeszłości, szukając być może miejsca lub momentu, w którym sytuacja się zagmatwała lub wymknęła spod kontroli.

Taksówka zatrzymała się w tym samym miejscu, przy którym Foa zacumował w dniu znalezienia zwłok Fontany. Fulgoni zapłacił taksówkarzowi i dołożył suty napiwek, po czym wyszedł na nabrzeże. Odwrócił się, by sprawdzić, czy Brunetti potrzebuje pomocy, ale ten stał już obok niego.

Nadal nic nie mówiąc, ruszyli po nabrzeżu i przeszli mostem na drugą stronę kanału. Zatrzymali się przy *portone* i komisarz czekał, aż bankier wyciągnie klucze i otworzy drzwi.

Fulgoni zaprowadził go do składziku, który mieścił klatki dla ptaków, i wyprostował się gwałtownie na widok spiętego kłódką łańcucha.

— Zakładam, że właśnie tam znaleźliście swoje próbki? — zapytał, wskazując wnętrze.

Brunetti pomyślał wcześniej o tym, by wziąć klucze z magazynu dowodów i wyciągnął je teraz z kieszeni. Wsuwał je po kolei do zamka, aż znalazł właściwy, zdjął kłódkę i otworzył drzwi. Było niemal południe, więc promienie słońca padały pionowo i nie oświetlały składziku. Fulgoni wyciągnął rękę i włączył światło.

Nie zwracając uwagi na klatki przeznaczone dla ptaków, podszedł prosto do ułożonych obok w stertę pudeł. Komisarz przyglądał się, jak bankier czyta etykiety, choć Fulgoni zasłaniał mu swoim ciałem ich widok. W końcu sięgnął ręką do góry i wysunął jedno, wywołując małą lawinę, gdy pudła powyżej opadły gwałtownie, by wypełnić pustą przestrzeń. Położył je na okrągłym stoliku z podrapanym blatem, którego Brunetti wcześniej nie zauważył. Fulgoni chwycił za suchą i trudną do odklejenia taśmę, która szczelnie zamykała pudło, i zerwał ją w jednym długim kawałku. Odwracając się do Brunettiego, powiedział:

— Może chciałby pan je otworzyć, *commissario*.

Brunetti wyminął bankiera i odchylił pierwszą klapę pudła, a potem dwie następne. Na wierzchu leżał popielaty sweter z golfem.

— Chyba musi pan zajrzeć głębiej, *commissario* — rzekł Fulgoni i wydobył z siebie ironiczny śmiech, w którym nie było cienia prawdziwego poczucia humoru.

Komisarz uniósł sweter. Pod spodem leżał drugi — gruby, niebieski z zamkiem błyskawicznym — a pod nim jasnozielony z dekoltem w szpic.

— Tak, niech pan obejrzy metkę — zachęcił bankier i w tym samym momencie wzrok Brunettiego padł na metkę Jaegera.

Brunetti odłożył pozostałe swetry na miejsce i zamknął pudło. Odwrócił się do Fulgoniego i zapytał:

— Czy to znaczy, że nie wyszedł pan szukać swojego swetra?

— To pudło zostało spakowane pod koniec zimy, *commissario*. Więc nie, nie miałem go na ramionach i nie zgubiłem. Nie wyszedłem zatem w poszukiwaniu tego swetra. — Położył go niedbale na stercie pudeł, po czym schylił się, by podnieść z posadzki zerwaną z pudła taśmę. Patrząc na brązowy pasek papieru, którym owijał sobie dwa palce, dodał: — Moja żona nie lubi bałaganu. I nieładu. — Wsunął papierową rolkę do kieszeni, spojrzał na komisarza i zaznaczył: — Zawsze starałem się spełniać jej życzenia. — Skinął głową w stronę klatek dla ptaków i rzekł: — To, jak sądzę, dowód na to, że próbowałem. Nie mieliśmy dzieci, więc pewnego roku stwierdziła, że chce mieć ptaki. Wypełniła nimi dom. — Ogarnął gestem magika puste klatki. — Ale one zdychały lub chorowały, więc je oddaliśmy. Te, które jeszcze były zdrowe.

— A co z chorymi? — zapytał Brunetti, ponieważ czuł, że tego się od niego oczekuje.

— Żona pozbyła się ich, gdy zdechły. — Bankier odwrócił się do komisarza. — Zawsze byłem zdecydowanie bardziej sentymentalny od mojej żony, chciałem więc je pogrzebać po drugiej stronie dziedzińca, pod palmami. — Wskazał niewyraźnym ruchem ręki za drzwi składziku. — Ale ona włożyła je do foliowych worków i kazała zabrać śmieciarzowi.

— Ale klatki zachowaliście?

Fulgoni potoczył wzrokiem po stosach drewnianych domków dla ptaków i odparł zaintrygowany tym faktem:

— Owszem, zachowaliśmy, prawda? Sam zastanawiam się dlaczego.

Komisarz wiedział, że bankier nie szuka odpowiedzi na to pytanie.

— Może moja żona lubi klatki — dodał ze smętnym uśmiechem. — Nigdy wcześniej nie myślałem o tym w ten sposób. — Podszedł do drzwi składziku i pociągnął je ku sobie, aż się zamknęły, a potem stał przez chwilę, trzymając dłońmi pręty kraty, i wyglądał na dziedziniec. Później odwrócił się do Brunettiego i zapytał: — Tylko po której stronie jest wnętrze klatki, *commissario*? Jak pan myśli: tu czy tam?

Komisarz był anielsko cierpliwym człowiekiem, więc po prostu stał i czekał, aż Fulgoni znowu przemówi. Bywał świadkiem takich sytuacji wiele razy i w końcu uznał je za coś w rodzaju prób rozwikłania problemu lub wyrwania się ze stanu równowagi, gdy człowiek postanawia, że trzeba wszystko wyjaśnić, choćby samemu sobie.

Fulgoni przyłożył palce prawej dłoni do ust, jakby chciał zaświadczyć o głębi swojej zadumy. Gdy odsunął palce, jego wargi i skóra wokół były zabarwione na ciemnobrązowo. Brunetti pobiegł wzrokiem ku jego dłoniom, ale ujrzał na nich jedynie rdzę z krat, nie krew Fontany.

Komisarz zamknął oczy, uświadomiwszy sobie nagle skwar panujący w tej klatce, w której obaj byli uwięzieni.

— Chciałbym panu coś pokazać, *commissario* — rzekł bankier zupełnie normalnym głosem. Gdy Brunetti spojrzał na niego, zauważył, że wyciera ręce chusteczką z kieszonki marynarki. Zdumiało go to, że dłonie Fulgoniego robią się czystsze, nie zostawiając ciemnych plam na chusteczce. Fulgoni minął go i wrócił w pobliże klatek. Przyglądał się im przez moment, a potem pochylił się, by obejrzeć jedną, stojącą w dolnym rzędzie. Schylił się, chwycił ją z obu stron i zaczął nią poruszać, wyciągając spomiędzy pozostałych.

Wyszarpnął ją na zewnątrz i podobnie jak to było z pudłami, inne klatki opadły krzywo na zwolnione przez nią miejsce.

Bankier zaniósł klatkę na stół i postawił obok pudła.

— Niech pan popatrzy, *commissario* — rzekł, cofając się, żeby wydobyć klatkę z cienia, który rzucało jego ciało.

Brunetti pochylił się, żeby ją obejrzeć. Zobaczył drewnianą klatkę dla ptaków, cienkie bambusowe żebra, klasyczna konstrukcja „made in China". Na dnie zamiast gazety leżał kawałek czerwonego sukna. Wyglądało na utkane z cienkiej bawełny, a w głębi klatki widoczny był oddzielny kawałek: czyżby rękaw? Tak, owszem, rękaw. Był też kołnierzyk, jeszcze bardziej z tyłu. A zatem sweter, z czerwonej bawełny, na lato. Fulgoni stał obok nieruchomy i milczący, więc komisarz skierował wzrok na tkaninę, zaintrygowany tym, że tamtemu zależało, żeby to zobaczył. Tuż poniżej dekoltu widniały jakieś kontury lub przynajmniej plama w innym odcieniu. Ciemniejsza niż reszta swetra, bezkształtna, może jakiś kwiat? Jeden z tych dużych, takich jak piwonia? Zawilec?

U góry rękawa znajdował się jeszcze jeden kwiat, mniejszy i ciemniejszy. Bardziej zasuszony.

Komisarz wyciągnął rękę, by otworzyć drzwiczki klatki,

ale zanim zdążył ich dotknąć, Fulgoni położył dłoń na jego ramieniu, mówiąc:

— Niech pan ich nie dotyka, *commissario*. Chyba nie chce pan zanieczyścić dowodu? — W jego głosie nie było śladu sarkazmu tylko obawa.

Brunetti długo patrzył na sweter, po czym zapytał:

— Bardzo pan uważał, wkładając go tutaj?

— Gdy poszła na górę, podniosłem go przez chusteczkę. Nie wiedziałem, co się wydarzy, ale chciałem, żeby było...

— Co? — zapytał komisarz.

— Jakieś świadectwo tego, co się stało.

— Powie mi pan co?

Fulgoni zbliżył się do drzwi, chyba w poszukiwaniu chłodniejszego powietrza. Obaj spływali potem, a z klatek dla ptaków wydobywała się obrzydliwa duszna woń.

— Araldo i ja potrzebowaliśmy siebie nawzajem. Sądzę, że można by to tak określić. On chyba lubił załatwiać te rzeczy szybko i anonimowo, a ja nie miałem innego wyboru, niż na to przystać. — Fulgoni westchnął i przy okazji wciągnął pewnie w płuca trochę powietrza zanieczyszczonego przez kurz z klatek, zaczął bowiem kaszleć. Siła tego kaszlu zgięła go wpół i wtedy zasłonił usta dłonią, jeszcze bardziej rozmazując plamy rdzy.

Gdy kaszel ustał, bankier wyprostował się i kontynuował swoją opowieść.

— Spotykaliśmy się tutaj. Araldo nazywał to miejsce — powiedział świadomie melodramatycznym tonem, wskazując niski sufit i pokryte kurzem belki stropowe — naszym miłosnym gniazdkiem. — Fulgoni wyjął chusteczkę i otarł

323

nią twarz, rozmazując rdzę, teraz już jaśniejszą, na czole. — Przypuszczam, że moja żona wiedziała. Mój błąd polegał na tym, że myślałem, iż nie dba o to.

Bankier nie odzywał się tak długo, że Brunetti zapytał:

— A tamtej nocy?

— Było prawie tak, jak opowiadała panu moja żona, tyle że to jej sweter zgubiliśmy, nie mój. Sweter z czerwonej bawełny. Powiedziałem, że pójdę go poszukać. Znalazłem go nie przy Ponte Santa Caterina, ale po drugiej stronie pierwszego mostu. Gdy wyszedłem, zobaczyłem, że drzwiczki do skrzynki na listy Fontanów są otwarte, był to nasz umówiony sygnał. Gdy go widziałem, wracając z żoną do domu, znajdowałem pretekst do wyjścia na spacer, schodziłem na parter i z *calle* dzwoniłem do jego drzwi. A gdy schodził, chroniliśmy się w naszym miłosnym alkierzu.

— Czy tak właśnie się stało?

— Owszem. Powiesiłem sweter na poręczy schodów, skąd nikt by go nie ukradł. A potem Araldo zszedł do mnie. Nigdy nie trwało to długo. Nie chciał tracić czasu na rozmowy czy coś podobnego. Gdy skończyliśmy, zawsze wychodził pierwszy. Zachowywaliśmy ostrożność.

— Ale nie zawsze? — zapytał Brunetti.

— Ma pan na myśli signora Marsano?

— Tak.

Fulgoni pokręcił głową na to wspomnienie.

— Raz byliśmy na dziedzińcu, gdy otworzył drzwi. Nie żebyśmy coś robili, ale sytuacja pewnie była dla niego oczywista. — Bankier wzruszył ramionami. — Kolejny powód do zachowania ostrożności. To znaczy po tym.

— A tamtej nocy?

— Araldo wyszedł pierwszy i szedł przez dziedziniec, gdy usłyszałem jej głos. Tutaj światło było zgaszone, pomyślałem więc, że jeżeli będę cicho, to może nic się nie stanie. A potem skończę z tym. Zawsze chciałem z tym skończyć — powiedział smutnym głosem. — Ale wiedziałem, że i tak tego nie zrobię.

Fulgoni znowu otarł twarz i komisarz miał już zaproponować, żeby wyszli na dziedziniec, ale bankier ciągnął dalej:

— Zostałem więc tutaj, w potrzasku, i słuchałem ich kłótni. Nigdy wcześniej nie słyszałem z jej ust takich obelg, nigdy nie straciła przy mnie kontroli. — Fulgoni odwrócił się i zaczął ustawiać równo klatki. Gdy zsuwały się lub wpasowywały w swoje miejsce, unosił się nad nimi kurz, i bankier znowu zaczął kaszleć. Gdy przestał, wrócił do opowieści. — Potem usłyszałem jakiś dźwięk. Nie głos, lecz dźwięk, a później następne dźwięki i głos, ale tylko przez chwilę, a potem kolejne dźwięki. Po czym zapadła głucha cisza.

Kochanek Fontany wskazał sofę.

— Leżałem tam ze spodniami opuszczonymi do kostek, więc trochę trwało, zanim wyszedłem zobaczyć, co się stało. — Po chwili, usiłując mówić mocniejszym głosem, dodał: — Nie, nie z tego powodu. Bałem się, co tam znajdę... Usłyszałem kroki na schodach, ale nadal czekałem. Gdy w końcu dotarłem do... tam — wyjaśnił, wskazując drzwi, które wciąż odgradzały ich od dziedzińca — światło się paliło i zobaczyłem Aralda na ziemi. Ale instalacja ma wyłącznik czasowy i światło zgasło. Musiałem więc wrócić do włącznika i znowu go przycisnąć, idąc w ciemności, wiedząc, że tam jest, że leży na ziemi. — Przerwał na długi, jak się zdawało, czas. — Kiedy wróciłem, zobaczyłem, co zrobiła. Pewnie zobaczyła sweter na poręczy, gdy zeszła, wiedziała więc, że tu jestem. I wtedy ujrzała, jak Araldo wychodzi ze składziku i to było...

— A sweter?

— Leżał obok niego. Musiała mieć go w rękach, gdy... — Przez chwilę wyglądało na to, że Fulgoni zwymiotuje, ale mu przeszło i ciągnął dalej. — Wyjąłem chusteczkę. Zdałem sobie sprawę, jak sytuacja będzie wyglądała lub może wyglądać. Nie chciałem, by coś jej się stało. — Potem, niczym człowiek odkrywający w sobie uczciwość bądź odwagę, dodał: — Albo mnie. — To powiedziawszy, odetchnął głęboko dwa razy, po czym rzekł: — Owinąłem więc dłoń chusteczką i przyniosłem sweter tutaj do klatki. Trochę go rozpłaszczyłem.

— Co pan zrobił później, *signore*?

— Zamknąłem to pomieszczenie na klucz, wróciłem na górę i położyłem się spać.

Rozdział 30

Paola, która nie miała uprawnień wynikających z posiadania prawa jazdy, ale za to miała ochronę zapewnioną przez męża, który był przecież komisarzem policji, zajechała na stację kolejową w Malles, żeby zabrać stamtąd Brunettiego, ryzykując nie tylko własne życie, ale i życie swoich dzieci. Pojechali prosto do La Posta w Glorenzy, gdzie Raffi i Chiara dowiedli, że większość dnia spędzili na wędrówce po górach, pożerając półmisek specku wielkości dętki, tagliatelle ze świeżymi *finferli* oraz strudel morelowy z kremem waniliowym.

Gdy przyjechali na miejsce, oboje byli otumanieni i trzeba ich było wyganiać z samochodu, i ciągnąć do wiejskiego domu, gdzie zniknęli w swoich pokojach, chociaż Chiara rzeczywiście objęła go i wymamrotała coś o tym, że cieszy się, widząc swojego ojca.

Później wyciągnięty przed otwartym kominkiem Brunetti sączył morelowego sznapsa, a Paola poszła po swetry. Gdy wróciła, okryła mu jednym ramiona, ale on uparł się, żeby wstać i go włożyć.

— Opowiadaj — poprosiła, siadając obok.

Spełnił jej prośbę. Jego kieliszek pozostał nietknięty, gdy opisywał wydarzenia tego ranka, pogrzeb signory Montini, w którym uczestniczył razem z Vianellem, doktorem Rizzardim oraz dwiema lub trzema osobami, które pracowały z nią w laboratorium.

Paola nie zadawała pytań, licząc na to, że poniesie go siła narracyjnego rozpędu.

— Odbył się w San Polo, chociaż chodziła do kościoła przy Campo dei Frari. Tamtejszy proboszcz nie chciał odprawić dla niej mszy. — Brunetti odwrócił się i oparł o poręcz kanapy, żeby lepiej widzieć Paolę. — To było przygnębiające. Wysłaliśmy kwiaty, ale reszta kościoła była pozbawiona ozdób. Ksiądz podczas nabożeństwa dwa razy spojrzał na zegarek, a potem mówił trochę szybciej.

Komisarz, rozgrzany i wyczerpany po bezsennej nocy, mimo woli powrócił myślami do sceny sprzed niespełna dwóch tygodni, gdy stał na *campo* niedaleko kościoła i czekał, aż ciotka Vianella wyjdzie z domu tej kobiety.

Widział niewyszukaną trumnę, trzy wieńce, czuł woń kadzidła.

— Ale przynajmniej krótko trwało — dodał. — Potem zawieźli ją na San Michele.

— A ty przyjechałeś tutaj?

Brunetti zawahał się, po czym odparł:

— Najpierw wyświadczyłem przysługę Lorenzowi.

— Jaką przysługę?

— Porozmawiałem z jego ciotką.

Paola nie potrafiła ukryć zaskoczenia.

— Myślałam, że wyjechała z synem na dwa tygodnie.

Komisarz wstał i dorzucił polano do ognia, wepchnął je

328

na właściwe miejsce końcem drugiego polana i wrócił na kanapę.

— Dlaczego tak bardzo kochamy kominki? — zapytał.

— To atawizm. To silniejsze od nas. Jaskinie, mamuty. Opowiedz mi o ciotce Vianella — odparła Paola, zapomniawszy o trzymanym w dłoni kieliszku.

— Jego kuzyn zadzwonił do niego poprzedniego wieczoru i powiedział, że wróciła do Wenecji, więc po pogrzebie pojechaliśmy się z nią zobaczyć.

— Jakby sam pogrzeb nie wystarczył, co? — zauważyła, klepiąc go po kolanie.

— Tak naprawdę było lepiej. Lorenzo mówił jej o mnie, wiedziała więc, kim jestem. I chyba mi ufała. Niezależnie od tego, jak zła była na syna czy Lorenza, i tak mnie wysłuchała.

— I co jej powiedziałeś?

— Wszystko, czego się dowiedzieliśmy o Gorinim. Wziąłem ze sobą policyjne raporty.

— Naruszając w ten sposób przepisy dotyczące ochrony prywatności?

— Tak sądzę.

— Dobrze. Co powiedziała?

— Przeczytała je wszystkie. Zapytała mnie o niektóre sprawy; o to, co robiły różne wydziały policji i czy te dokumenty są wiarygodne.

— Powiedziałeś jej?

— Tak.

— Gdzie był wtedy Vianello?

— Siedział na krześle, udawał, że jest niewidzialny.

— No i? Uwierzyła ci?

— W końcu naprawdę nie miała wyboru — odparł Brunetti. Energiczna kobieta, którą tak niedawno śledził na Via Garibaldi, siedziała między nim a Vianellem z załzawioną twarzą, milcząca i spięta. W pomarszczonej ręce trzymała kurczowo dokumenty, jakby mogła jakoś wycisnąć z nich prawdę.

— Co się stało?

— Potrzebowała trochę czasu, a później powiedziała nam — rzekł komisarz, oszczędzając Paoli opisu, jak kartki raportów wypadły staruszce z dłoni, gdy szukała chusteczki do wytarcia twarzy i oczu — że odkąd badania laboratoryjne wykazały, iż jej mąż ma początkowe stadium cukrzycy, kupuje dla niego specjalne *tisane*, herbatkę ziołową. — Odkorkował butelkę i dolał sobie do kieliszka trochę sznapsa, po czym wbił korek z powrotem. — Następnie powiedziała Vianellowi, że była naiwna — dodał, wypowiadając to ostatnie słowo lżejszym tonem — i chciała zatelefonować do syna z przeprosinami.

— Co na to Vianello?

— Powiedział, żeby się nie wygłupiała, i zaproponował, że odwiezie ją do rodziny, żeby dokończyła swoje wakacje.

— A ty?

— Wsiadłem do pociągu, żeby przyjechać tutaj — odparł, nie wspominając o swoim rozdrażnieniu tym przedstawieniem, jak podejrzewał, w wykonaniu ciotki inspektora. W swojej karierze widział i słyszał tyle płaczu na zawołanie, że trudno było mu uwierzyć w jego szczerość.

— A Gorini? — zapytała Paola.

— Kto to wie? Zniknął. Po śmierci Montini poszliśmy do jej domu, ale nic nie wskazywało na jego obecność.

Nic. — Zamieszał likierem w kieliszku, ale nie wypił ani kropli.

— Co się teraz stanie?

— Z nim? Pewnie nic. Przeniesie się gdzie indziej i znajdzie jakąś inną łatwowierną kobietę, a potem znajdzie kolejne naiwne osoby.

— Takie jak ciotka Vianella?

— Tak sądzę. Lub osoby jej pokroju.

— A Fulgoni? — zapytała Paola, pozostawiając ciotkę inspektora i ludzi jej pokroju ich przekonaniom.

Brunetti sapnął głośno i wypił mały łyk sznapsa.

— Ona twierdzi, że zeszła na dziedziniec i znalazła Fontanę na ziemi. I zdjęła sweter, żeby zatamować krwawienie. Wtedy jej mąż wyszedł ze składziku i zrozumiała, co się działo i do czego doszło. Mówi, że wbiegła po schodach na górę, lecz nie mogła się zdobyć na wezwanie policji.

— A jej bajeczka o biciu kościelnych dzwonów? Nie opowiadałaby jej, gdyby nie chciała, żeby wyglądało na to, że do zabójstwa doszło później.

— Zeznała, że na ten pomysł wpadł jej mąż, aby stworzyć wrażenie, że Fontana został zamordowany po tym, jak poszli na górę. Skoro na dziedzińcu nie było ciała, gdy przyszli, a było już po północy, to prowadziłoby to do oczywistego wniosku, że Fontana zginął, gdy oni byli już w mieszkaniu.

— Po co w takim razie powiedziała ci o tym swetrze?

Brunetti zastanawiał się nad tym podczas długiej podróży pociągiem z Wenecji.

— Kto wie? Może myślała, że ktoś widział jej męża na zewnątrz, i uznała, że najlepiej będzie powiedzieć policji, że wychodził. W ten sposób moglibyśmy uwierzyć w całą resztę.

— Myślisz, że próbowała go chronić?

— Może. Na początku — odparł komisarz.

— Po co więc kłamać i mówić, że to był jego sweter?

Brunetti wzruszył ramionami.

— Zaskoczenie? Albo instynktownie pragnęła zdystansować się od tej zbrodni, albo chciała, żeby podejrzenie padło na niego. A może po prostu nie umie kłamać.

— Jak to się skończy?

Komisarz pochylił się i postawił kieliszek na stole, po czym usiadł na kanapie i zagłębił się w niej jeszcze bardziej niż poprzednio.

— Dopóki jedno z nich się nie przyzna, całe śledztwo do niczego nie doprowadzi.

— A jeżeli żadne tego nie zrobi?

— Wtedy sprawa będzie się ciągnąć bez końca, a prawnicy obedrą ich ze skóry — wyjaśnił Brunetti.

— Czy to, co wiecie, nie wystarczy, żeby udowodnić winę jednemu z nich? — zapytała Paola głosem, w którym konsternacja próbowała wziąć górę nad irytacją.

Brunetti, choćby dlatego, żeby nie zasnąć, wstał i znowu podszedł do kominka, ale tym razem chciał tylko poczuć jego ciepło. Jakże dziwnie i wspaniale to ciepło rozchodziło się po jego nogach. Spojrzał przez okno, które wychodziło na północ, i wskazał biały stok, który lśnił w blasku księżyca. Nie mógł wyraźnie ocenić odległości. Był daleko, a mimo to wydawał się bardzo bliski.

— Czy to Ortler? — zapytał.

— Tak.

Komisarz odsunął się od kominka i powrócił do pytania Paoli.

— Jest wystarczająco dużo dowodów, żeby skazać któreś z tych dwojga, ale prawdziwy problem polega na tym, że ich brakuje, by skazać oboje. — Pomyślał z odrazą o spektaklu medialnym, który na pewno się zacznie: krew, śmierć i potajemny seks pośród klatek dla ptaków. Wszystko, i to z naddatkiem, co mogła wchłonąć żądna wrażeń publika. — Na to są małe szanse.

— Wierzysz mu?

— Chciałbym — odparł z pewnym opóźnieniem Brunetti, po czym, po dłuższej pauzie dodał: — Tego się obawiam.

Paola czekała, dopóki nie nabrała pewności, że skończył, i powiedziała:

— Chodźmy do łóżka.

Później Brunetti leżał z otwartymi oczami, spoglądając na widoczny z łóżka Ortler: świecący jasno, rozpromieniony pod nieobecność ludzi.

— Mój talizman — rzekł komisarz, wziął żonę w ramiona i zasnął.

Nakładem wydawnictwa Noir sur Blanc ukazały się
następujące powieści Donny Leon:

ŚMIERĆ W LA FENICE
1998
2006 (seria kieszonkowa)

ŚMIERĆ NA OBCZYŹNIE
1999

STRÓJ NA ŚMIERĆ
1999
2010 (seria kieszonkowa)

ŚMIERĆ I SĄD
1999

ACQUA ALTA
1999
2011 (seria kieszonkowa)

CICHO, WE ŚNIE
2001
2009 (seria kieszonkowa)

SZLACHETNY BLASK
2002

ZGUBNE ŚRODKI
2003
2007 (seria kieszonkowa)

ZNAJOMI NA STANOWISKACH
2004
2008 (seria kieszonkowa)

MORZE NIESZCZĘŚĆ
2005
2007 (seria kieszonkowa)

PERFIDNA GRA
2006 (seria kieszonkowa)

SŁOWO OFICERA
2007 (seria kieszonkowa)

FAŁSZYWY DOWÓD
2008 (seria kieszonkowa)

KREW Z KAMIENIA
2009 (seria kieszonkowa)

MĘTNE SZKŁO
2010 (seria kieszonkowa)

OKROPNA SPRAWIEDLIWOŚĆ
2010 (seria kieszonkowa)

DZIEWCZYNA Z JEGO SNÓW
2011 (seria kieszonkowa)

UKRYTE PIĘKNO
2012 (seria kieszonkowa)

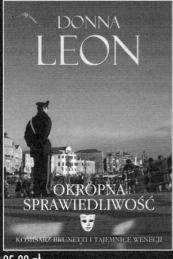

OKROPNA SPRAWIEDLIWOŚĆ

25,00 zł

DZIEWCZYNA Z JEGO SNÓW

28,00 zł

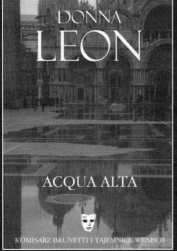

ACQUA ALTA

29,00 zł

UKRYTE PIĘKNO

28,00 zł

Opracowanie redakcyjne
Dorota Jovanka Ćirlić

Korekta
Beata Wyrzykowska
Janina Zgrzembska

Projekt okładki
Tomasz Lec

Zamówienia prosimy kierować:
— telefonicznie: 800 42 10 40 (linia bezpłatna)
— faksem: 12 430 00 96 (czynnym całą dobę)
— e-mailem: nsb@wl.net.pl
— księgarnia internetowa: www.noirsurblanc.pl

Printed in Poland
Oficyna Literacka Noir sur Blanc Sp. z o.o., 2013
ul. Frascati 18, 00-483 Warszawa

Skład i łamanie
DINKOGRAF
Druk i oprawa
Zakład Graficzny Colonel, spółka akcyjna